CONIECTANEA BIBLICA · NEW TESTAMENT SERIES 13: 1

DAVID HELLHOLM

Das Visionenbuch des Hermas als Apokalypse

Formgeschichtliche und texttheoretische Studien zu einer literarischen Gattung

I

Methodologische Vorüberlegungen und makrostrukturelle Textanalyse

CWK GLEERUP LUND SWEDEN

Akademische Abhandlung für das Doktorexamen an der Universität Uppsala 1980

ISBN 91-40-04724-5

CWK Gleerup ist das Impressum für wissenschaftliche Veröffentlichungen des Verlages Liber Läromedel Lund

Abstract

Hellholm, D. 1980. Das Visionenbuch des Hermas als Apokalypse. Formgeschichtliche und texttheoretische Studien zu einer literarischen Gattung. I. Methodologische Vorüberlegungen und makrostrukturelle Textanalyse (The Book of Visions in the Shepherd of Hermas as an Apocalypse. A form-critical and text-theoretical Investigation of a literary Genre. Part I: Methodological Preliminaries and macrostructural Textanalysis.) *Coniectanea Biblica. New Testament Series* 13: 1. 211 pp. Uppsala. ISBN 91-40-04724-5.

The Present volume is the first part of a two-volume investigation. The purpose is twofold: to examine the Book of Visions as part of a literary genre in order to establish more accurately than hitherto the macrostructure and function of the genre Apocalypse in Antiquity and to achieve an interpretation of this text *per se* in order to determine its specific message in a particular situation in the Early Church.

By means of modern text theory the interrelationship between the semiotic categories of pragmatics, semantics and syntactics as hierarchically organized limitation-aspects and of *faculté de langage, langue* and *parole* as hierarchically organized abstraction-levels has been worked out into a theory that provides a foundation for a formal assessment of the interrelationship between form, content and Sitz im Leben for establishing literary genres and for the interpretation of single texts.

D. Hellholm, Teologiska institutionen, Uppsala Universitet, Box 2006, S-750 02 Uppsala, Sweden.

Printed in Sweden by
Almqvist & Wiksell, Uppsala 1980

Wissenschaftliches Denken
ist nicht Sache eines Augenblicks,
ist nichts Statisches, sondern ein Prozeß.
Genauer: es ist ein Prozeß kontinuierlicher
Konstruktion und Reorganisation.

(Jean Piaget 1973,8)

Lars Hartman
Hans Dieter Betz

IN DANKBARKEIT

INHALT

I. EINLEITUNG

1. Die Aufgabe der Untersuchung

Wer sich an die Analyse eines Textes macht, steht unmittelbar vor der Entscheidung, ob er den Text als Einzeltext oder als Exemplar einer bestimmten Gattung, d. h. ob er den Text auf der Parole-Ebene oder auf der Langue-Ebene untersuchen will.

Dieser doppelten Funktion einer Textanalyse muß sich jeder Exeget bewußt sein, wenn er zu methodisch gesicherten Ergebnissen kommen soll. Unsere Aufgabe in dieser Hinsicht ist eine zweifache: wir wollen den Text des Visionenbuches aus dem ,,Hirten des Hermas" einerseits und vor allem als (Probe-) Exemplar einer Textgattung, die wir im Anschluß an die theologische Formgeschichte preliminär als Apokalypse bezeichnen, andererseits als Einzeltext aus der frühen Kirchengeschichte um seiner selbst willen analysieren und interpretieren. In diesem ersten Band, der den Untertitel ,,methodologische Vorüberlegungen und makrostrukturelle Textanalyse" trägt, soll zunächst die methodische Grundlage und die analytische Vorarbeit für den zweiten Band geleistet werden. Im zweiten Band, der den Untertitel ,,Gattungsbestimmung und Interpretation" tragen wird, soll sodann erstens die Langue-Funktion herausgearbeitet werden, um die tentative Gattungsbestimmung für diesen Text festzustellen und gleichzeitig einen Beitrag zur Definition der Gattung Apokalypse zu leisten; zweitens soll die Parole-Funktion dargestellt werden, um zu einer möglichst intersubjektiv überprüfbaren Interpretation dieses literarisch und theologisch meist unterschätzten Textes zu gelangen.

1.1. Die Weiterführung der Formgeschichte

Die urchristliche Schrift, die Gegenstand folgender Untersuchung ist, ist von Ph. Vielhauer als ,,Pseudoapokalypse" bezeichnet worden[1]. Diese Bezeichnung fordert geradezu zu einer form- und gattungsgeschichtlichen Untersuchung auf, denn das Methodenproblem der Formgeschichte wird unmittelbar evident, wenn behauptet wird, daß die Schrift ,,in Form und

[1] Vielhauer 1975, 522; vgl. Dibelius 1923, 419f.

Stil als Apokalypse"[2] zu benennen sei, während ihre Vollwertigkeit als Apokalypse deswegen bestritten wird, weil derer „gattungsspezifische Themen fehlen"[3]. Hier kommt schlagartig das Problem der Differenzierungskriterien bei Gattungsbestimmungen zutage: wie verhalten sich Form/Stil und Inhalt zueinander?

Dasselbe Methodenproblem, diesmal aber hinsichtlich der dritten Komponente der Formgeschichte, nämlich des „Sitzes im Leben" wird indirekt angesprochen in der bedeutungsvollen Feststellung M. Dibelius, daß „es kein Zufall (ist), daß die beiden Bücher, in denen eine nochmalige Bußmöglichkeit für Christen nach der Taufe verkündet wird, Offenbarungsbücher sind: Apc und unser 'Hirt'"[4]. Hier kommt ein anderes aber genauso vielbehandeltes Problem der Differenzierungskriterien zum Vorschein: wie verhalten sich Form/Inhalt zum „Sitz im Leben"?

Semiotisch ausgedrückt geht es um die Relation zwischen Syntaktik, Semantik und Pragmatik bei der Herstellung von Differenzierungskriterien für Gattungsbestimmungen. Unsere Aufgabe wird es sein, die formgeschichtliche Fragestellung zu präzisieren, dadurch daß wir in drei Schritten intersubjektiv überprüfbare Differenzierungskriterien herzustellen versuchen: in einem *ersten Schritt* sollen Gliederungsmerkmale zur Delimitierung des Textganzen aufgestellt und mit Hilfe einer semiotischen Metatheorie hierarchisch geordnet werden; in einem *zweiten Schritt* soll mit Hilfe der ranggeordneten Gliederungsmerkmale der Text in Kommunikationsebenen geordnet bzw. in Teiltexte verschiedenen Grades delimitiert und in einem *dritten Schritt* der somit delimitierte Text hinsichtlich seiner makrostrukturellen Komposition untersucht werden unter der Annahme, daß Art, Abfolge und Relation von Teiltexten gattungsspezifisch ist. Wir beschränken uns in diesem Band auf die beiden ersten Schritte.

1.2. Die Interpretation des Visionenbuches

Seit der Entdeckung der griechischen Handschriften des Hermasbuches durch Konstantin Simonides im Jahre 1851 und Konstantin Tischendorf in seiner Veröffentlichung der Codex Sinaiticus 1862/63 ist diese Schrift bes. am Ende des vorigen und Anfang dieses Jahrhunderts lebhaft diskutiert und sehr unterschiedlich beurteilt worden[1].

Da wir uns erst in Band II der Interpretation des Einzeltextes ausführ-

---

[2] Vielhauer 1975, 518.

[3] Ibid., 522.

[4] Dibelius 1923, 511.

[1] S. die Einleitungen in den Textausgaben von Gebhardt/Harnack 1877, V–LXXXIV; Hilgenfeld 1881, I–XXXI; Whittaker 1967, IX–XVIII; Joly 1968, 11–68; Dibelius 1923, 415–424; Vielhauer 1964, 444–454; 1975, 513–523.

lich zuwenden[2], können wir uns hier mit einigen Bemerkungen zu einer interpretativen Aufgabe dieses Textvorkommens begnügen.

Zuerst muß nach der geschichtlichen bzw. innerkirchlichen Situation, die den Autor zur Abfassung seines Buches veranlaßt hat, gefragt werden. Hier geht es um die bei der Interpretation alter Texte schwierige Rekonstruktion der textexternen Kommunikationssituation[3].

Eine im Hinblick auf diesen Text dringende Frage ist ferner die Interpretation der autobiographischen Elemente, deren Echtheit in der Forschung einerseits bejaht[4] andererseits verneint[5] wird. Eng damit verknüpft ist die Frage der Echtheit der Visionen, die ebenfalls unterschiedlich beurteilt wird: als „psychologisch echte Inspiration" versteht sie Ström. als „literarische Komposition" und „Fiktion" werden sie von Dibelius eingeschätzt[6].

Zu diesen Problemen kommen noch die Fragen nach der literarischen Einheitlichkeit[7] und den religions- und traditionsgeschichtlichen Zusammenhängen[8].

2. Die Begrenzung der Untersuchung auf das Visionenbuch

Bei einer gattungstheoretischen Untersuchung ist es natürlich bedauerlich, nicht in der Lage zu sein, den *Text als Ganzes* einer Analyse unterziehen zu können[1].

So notwendig solch eine Analyse des Gesamttextes, nicht zuletzt im Hinblick auf die kompositorische Gestaltung des Hermasbuches sowie im Hinblick auf die Forschungslage auch ist, so wäre sie, aufgrund ihres Umfanges, nicht zu bewältigen.

Wenn wir uns zuerst den vier ersten Visionen, dem „Visionenbuch", widmen, hat das folgende Gründe: Von Gelehrten, die das Hermasbuch als von einem einzigen Autor verfaßt ansehen[2], als auch von denen, die dahinter mehrere Autoren sehen[3], sind die meisten der Ansicht, daß das Visionenbuch ein geschlossenes Ganzes ist, ja sogar vielleicht einmal separat existiert hat[4].

---

[2] Eine Anleitung zur Interpretation des Visionenbuches wird natürlich indirekt in der Textanalyse § III.2. und dem knappen Kommentar dazu in § III.3. gegeben.

[3] Vgl. unten § II. 1.2.3.3. und § II. 2.2.2.2.1.

[4] So Ström 1936, 4.

[5] So Dibelius 1923, 419.

[6] Ström, ibid., 18; Dibelius, ibid., 420 et passim.

[7] Dazu s. Giet 1963; Coleborne 1965; Joly 1967, 1968; Dibelius 1923.

[8] Dazu vor allem Dibelius 1923 und Peterson 1959.

[1] Vgl. § II.1.4.2.

[2] Z.B. Dibelius 1923, 421; Vielhauer 1975, 516f.

[3] Z.B. Giet 1963; Coleborne 1965.

[4] Bonner 1934, 14; Vielhauer 1975, 517; Whittaker 1967, XII Anm. 6. Coleborne 1965, 33–37.

Als methodische Begründung der Begrenzung auf das Visionenbuch diskutieren wir zuerst die textinterne und danach die textexterne Evidenz[5].

(1) *Die textinterne Evidenz für eine Zäsur zwischen Vis. IV und V.*

(a) Der Wechsel der Offenbarungsmittler. Im Visionenbuch ist die Presbyterin, wenn auch nicht die einzige, so doch bei weitem die überragende Offenbarungsträgerin; danach erscheint sie nicht mehr, sondern wird im Hirtenbuch direkt ab Vis. V durch den ,,Hirten" als Offenbarungsträger ersetzt.

(b) Der Autor. Im Visionenbuch wird der Autor in allen vier Visionen von der Presbyterin mit Ἑρμᾶ angeredet, während er in dem mehr als fünfmal so umfangreichen Hirtenbuch weder mit Namen noch Titel erscheint.

(c) Adressaten. Im Visionenbuch redet der Autor mehrmals seine Leser mit ἀδελφοί an; im Hirtenbuch dagegen kommt diese Anrede nirgends vor[6].

(d) Anaphorische und kataphorische Hinweise[7]. Im Visionenbuch liegen an einigen Stellen kataphorische Hinweise auf folgende Vision(en) (8, 2; 21, 4b) vor; Keine von ihnen weisen jedoch über das Visionenbuch selbst hinaus. Anaphorische Hinweise finden sich auch innerhalb des Visionenbuches z. B. die Hinweise auf die drei Visionen in 18,7–21,4; vor allem sei hier aber die anaphorische Thematisierung in 24,6 erwähnt. Hierzu gehört auch die Bitte um Vollendung der Offenbarungen durch die Heilige Kirche in 22,3b. Bezüglich der anaphorischen Hinweise ist also festzustellen, daß es im Visionenbuch keine gibt, die über dieses selbst auf das Hirtenbuch hinausweisen, wohl aber ein Schlußsignal im Munde der Presbyterin, das das Ende des Visionenbuches markiert.

Im Hirtenbuch dagegen finden sich anaphorische Hinweise, die sich auf das Visionenbuch beziehen (25,5 [=Vis. V,5] und 78,1 [=Sim. IX,1]) die aber im Verdacht stehen, sekundäre Hinzufügungen bei der vermuteten Zusammenlegung der beiden Teile des Hermasbuches zu sein[8].

(e) Für das Hirtenbuch läßt sich außerdem zeigen, daß Vis. V vom Verf. oder Redaktor (wir können die Frage hier offenlassen) als eine Einleitung zu den Mandata und Similitudines aufgefaßt wurde, ,,denn in Vis. V 5f [=25,5] werden die beiden Begriffe ἐντολαί und παραβολαί durch das nur einmal gesetzte Personalpronomen bzw. durch den nur einmal gesetzten Artikel verbunden, also als engstens zusammengehörig verstanden (ebenso Sim. IX 1,1 [=78,1]). Zudem sind die ersten Similitudines mit den Mandata eng verwandt, und Sim. VII 7 [=66,7] wird von den παραβολαί als ἐντολαί gesprochen"[9].

---

[5] S. die knappe aber ausgezeichnete Zusammenfassung bei Vielhauer 1975, 516f.

[6] Vgl. das analoge Verhältnis in Kol, Eph und den Pastoralbriefen gegenüber den Echtpaulinen; s. Schweizer 1963, 429.

[7] Zur Terminologie s. unten § II.1.2.3.1.3.

[8] Vgl. z. B. Dibelius 1923, 493 und 602.

[9] Vielhauer 1975, 517.

(2) *Die textexterne Evidenz für eine Zäsur zwischen Vis. IV und V.*

(a) Die Überschrift der Vis. V. ,,Die Überschriften der fünften Vision zeigen eine gewisse Verwirrung. A und die äthiopische Übersetzung lesen ὅρασις ε', L[1] *uisio quinta initium pastoris,* L[2] *incipiunt pastoris mandata duodecim.* Die Überschrift in א: ἀποκάλυψις ε' scheint einen bestimmten Unterschied zwischen dieser und den vorhergehenden ὁράσεις anzudeuten"[10].

(b) Der Michigan-Codex ,,never contained the visions" wie Bonner nachgewiesen hat. Aus dieser Tatsache schließt er ,,that the Mandates and Similitudes with their introduction (Vis. 5) circulated in Egypt as a work complete in itself"[11]. Hier sei auf das ähnliche Verhältnis in der achmimischen Übersetzung hingewiesen[12]. Dieses Argument ist aber mit einem Problem behaftet, da der Michigan-Codex das Visionenbuch vorauszusetzen scheint[13].

Zu den verschiedenen literarkritischen Hypothesen kann erst nach einer eingehenden Analyse des ganzen Hermastextes Stellung genommen werden. Aber genug Evidenz dafür, daß das Visionenbuch als ein geschlossenes Ganzes anzusehen ist, hoffen wir erbracht, und damit die eigenständige Behandlung des ersten Teils des ,,Hirten des Hermas" rechtfertigt zu haben.

---

[10] Whittaker 1967, XII Anm. 6.

[11] Bonner 1934, 14; Whittaker, ibid.

[12] Whittaker 1967, 116.

[13] Der direkte Beweis dafür kann nicht erbracht werden, da der Text in 25 [Vis. V] und 78,1 [Sim. IX, 1] fehlt; s. die Ausgabe von Bonner 1934. Vgl. vor allem Joly 1968, 16 mit Anm. 1 und S. 411; 1967, 203 ff.

II. METHODOLOGISCHE VORÜBERLEGUNGEN

In diesem zweiten Teil sollen die theoretischen Grundlagen für eine Text- bzw. Gattungsanalyse von Erzähltexten in Auseinandersetzung mit neueren textsemiotischen und -linguistischen Theorien versuchsweise erarbeitet und ihre Vereinbarkeit mit bzw. Bedeutsamkeit für vorhandene gattungs- und formkritische Methoden aufgewiesen werden. Aufgrund dieser metatheoretischen Überlegungen soll sodann im Anschluß an E. Gülich und W. Raible eine Hierarchie von Gliederungsmerkmalen zwecks einer formalen Delimitierung von Texten in funktionale Teiltexte gattungsdeterminierender Struktur aufgestellt werden.

1. Texttheorie und Formgeschichte

1.1. Text als Kommunikationsmittel

Eins der grundlegenden Ergebnisse der formgeschichtlichen Methode war und ist immer noch die ,,Einsicht, daß die Literatur, in der sich das Leben einer Gemeinschaft, also auch der urchristlichen Gemeinde, niederschlägt, aus ganz bestimmten Lebensäußerungen und Bedürfnissen dieser Gemeinschaft entspringt, die einen bestimmten Stil, bestimmte Formen und Gattungen hervortreiben"[1]. Diese berühmte Aussage über das Verhältnis zwischen literarischen Gattungen und der ,,soziologischen Tatsache": ,,Sitz im Leben" zeigt[2], daß schon am Anfang der Formgeschichte die pragmatisch-kommunikative Funktion im Vordergrund nicht nur des Interesses, sondern auch der Methode stand[3]. Vielleicht am eindrucksvollsten kommt der pragmatische Aspekt der frühen Formgeschichte in dem Fragenkatalog Gunkels zutage: ,,Wer ist es der redet? Wer sind die Zuhörer? Welche Stimmung beherrscht die Situation? Welche Wirkung wird erstrebt?"[4].

In der modernen Sprachwissenschaft ist seit Ende der 60er Jahre ein zunehmendes Interesse an der ,,Pragmatik" vernehmbar, seitdem dieses Forschungsgebiet lange im Schatten der ,,Syntax" und ,,Semantik" ge-

---

[1] Bultmann, 1964, 4; vgl. Dibelius 1971, 7 und die Darstellung bei Vielhauer 1975, 284.

[2] K. L. Schmidt 1928, 639.

[3] Näheres dazu unten § 1.4.2. Zur Definition von Pragmatik s. unten § 1.2.2.

[4] Gunkel 1913, 33; vgl. Klatt 1969, 146; Koch 1974, 41.

standen hatte[5]. Zwei bedeutsame Ausnahmen waren der Psychologe K. Bühler und der Semiotiker Ch. Morris[6]. Danach hat sich die Lage vollkommen verändert[7]. Der maßgebliche Grund für diese Umorientierung dürfte mit der Einsicht, ,,daß Sprache phänomenal primär in kommunikativ funktionierenden Äußerungen vorkommt", zusammenhängen[8].

Wenn als Norm für die pragmatische Textualität das gilt, ,,was an einem bestimmten Ort und zu einer bestimmten Zeit in einer bestimmten Situation von einer Gesellschaft als textkonstitutiv anerkannt wird"[9], dann nimmt man mühelos die Ähnlichkeit zur Formgeschichte wahr.

Dieser Eindruck bestätigt sich bezüglich der Typikalität von Texten durch die Feststellung S.J. Schmidts, daß verbale Kommunikation in sozialen Kontexten es in erster Linie nicht mit Einzeltexten zu tun hat, sondern mit ,,socially formed and acknowledged *types* of texts"[10].

Die Bedeutung pragmatisch-kommunikativer Aspekte für Gattungsdifferenzierungen ist erst durch Einfluß pragmatisch eingestellter Linguistik in ihrer vollen Tragweite von einer semiotisch orientierten Gattungstheorie erkannt worden[11]; immerhin ist dies in der Literaturwissenschaft keine neue Einsicht, denn schon H. E. Mantz hatte 1917 ausdrücklich die kommunikative Funktion literarischer Gattungen hervorgehoben u.ä. ist bei Wellek/Warren zu lesen[12]. Dadurch ist laut Kl. Hempfer ,,eine explizit kommunikativ-semiotische Bestimmung des Wesens der 'Gattungen' erreicht, sie werden zu Bedingungen des Verstehens, die der Autor berücksichtigen muß, damit Kommunikation überhaupt zustande kommt"[13].

Unter denjenigen Texten mit spez. kommunikativer Funktion gebührt der Schreibweise bzw. Textsortenklasse ,,Erzählung"[14] bes. Berücksichtigung, denn unabhängig von der jeweiligen historischen Gattung – sei es Roman oder Novelle sei es Evangelium oder Apokalypse – werden in einem narrativen Text einem oder mehreren Adressaten Sachverhalte von

---

[5] Vgl. S. J. Schmidt 1976a, 23; Stalnaker 1974, 149; Kallmeyer et alii 1977, 69; Klaus 1973, 77.

[6] S. die Darstellung unten § 1.2.2.

[7] S. z.B. das Vorwort zur 2. Aufl. von S. J. Schmidt 1976a, I–XVII und die Überblicke bei Breuer 1974; Braunroth et alii 1978; Henne 1975; Schlieben-Lange 1975 und Güttgemanns 1978. S. auch die Sammelbände S. J. Schmidt (Hrsg.) 1974 und 1976b.

[8] S. J. Schmidt 1976a, 22; vgl. auch IV, 9f., 145f.; bes. aber 43–87: Die Theorie der kommunikativen Handlungsspiele als Basis einer Texttheorie; 1973, 234f.; Große 1976; Ungeheuer 1972; Breuer 1974, 44–97; Kallmeyer et alii 1977, 26–78; Lyons 1977a, 32–56.

[9] Plett 1975b, 81; vgl. Wunderlich 1976, 13; Kummer 1975, 174f.

[10] S. J. Schmidt 1978, 52, bes. aber 54ff.; vgl. Plett, ibid.

[11] Weinrich 1971, bes. 7–11; Wienold 1972, 208ff.; Gülich 1976; Gülich/Raible (Hrsg.) 1975b, passim; Gülich/Raible 1975a; 1977 und 1977a; Hempfer 1973, bes. 222 et passim.

[12] Mantz 1917, 476; Wellek/Warren 1972, 245ff.; s. die Darstellung bei Hempfer 1973, 89–121; vgl. auch unten § 1.2.1.

[13] Hempfer 1973, 92.

[14] Zur Definition von ,,Schreibweise/Textsortenklasse" s. unten § 1.4.1.1.; zu Erzähltexten s. Haubrichs (Hrsg.), 1976 und 1977.

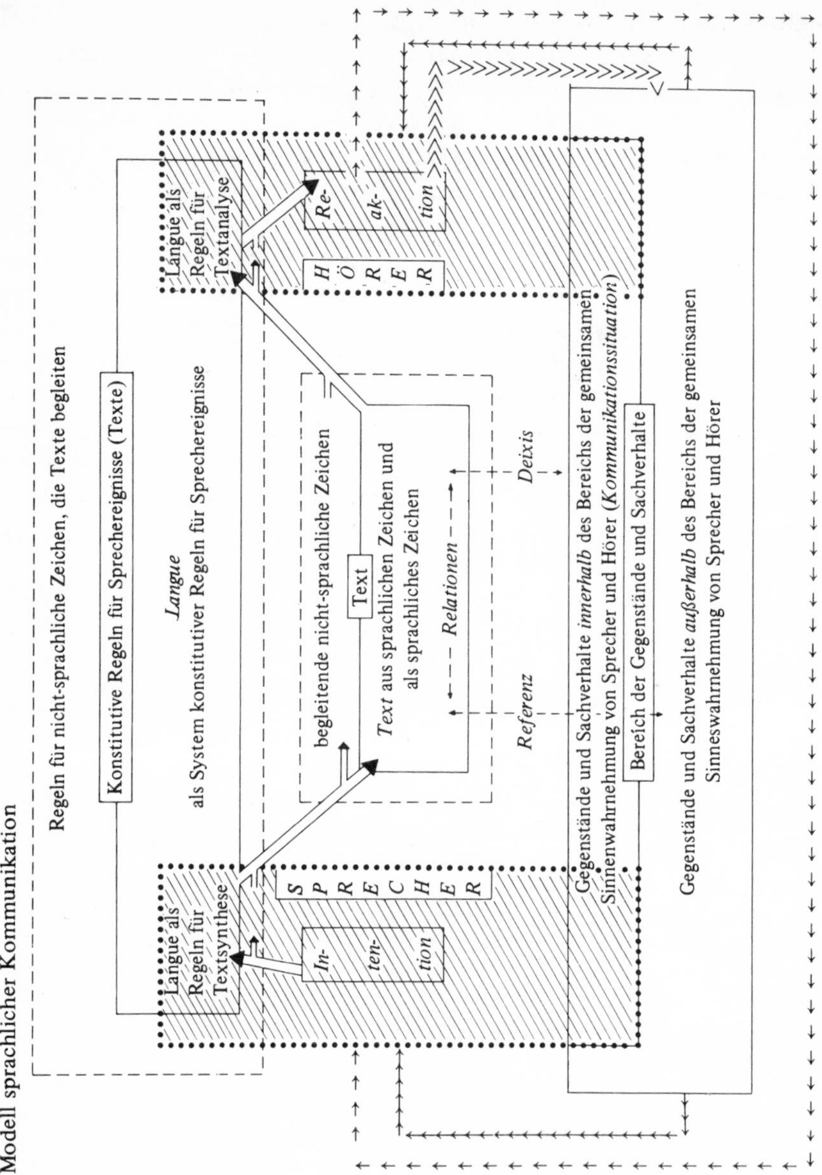

Fig. Ø.

einem Autor/Erzähler mit Hilfe eines Sprachsystems mitgeteilt[15]. Nun geschieht in Erzähltexten Kommunikation nicht nur auf einer *textexternen* Ebene zwischen Sender und Empfänger, sondern auch auf verschiedenen *textinternen* Ebenen durch in einer Erzählung dargestellten *dramatis personae*. Durch solche Einbettungen kann eine ganze Kommunikationshie-

[15] Vgl. unten § 1.2.2. und § 2.2.1.

rarchie entstehen[16]. Aufgrund erwähnter Tatsachen scheint es uns angebracht, ein Modell sprachlicher Kommunikation als „adäquate(n) theoretische(n) Rahmen"[17] an den Anfang unserer methodologischen Vorüberlegungen zum Erzähltext Apokalypse zu stellen.

Im Anschluß an Platon hat K. Bühler sein Organonmodell, das wir unten in Fig. 1 abgedruckt haben, seiner Sprachtheorie zugrundegelegt[18]. Darauf bauend haben E. Gülich und W. Raible ein erweitertes Modell entwickelt und als Grundlage für ihre verschiedenen Textanalysen verwendet[19], dessen schematische Darstellung wir in Fig. Ø zusammen mit der „Zeichenerklärung und Bemerkungen zum Modell" wiedergeben. Der Vorteil dieses komplexeren Kommunikationsmodells liegt, wie Kl. Heger bestätigt, hauptsächlich in seiner Anwendbarkeit sowohl „als Modell konkreter, tatsächlicher Kommunikationsakte" denn auch „als Modell der Bedingungen der Möglichkeit solcher Kommunikationsakte" und ist somit nicht nur auf der Ebene der Parole, sondern auch auf den Ebenen der Langue und des Langage dienlich[20].

Zeichenerklärung und Bemerkungen zum Kommunikationsmodell Fig. Ø

„Die Bereiche von Sprecher und Hörer sind stärker umrandet als die übrigen Bereiche. Damit soll zum Ausdruck gebracht werden, daß an solchen Stellen, an denen sich der Bereich von Sprecher und Hörer in der Art eines Euler- oder Venn-Diagramms mit anderen Bereichen überschneidet, diese anderen Bereiche Steuerinstanzen für den Sprecher/Hörer beim Prozeß der Textsynthese/Textanalyse darstellen. Bei diesen Steuerinstanzen handelt es sich einerseits um Regeln für Sprechereignisse (Texte), andererseits um den Bereich der Gegenstände und Sachverhalte mit seiner ausgezeichneten, ‚Kommunikationssituation' genannten Teilmenge. Da die Steuerung von Sprecher und Hörer durch den, ‚Bereich der Gegenstände und Sachverhalte außerhalb der Sinneswahrnehmung von Sprecher und Hörer' (und nicht nur durch den dazu komplementären Bereich der Kommunikationssituation) im Modell in derselben Art nur dann darstellbar gewesen wäre, wenn man dem Modell eine dritte Dimension gegeben hätte, wurde im Falle der Steuerung von Sprecher und Hörer durch den ‚Bereich der Gegenstände und Sachverhalte außerhalb der Sinneswahrnehmung von Sprecher und Hörer' die Hilfskonstruktion eines einfachen Pfeils

(→→→→) gewählt.
⟹ bedeutet die Richtung, in welche der Prozeß verläuft.
>>>>> bedeutet einen möglichen, aber nicht notwendigen Prozeß.
→ → → bedeutet eine Steuerung durch eine mögliche Reaktion"[21].

---

16 Vgl. Hempfer 1973, 173ff.; 1977, 10ff., 14f., 18; Raible 1972, 227ff., bes. 231ff.; Gülich 1976, 229f., 236ff.; Gülich/Raible 1977, 27 Anm. 4; Heger 1976, 227f.; Plett 1975b, 94; Fillmore 1974, 93. S. Näheres in § 1.2.3.3.; § 2.2.1. und § 2.2.2.2.1. sowie § III.3.1.

17 Gülich 1976, 226.

18 S. unten § 1.2.2.

19 Gülich/Raible 1975a, 147–151; 1977, 21–59; 1977a, 134–140; andere auch auf Bühler zurückgehende Kommunikationsmodelle finden sich z.B. bei Heger 1976, 10ff. und Große 1976, 12f., 30–44; vgl. auch Meier 1974.

20 Heger 1976, 14f. Zur Unterscheidung der verschiedenen Abstraktionsebenen s. unten § 1.2.3.2.3. und § 1.5.

21 Gülich/Raible 1977a, 136.

1.2. Textsemiotik als metatheoretische Basis

1.2.1. Die Perspektivierung in der Literaturwissenschaft

Im Bereich der Literaturwissenschaft hat M. H. Abrams 1953[1] die verschiedenen Interpretationstheorien von Literatur in einem auf vier Perspektiven reduzierten System zusammengestellt:

,,Erstens das *Werk* (work), das künstlerische Produkt selbst. Da es sich dabei um ein menschliches Produkt handelt, um ein Artefakt, ist das zweite gemeinsame Element der Hersteller, der *Künstler* (artist). Drittens wird unterstellt, daß dem Werk ein Thema zugrunde liegt, welches sich direkt oder indirekt aus Gegebenheiten ableitet – daß es von etwas handelt, etwas bedeutet oder widerspiegelt, das entweder existiert oder in irgendeinem Verhältnis steht zu einer objektiv gegebenen Zuständlichkeit. Dieses dritte Element, ob man es sich nun aus Menschen und Handlungen, Vorstellungen und Gefühlen, Gegenständen und Ereignissen oder aus übersinnlichen Phänomenen zusammengesetzt denkt, ist häufig mit dem schlechthin alles bedeutenden Wort 'Natur' bezeichnet worden; wir wollen statt dessen den neutraleren und umfassenderen Terminus *Weltall* (universe) verwenden. Als letztes Element bleibt noch das *Publikum* (audience): die Zuhörer, Zuschauer oder Leser, an die sich das Werk wendet oder die auf jeden Fall Zugang zu ihm haben"[2].

Bei seiner Orientierung über die kritischen Theorien spricht Abrams von ,,mimetische Theorien", ,,pragmatische Theorien", ,,expressive Theorien" und schließlich ,,objektive Theorien" und behandelt sie in dieser Reihenfolge[3]. Diese vier Betrachtungsweisen lassen sich, zusammen mit einer inhaltlichen Charakterisierung und nach terminologischer Modifikation durch H. Plett, der den Ausdruck ,,pragmatisch" durch ,,rezeptiv" und den Ausdruck ,,objektiv" durch ,,rhetorisch" ersetzt, sowie nach Hierarchisierung unsererseits wie in Fig. 1 zusammenfassend darstellen[4].

---

[1] M. H. Abrams: englisches Original 1953; zitiert wird nach der deutschen Ausgabe von 1978.

[2] Abrams 1978, 17.

[3] Abrams 1978, 19–46; Abrams definiert (1) die *mimetische* Betrachtungsweise als ,,die Relation eines Werkes zum Gegenstand, den es nachahmt" (S. 22); (2) die *pragmatische* [oder wie wir sagen: *rezeptive*] Betrachtungsweise als ,,eine auf das Publikum hin orientierte kritische Position" (S. 28); (3) die *expressive* Betrachtungsweise als eine Theorie, ,,die den Künstler selbst zum zentralen Thema macht" (S. 36 f.); (4) die *objektive* [oder wie wir sagen: *rhetorische*] Betrachtungsweise als ein Verfahren, ,,die das Kunstwerk grundsätzlich losgelöst von all diesen äußeren Bezugspunkten betrachtet. Nach diesem Verfahren wird das Kunstwerk als selbstgenügsame, sich aus den Komponenten und deren inneren Beziehungen konstituierende Ganzheit analysiert und ausschließlich nach Kriterien beurteilt, die seiner eigenen Seinsweise entsprechen" (S. 42 f.). Vgl. auch die knappe aber instruktive Zusammenfassung in Abrams 1971, 37 s. v. Criticism.

[4] Plett 1975 b, 20; vgl. auch die Behandlung der vier Perspektiven in ibid. 20–30.

Perspektivierung der Literatur	Charakterisierung
der *expressive* Literaturbegriff:	die Expressivität als Ausdruck ihres *Verfassers*
der *rezeptive* Literaturbegriff:	die Wirkung der Literatur auf die *Leser*
der *mimetische* Literaturbegriff:	die Beziehung auf den *Inhalt* bzw. *Gegenstand*
der *rhetorische* Literaturbegriff:	die besondere *sprachliche Gestaltung*

Fig. 1.

Die meisten kritischen Theorien berücksichtigen mehr oder weniger alle vier Perspektiven, tendieren aber in den meisten Fällen dazu, eine davon zu bevorzugen[5]. Diese vier Literaturbegriffe sind indes nicht nur für literarisch-künstlerische Werke und ihre Analyse von Belang, sondern liegen jedem Text mündlicher oder schriftlicher Art zugrunde, insofern als kein Text ohne ein Verhältnis zum Verfasser, zum Leser, zur Wirklichkeit und zur Sprache als Zeichenkode auskommen kann, weil jeder einzelne Aspekt für die kommunikative Rolle des Texts konstitutiv ist[6].

1.2.2. Text- und allgemeinsemiotische Theorien

Eine den literaturwissenschaftlichen Analysetheorien ähnliche Betrachtungsweise liegt auch der Semiotik[7] als der allgemeinen Wissenschaft vom Zeichen zugrunde, wenn sie mit den Begriffen Sender, Empfänger, Referent und Kode arbeitet[8]. Beim Vergleich der Perspektivierung des Objektbereiches Literatur mit den semiotischen Komponenten, läßt sich deren Korrelation, wie unten näher expliziert werden soll, ohne weiteres feststellen[9].

Hinsichtlich der Bedeutung Karl Bühlers für die neuere Sprach- bzw. Texttheorie soll zunächst sein Organon-Modell mit den drei Komponenten: Sender, Empfänger sowie Gegenstände und Sachverhalte kurz dargestellt

---

[5] Vgl. Abrams 1978, 17–18: ,,Obwohl jede einigermaßen einleuchtende Theorie allen vier Elementen in gewisser Weise Rechnung trägt, zeigen fast alle Theorien ... eine deutliche Orientierung auf jeweils nur ein Element hin. Das heißt, daß ein Kritiker bei der Definition, Klassifikation und Analyse eines Kunstwerks dazu neigt, seine Hauptkategorien aus einem dieser Begriffe abzuleiten und von dort her auch die entscheidenden Kriterien zu dessen Wertung zu beziehen."

Vgl. hierzu auch H. F. Plett 1975b, der Beispiele für eine mehr ,,synthetische" und eine mehr ,,hierarchische" Betrachtungsweise liefert (S. 31 f.).

[6] Plett 1975b, 34.

[7] Zur Terminologie siehe Lewandowski 1976c, s. v.; Zur Bibliographie: Eschbach 1974; Zur Sache: Brekle 1974, 21–43; Eco 1972; Klaus 1973; Wienold 1972; Breuer 1974, 24–43; Henne 1975, 16–31 sowie die grundlegende Arbeit von Morris 1975.

[8] Plett 1975b, 34.

[9] Siehe unten S. 26, Fig. 4.

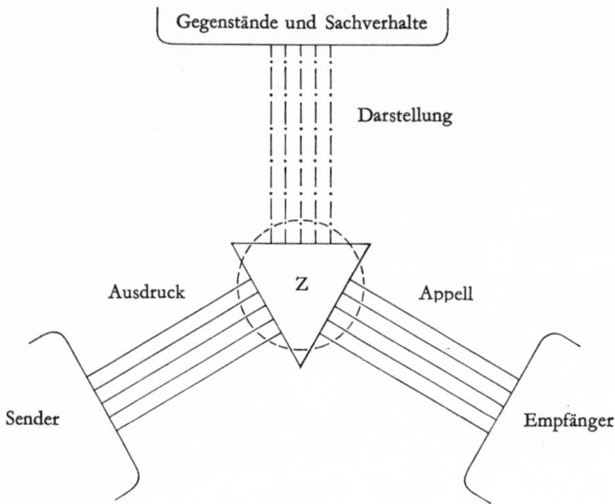

Fig. 2.

werden. Im Anschluß an Platon[10] versteht Bühler die Sprache als ,,ein *organum,* um einer dem anderen etwas mitzuteilen über die Dinge"[11].

Die Relationen zwischen den jeweiligen Komponenten und dem Zeichen sind, wie Fig. 2 zeigt, funktionale Zuordnungen[12]: Das Sprachzeichen übt *Symbol-* oder *Darstellungsfunktion* aus kraft der Zuordnung zu den Gegenständen und Sachverhalten, d.h. deskriptive Funktion; *Symptom-* oder *Ausdrucksfunktion* kraft seiner Abhängigkeit vom Sender, d.h. expressive Funktion; *Signal-* oder *Appelfunktion* kraft seines Appells an den Hörer, d.h. evokative Funktion[13]. Von diesen Funktionen dominiert zwar laut Bühler die Darstellungsfunktion, aber diese Dominanz wird von ihm gleich eingegrenzt, wenn er feststellt: ,,Es ist *nicht* wahr, daß alles, *wofür* der Laut ein mediales Phänomen, ein Mittler zwischen Sprecher und Hörer ist, durch den Begriff 'die Dinge' oder durch das adäquatere Begriffspaar 'Gegenstände und Sachverhalte' getroffen wird. Sondern das andere ist wahr, daß im Aufbau der Sprechsituation sowohl der Sender als Täter der Tat des Sprechens, der Sender als *Subjekt* der Sprechhandlung, wie der Empfänger als Angesprochener, der Empfänger als *Adressat* der Sprechhandlung eigene Positionen innehaben"[14].

Bedeutungsvoll für die Begründung und Einschätzung der Sprachpragmatik an dieser Feststellung ist, trotz der Dominanz der Darstellungsfunk-

---

[10] Platon, Kratylos 388 B; vgl. Gülich/Raible 1977, 24.

[11] Bühler 1934, 24; Bühler 1976, 43.

[12] Bühler 1934, 28; Bühler 1976, 116; vgl. die Modifizierungen des Bühlerschen Organonmodells bei Heger 1976, 10ff. und Große 1976, 12f., 30ff.

[13] Bühler 1934, 28; vgl. hierzu Klaus 1973, 18f.; v. Kutschera 1975, 26.

[14] Bühler 1934, 30f.; vgl. Bühler 1976, 102.

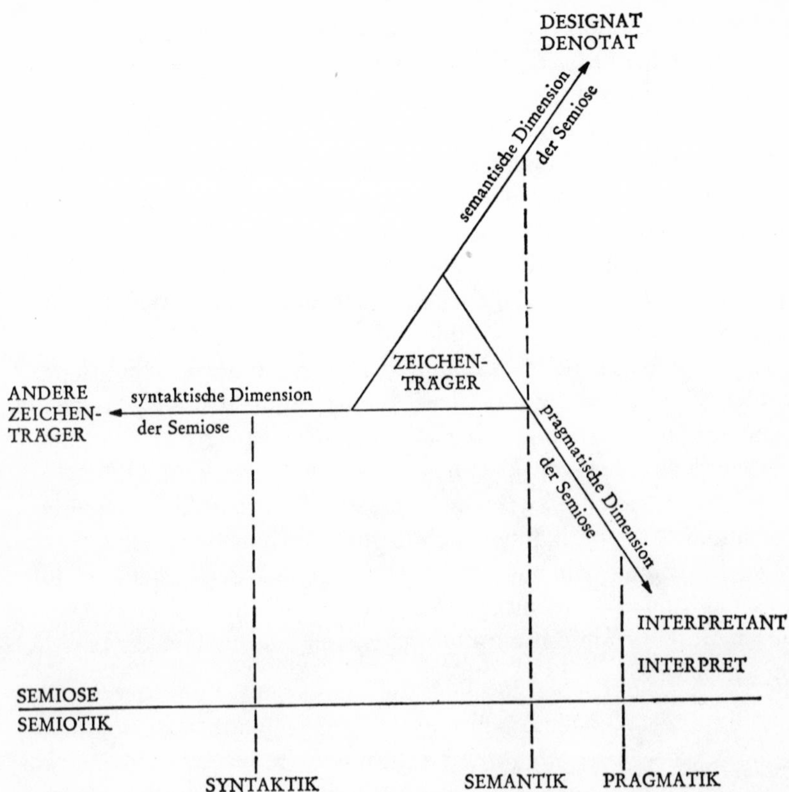

Fig. 3.

tion, die unzweideutige Hervorhebung des Sprachzeichens als ,,Kommunikationsmittel" zur ,,Kundgabe und Kundnahme", wie sie von Bühler schon in seiner ,,Krise der Psychologie" theoretisch unter Hinweis auf das sinnvolle Benehmen der Gemeinschaftsglieder in einem echten Gemeinschaftsleben begründet worden ist[15]. Von daher wird auch die Folgerung Bühlers, daß die ,,Zuordnungen ... immer nur *kraft* einer Konvention" bestehen, einsichtig[16].

Für die weitere Behandlung der Textsemiotik von entscheidender Wichtigkeit ist Bühlers Betonung von dem ,,Prinzip der abstraktiven Relevanz"[17]. In der Figur wird dieses Prinzip dadurch zur Geltung gebracht, daß das Dreieck weniger umschließt als der Kreis. Die allgemeine Gültigkeit dieses Prinzips legt Bühler dar, wenn er behauptet, daß es ,,gültig ist für alle Konkreta, die 'als' Zeichen verwendet werden"[18].

---

[15] Bühler 1929, 50f.; ibid, 38 sowie Bühler 1934, 48ff., 154ff. Vgl. Ungeheuer 1972, 171–191; Kummer 1975, 125ff.; Henne 1977, bes. 73.

[16] Bühler 1934, 30; Bühler 1976, 100.

[17] Bühler, 1934, 42ff.; vgl. Henne 1975, 28f.

[18] Bühler, 1976, 35.

Das semiotische Modell von Ch. W. Morris aus dem Jahre 1938 ähnelt in manchem dem von Bühler[19]. Die Komponenten der Zeichentheorie oder Semiotik sind Designat/Denotat, Interpretant/Interpret, und andere Zeichen[20]. Morris stellt in einem Diagramm (s. Fig. 3) die Komponenten sowie ihre Relationen zum Zeichenträger dar[21]. Die Relationen zwischen den jeweiligen Komponenten und dem Zeichenträger heißen Semiose und die Untersuchung dieser Relationen Semiotik. Die Beziehung von Zeichen zum Denotat/Designat stellt die *semantische* Dimension, die zu anderen Zeichenträgern die *syntaktische* Dimension und die zum Interpretant/Interpret die *pragmatische* Dimension der Semiose dar[22].

Wie steht es aber mit der Beziehung zwischen den drei Dimensionen? ,,Hinsichtlich der Beziehung zwischen Syntax, Semantik und Pragmatik herrscht noch viel Verwirrung" schrieb J. W. Oller 1972 und stellte, wie wir sehen werden, das Problem auf die Spitze, als er hinzufügte: ,,Noch unklarer als die Beziehung zwischen Syntax und Semantik ist die Frage, welchen Platz die Pragmatik in einer Sprachtheorie einnehmen soll"[23]. Für unsere Zwecke können wir hier von der Problematik der Unterscheidung zwischen einer 'reinen' und einer 'deskriptiven' Semiotik und ihren Definitionen absehen, da uns in diesem Zusammenhang nur die 'deskriptive' Semiotik interressiert[24].

Drei verschiedene semiotische Modelle

Die Unklarheit über die Beziehungen zwischen den Dimensionen hat H. Henne veranlaßt, von drei semiotischen Modellen zu sprechen[25]:

(1) In dem ,,*methodologischen Voraussetzungsmodell*", welches in erster Linie die 'reine' Semiotik berücksichtigt, herrscht eine zweistellige Relation, wie sie vor allem G. Klaus im Anschluß an Morris vertritt[26]:

R(Z,A) = Semantik:	*R*elation zwischen *Z*eichen und den gedanklichen *A*bbildern
R(Z,O) = Sigmatik:	*R*elation zwischen *Z*eichen und den *O*bjekten der gedanklichen Widerspiegelung[27]
R(Z,M) = Pragmatik:	*R*elation zwischen *Z*eichen und den *M*enschen, die sie benutzen
R(Z,Z') = Syntaktik:	*R*elation zwischen *Z*eichen und anderen *Z*eichen

---

[19] Morris 1975.

[20] Morris 1975, 20f., 93.

[21] Morris 1975, 94.

[22] Morris 1975, 24f., 93.

[23] Oller 1974, 133; s. auch Kummer 1975, 164f.

[24] Zu dieser Unterscheidung s. u.a. Morris 1975, 27; Klaus 1973, 61 sowie die Diskussion bei Henne 1975, 19 und 22ff.

[25] Henne 1975, 16–31, bes. 21 und 25f.

[26] Klaus 1973, 56f., 60; Morris 1975, 24, 27.

[27] Zur Unterscheidung zwischen Semantik und Sigmatik innerhalb der Semiotik s. Klaus 1973, 67ff. und dazu kritisch Henne 1975, 24f.; Kallmeyer et alii 1977, 107ff.

In einem solchen Modell werden die einzelnen Teildisziplinen je für sich, ohne Berücksichtigung auf ihre Interrelation, untersucht und zwar überwiegend in der Reihenfolge: Syntaktik, Semantik und Pragmatik[28].

(2) Schon bei Morris ist indessen im Zusammenhang der Regelbeschreibung ein ,,*pragmatisches Integrationsmodell*" vorgezeichnet, wenn er zeigt, daß die syntaktischen und semantischen Regeln ohne Bezug auf die Interpreten nicht denkbar sind[29] und deshalb die ,,Einheit der Semiotik" betont[30]. Dies kommt u. a. darin zum Ausdruck, daß Morris im Gegensatz zu Klaus und dem 'frühen' Carnap eine 'reine' Pragmatik zulassen kann[31].

(3) Georg Klaus hat in ,,Philosophisches Wörterbuch" eine Variante zu Morris' ,,Integrationsmodell" dargelegt, die wir ein ,,*kommunikationsspezifisches Eingrenzungsmodell*" nennen möchten[32].

Klaus schreibt: ,,Die Semiotik läßt sich in drei bzw. vier Teildisziplinen untergliedern: in die Pragmatik, die Semantik und die Syntaktik; falls man sie nicht ihrerseits als Bestandteil der Semantik ansieht, kommt noch die Sigmatik hinzu. In der Pragmatik wird jedes Zeichen in einer vierstelligen Relation betrachtet. Diese Relation enthält den Menschen als Erzeuger bzw. Empfänger des Zeichens, das Zeichen selbst, seine Bedeutung und das, worauf dieses Zeichen hinweist. In der Pragmatik wird also die Sprache in der Gesamtheit ihrer gesellschaftlichen, psychologischen und anderen Verflechtungen betrachtet. Abstrahiert man von dem Erzeuger und dem Empfänger der Zeichen und betrachtet nur die Beziehung zwischen Zeichen und Bedeutung, so kommt man zur Semantik. Die Beziehung zwischen dem Zeichen und seinem Designat ist der spezielle Gegenstand der Sigmatik. Abstrahiert man von dieser Beziehung sowie auch noch vom Bedeutungsgehalt einer Sprache und betrachtet nur die Zeichen und ihre Verknüpfungen (z. B. die Regeln für die korrekte Aufeinanderfolge von Worten usw.), so kommt man zum syntaktischen Bereich der allgemeinen Semiotik"[33]. Subsumieren wir die Disziplin Sigmatik unter die Semantik und ersetzen wir die Sigla A und O mit dem Siglum D (= Designatum), erhalten wir für die Pragmatik eine dreistellige Relation.

Diesem Modell sehr ähnlich ist auch das *textlinguistische* Modell von

---

[28] Zu den semiotischen Relationen vgl. außerdem noch Plett 1975 b, 48 ff.; Dressler 1973, 4; Kallmeyer et alii 1977, 67–70; Wunderlich 1976, 19; Kummer 1975, 164 f.; Fillmore 1976, 83–104.

[29] Morris 1975, 59, 80.

[30] Morris 1975, 68–82.

[31] Morris 1975, 52; Klaus 1973, 61.

[32] Henne 1975, 26 spricht im Anschluß an die Terminologie von Klaus von einem ,,kommunikationsspezifischen Abstraktionsmodell". Um Mißverständnissen zu entgehen, verwenden wir Abstraktion/abstrahieren nur in der Bedeutung ,,gedankliche Verallgemeinerung"; für die Bedeutung ,,von etwas absehen" wählen wir den Ausdruck ,,Eingrenzung des Gesichtspunktes" o. ä.

[33] Klaus 1969, 978; vgl. Carnap 1959, 9 und dazu Stegmüller 1976, 414 f.; Henne 1975, 25 f.; Breuer 1974, 36 f.; Brekle 1974, 27 f.

Kallmeyer et alii. Laut ihnen behandelt (1) die Pragmatik bestimmte Fragen der Konnexion, der Referenz und der Konsequenz, (2) die Semantik bestimmte Fragen der Konnexion und der Referenz, und (3) die Syntax bestimmte Fragen der Konnexion[34].

Stellen wir, nach leichter Modifikation, die beiden voneinander unabhängigen „kommunikationsspezifischen Eingrenzungsmodelle" nebeneinander, läßt sich die grundsätzliche Ähnlichkeit ohne weiteres erkennen. Zu schreiben wäre demnach jeweils[35]:

R(Z,D,M) = Pragmatik — Pragmatik = Konnexion, Referenz, Konsequenz
R(Z,D) = Semantik — Semantik = Konnexion, Referenz
R(Z,Z') = Syntaktik — Syntax = Konnexion

Aus dieser Zusammenstellung folgt, daß die drei semiotischen Relationen bzw. textlinguistischen Teilbereiche „begrifflich nicht auf einer Ebene liegen, sondern eine Hierarchie bilden", u. zw. nach Eingrenzung des Gesichtspunktes[36]. Der Unterschied zu Morris' „Integrationsmodell" besteht vor allem im Eingrenzungsverfahren. Gemeinsam für die drei letztgenannten Modelle ist die Einsicht in die kommunikative Relevanz für einen einheitlichen semiotischen Prozeß, an dessen Spitze der pragmatische Aspekt, „der sich auf die Situationsgebundenheit und den Handlungscharakter der Konvention bezieht", steht[37].

Von grundlegender Bedeutung für die Semiotik ist weiterhin Klaus' Unterscheidung zwischen Zeichenexemplar und Zeichengestalt[38]. Dabei sind die Zeichenexemplare als Realisierungen der Zeichengestalt, diese wiederum als Abstraktion von Konkreta, aufzufassen. Jedes Zeichenexemplar ist ein Individium und „es kann nicht zweimal vorkommen, und es hat als solches eine Fülle von Eigenschaften, die für die semiotische Betrachtung keine Rolle spielen"[39]. Die Semiotik interessiert sich infolgedessen nur gelegentlich für das einzelne konkrete Zeichenexemplar, primär aber für durch Abstraktionen gewonnene Zeichengestalten[40]. Dies hindert andererseits

---

[34] Kallmeyer et alii 1977, 68 ff., 97; zu den Termini ibid., 47–54. Bei seiner Definition von Proposition kommt Stalnaker 1974 zu einem analogen Eingrenzungsmodell (s. S. 150 f.); s. auch das Zitat von Plett 1975 b am Ende dieses §. Hempfer 1977: „Damit fungieren pragmatische Gegebenheiten als 'tiefste' Schicht der Strukturbeschreibung" (S. 7).

[35] In Weiterführung von Henne 1975, 26 bzw. Adaption durch explizite Hierarchisierung von Kallmeyer et alii 1977, 69.

[36] Breuer 1974, 36; Brekle 1974, 27 f.; Klaus 1969, 978 [Zitat oben!]; Kallmeyer et alii 1977, 69; Kummer 1975, 165.

[37] Kummer 1975, 165 et passim; vgl. Eco 1972, 69 ff., bes. 73: „Die Semiotik interessiert sich für die Zeichen als gesellschaftliche Kräfte. Das Problem der Lüge (oder der Falschheit), das für die Logiker von Bedeutung ist, ist prä- oder post-semiotisch." (Kursiv bei Eco.); Vgl. auch unten Anm. 95 und 104.

[38] Klaus 1973, 58 ff.; vgl. auch die Darstellung bei Brekle 1974, 22–24, 44–54.

[39] Klaus 1973, 58.

[40] Vgl. Breuer 1974, 26 ff.; Henne 1975, 27 ff.

nicht eine Untersuchung eines Zeichenexemplars bezüglich dessen Relevanz für das Abstraktionsverfahren, was nicht mit der Interpretation eines Zeichenexemplars *per se* zu verwechseln ist[41].

Der auffallendste Unterschied gegenüber Bühler bei den Semiotikern ist die Einbeziehung der Syntaktik in das semiotische System. Zwei andere Unterschiede sind erstens die Subsumierung der Bühlerschen Aspekte ,,Ausdruck" und ,,Appell" unter die Pragmatik und zweitens die Aufteilung der Komponente ,,Gegenstände und Sachverhalte" bei Bühler in ,,Designata" und ,,Denotata" bei Morris bzw. ,,Semantik" und ,,Sigmatik" bei Klaus.

Ungeachtet der hier erwähnten sowie anderen nicht in Betracht genommenen Unterschiede zwischen den Systemen, treten jedoch die grundlegenden Ähnlichkeiten mit aller Deutlichkeit hervor:

(1) Sie sind alle Modelle sprachlicher Kommunikation, u. zw. Kommunikation zwischen Personen: Sender und Empfänger (pragmatischer Aspekt) über einen Sachverhalt (semantischer Aspekt) mit Hilfe von Zeichen verschiedener Art (syntaktischer Aspekt)[42]. Diese drei Teildisziplinen sprachlicher Kommunikation stellen zwar eine notwendige hierarchische Gliederung dar, die ,,primär aber keine Gliederung nach Abstraktionsebenen, sondern nach *Eingrenzung des Gesichtspunktes*" ist, wie D. Wunderlich zurecht betont[43].

(2) Gemeinsam für Bühler und Klaus ist auch das *Abstraktionsprinzip,* was sich besonders hinsichtlich der Gattungstheorie und der Formgeschichte als entscheidend wichtig erweisen wird[44]. Das Abstraktionsverfahren umfaßt also alle drei Aspekte und gilt sowohl in Bezug auf die Pragmatik als auch in Bezug auf die Semantik und die Syntaktik[45].

Stellen wir, in Modifikation der Synopse bei Plett, die Perspektiven der Literatur, die semiotischen Komponenten und die jeweiligen Funktions- bzw. Strukturmodelle Bühlers, Morris' und Klaus' nebeneinander, erhalten wir die in Fig. 4 dargestellte Schematisierung ihrer Interrelation[46].

Bisher war überwiegend von der allgemeinen Zeichentheorie der Sprache die Rede. Brekle u. a. versteht jedoch die Semiotik tatsächlich als ,,theoretisches Paradigma für die als semiotischer Spezialfall aufzufassende Linguistik", d. h. als ,,Metatheorie", was durch unsere eigenen Überlegungen durchaus bestätigt wird; allerdings legt anscheinend Brekle wie Klaus seiner semiotischen Darstellung eine realistisch–ontologische Semantik zugrunde, während wir unseren Ausgangspunkt in einer pragmatisch-kommu-

---

[41] S. z. B. Gülich/Raible 1975 a, 159 f.; Heger 1976, 7–30; 1977, 261 und Hempfer 1973, 43, 46 und 74; vgl. auch unten § 1.4.2.

[42] Vgl. Plett 1975 b, 40–45; Gülich/Raible 1977, 21–26.

[43] Wunderlich 1976, 19. (Hervorhebung von mir.)

[44] S. die Darstellung unten § 1.4.2.

[45] S. die Diskussion unten § 1.5.

[46] Vgl. die Synopse bei Plett 1975 b, 50.

Abrams' Literaturbegriffe	Die semiotischen Komponenten	Bühlers Funktionsmodell	Morris' Strukturmodell	Klaus' Strukturmodell
expressiv	Sender	Ausdruck	Pragmatik	Pragmatik
rezeptiv	Empfänger	Appell		
mimetisch	Referent	Darstellung	Semantik	Semantik Sigmatik
rhetorisch	Kode	–	Syntaktik	Syntaktik

Fig. 4.

nikativen Semantik genommen haben[47]. Darüber hinaus muß man sich im klaren sein, daß auch ,,*Text*" ein semiotisches Zeichen und als solches analysierbar ist. Schon den verschiedenen literarischen Interpretationstheorien, wie sie von Abrams dargestellt wurden, sowie auch dem textlinguistischen semiotischen Modell von u. a. Kallmeyer et alii, liegt solch ein Verständnis von Text zugrunde und G. Wienold spricht ausdrücklich von einer ,,Semiotik der Literatur"[48].

Eine knappe aber ganz adäquate Beschreibung der semiotischen Betrachtungsweise für die *Text*wissenschaft findet sich bei H. F. Plett und darf als geeigneter Abschluß dieses Paragraphen dienen: ,,Als ein sprachliches Zeichen existiert der Text auf drei Bezugsebenen: der Relation Zeichen – Zeichen, Zeichen – Interpret und Zeichen – Objekt. Außer diesen drei Bezugsmöglichkeiten existieren keine weiteren, so daß Textsyntaktik (T_{syn}), Textpragmatik (T_{prag}) und Textsemantik (T_{sem}) die vollständige Textsemiose darstellen. Jede semiotische Dimension erschließt (konstituiert) einen anderen Gegenstand 'Text': T_{syn} konstituiert ihn als formal-strukturellen, T_{prag} als kommunikativen und T_{sem} als signifikativen Gegenstand. Infolgedessen erfüllt weder T_{syn} noch T_{prag} noch T_{sem} den vollen Tatbestand von Textualität, d. h. aller möglichen Eigenschaften, die für einen Text konstitutiv sind. Jede Dimensionierung des Textzeichens expliziert nur einen – allerdings relevanten – Aspekt davon. Gleichzeitig erweist sich eine totale Isolierung der einzelnen Textdimensionen als undurchführbar. Eine isolierte Syntaktik verzichtet auf Zeichenbenutzer und Zeichenrealität und folglich auf die kommunikative Signifikanz des Textes. Eine isolierte Pragmatik hingegen vernachlässigt die Kombinatorik der Textelemente und ihren denotativen Gehalt. Und schließlich ermangelt es einer isolierten Semantik an der zeichenstrukturellen Relation und ihrer kommunikativen Einbettung in konkrete Situationen der Textübermittlung. Folglich muß in einer Textanalyse die jeweils gewählte semiotische Dimension lediglich als herr-

[47] Brekle 1974, 26; vgl. auch die Kritik an Brekle in diesem Punkte bei Kallmeyer et alii 1977, 113. S. auch Breuer 1974, 24ff.

[48] Wienold 1972; vgl. auch Breuer 1974.

schender Relevanzfaktor angesehen werden. Die übrigen Dimensionen sind stets als mehr oder weniger restringierte Subdominanten gegenwärtig; ganz ausschalten lassen sie sich nicht"[49].

1.2.3. Semiotische Textdimensionen

Die drei Textdimensionen Syntaktik, Semantik und Pragmatik sind von H. F. Plett je unter den drei Aspekten Extension (Ausdehnung), Delimitation (Abgrenzung) und Kohärenz näher expliziert worden[50].

Diese Aspekte, die in der textlinguistischen Forschung eine erhebliche Rolle gespielt haben, sind bisher „*nie systematisch* in die semiotischen Dimensionen hineingestellt worden"[51], obwohl solch ein Vorhaben eine genauere Definition der drei Textdimensionen, eine präzisere Fassung jeder der drei Aspekte sowie eine nähere Herausarbeitung der Interrelation bzw. gegenseitigen Abhängigkeit der drei Betrachtungsweisen sehr gefördert hätte. Um der Deutlichkeit willen stellen wir in Fig. 5 die drei Dimensionen mit den jeweiligen Aspekten zusammen.

Textdimensionen	Aspekte der Textkonstitution
Syntaktische Textdimension	Textsyntaktische Ausdehnung Textsyntaktische Abgrenzung Textsyntaktische Kohärenz
Semantische Textdimension	Textsemantische Ausdehnung Textsemantische Abgrenzung Textsemantische Kohärenz
Pragmatische Textdimension	Textpragmatische Ausdehnung Textpragmatische Abgrenzung Textpragmatische Kohärenz

Fig. 5.

1.2.3.1. *Die syntaktische Textdimension*

Im semiotischen Sinne stellt, wie wir sahen, Syntaktik die nach Regeln bestimmte Verknüpfung von Zeichen und Zeichen dar. Syntaktisch gesehen besteht also ein Text aus einer geregelten Folge von sprachlichen Zeichen unter Verzicht auf Bedeutungsgehalt und Benutzer[52].

[49] Plett 1975 b, 52 (Zitat) und 114; vgl. auch Oller 1974 und ferner Kallmeyer et alii 1977, 97 und Kallmeyer/Meyer-Hermann 1973, wo die Textlinguistik mit Hilfe von semiotischen Kategorien beschrieben wird.

[50] Plett 1975 b, 52–119.

[51] Plett 1975 b, 56 (Hervorhebung von mir).

[52] S. oben § 1.2.2.; s. auch Hundsnurscher 1973.

1.2.3.1.1. *Die textsyntaktische Ausdehnung.* Die Frage der textsyntaktischen Ausdehnung läßt sich mit Hilfe von anderen Sprachzeichen erklären. Wie allgemein bekannt redet die Linguistik[53] von Phonemen, Morphemen und Syntagmen. Die beiden letzteren setzen sich durch Kombination von jeweils kleineren Einheiten zusammen: das Morphem aus einer Verknüpfung von Phonemen, das Syntagma aus einer Verknüpfung von Morphemen. Die so beschriebene Syntaktik beschränkt sich auf Laut-Zeichen, Wort-Zeichen und Satz-Zeichen. Um die Frage nach einer *text*syntaktischen Ausdehnung beantworten zu können, ist es indessen erforderlich, Text „als eine besondere Form der Zeichenkombinatorik oberhalb der syntaktischen Ebene" aufzufassen[54]. Als Minimalbedingung gilt dabei aus innerer Notwendigkeit, die Kombination von mindestens zwei miteinander korrelierten Sätzen; eine Maximalbegrenzung ist hingegen nicht festzusetzen[55].

1.2.3.1.2. *Die textsyntaktische Abgrenzung.* Bezüglich der Abgrenzung läßt sich syntaktisch gesehen die Frage, ob es Grenzsignale gibt, die Textanfang und Textende markieren, schlechthin verneinen. Der Grund dafür ist offensichtlich: jeder Text kann potentiell durch Hinzufügung einer unbegrenzten Anzahl von Sätzen ins Unendliche verlängert werden. Als instruktives Beispiel auf der Textebene kann auf die Hinzufügung vom zweiten Teil des Pastor Hermae, d. h. das Hirtenbuch [25,1–114,5] zum Visionenbuch [1,1–24,7] hingewiesen werden[56].

Wie H. F. Plett ausdrücklich betont, sind textsyntaktische Gliederungsmerkmale „nur *ex negativo* zu ermitteln"[57]. Zwei aus ihrem Zusammenhang gerissene Beispiele aus dem Visionenbuch sollen dies vor Augen führen:

[1] *Μετὰ δὲ δέκα καὶ πέντε ἡμέρας νηστεύσαντός μου καὶ πολλὰ ἐρωτήσαντος τὸν κύριον ἀπεκαλύφθη μοι ἡ γνῶσις τῆς γραφῆς. ἦν δὲ γεγραμμένα ταῦτα· (6,1)

[2] *Ἀλλ᾽ οὐχ ἕνεκα τούτου σοι ὀργίζεται ὁ θεός, ἀλλ᾽ ἵνα τον οἶκόν σου τόν ἀνομήσαντα εἰς τὸν κύριον καὶ εἰς ὑμᾶς τοὺς γονεῖς αὐτῶν ἐπιστρέψῃς. ἀλλὰ φιλότεκνος ὢν οὐκ ἐνουθέτεις σου τὸν οἶκον, ἀλλὰ ἀφῆκες αὐτὸν καταφθαρῆναι· διὰ τοῦτο ὀργίζεταί σοι ὁ κύριος· (3,1)

Obschon beide Textbeispiele die Minimalbedingung der textsyntaktischen Ausdehnung erfüllen, sind beide als unvollständige Texte anzusehen. Im

---

53 Vgl. z. B. Lyons 1973, 115ff., 173ff., 184ff.; Kallmeyer et alii 1977, 84ff.

54 Plett 1975b, 57; eine solche Textanalyse wäre allerdings nur *ein* u. zw. der syntaktische Teil einer Textgrammatik. Raible 1972 und 1975.

55 Plett 1975b, 58f.; Gülich/Raible 1977, 51.

56 S. oben § I.2.

57 Plett 1975b, 59.

ersten Fall fehlt ein Folgetext, der durch das kataphorisch metakommunikative Zeichen „ἦν δὲ γεγραμμένα ταῦτα" angekündigt wird; im zweiten Fall fehlt der vorhergehende Text, der durch das anaphorische Zeichen „ἀλλ' οὐχ ἕνεκα τούτου" vorausgesetzt wird. Bedeutungsvoll ist dabei die Tatsache, daß obwohl die Satzsyntax der jeweiligen Beispiele in Ordnung ist, ein *textgrammatischer* Regelverstoß vorliegt. Verletzt wird hier die textgrammatische Regel, die besagt, daß „vor- bzw. rückverweisende Zeichen kontextuell 'gesättigt' werden müssen"[58].

Wie bedeutungsvoll die textsyntaktische Abgrenzung und ihre Merkmale selbst für die literarkritische Analyse des Hermasbuches sein kann, habe ich oben im Abschnitt über die Begrenzung der Untersuchung zu zeigen versucht[59].

1.2.3.1.3. *Die textsyntaktische Kohärenz.* Die Kohärenzfrage nimmt in der Textsyntaktik die erste Stelle ein, weil ohne Kohärenz überhaupt kein Text denkbar ist. Nicht nur im Bereich des Morphems oder des Satzes, sondern auch im Bereich des Textes haben wir es mit bestimmten Verknüpfungsregeln zu tun. Syntaktisch gesehen wäre ein Text als eine Abfolge von Sätzen, die durch textinterne Verknüpfungselemente[60] lückenlos miteinander verkettet sind, zu definieren. Hier wäre eine Klassifikation der Elemente, die satzübergreifend die Kohärenz des Textes bewirken, erforderlich. Bis eine entwickelte Textgrammatik u. zw. in unserem Falle nicht nur im allgemeinen, sondern speziell für das griechische vorliegt, müssen wir uns mit einigen wichtigen Hinweisen aus der allgemeinen Textlinguistik begnügen[61].

Besonders im Hinblick auf das terminologische Durcheinander in der Linguistik wäre ein ausführlicher Katalog solcher Merkmale ein vordringliches Desiderat. Grundlegend ist dabei die Unterteilung in Bindeglieder bzw. Verweisformen mit rückverweisender und mit vorverweisender Funktion. Im übrigen überlappen die gebrauchten Begriffe weitgehend einander, ohne dafür identisch zu sein, wie Fig. 6 zeigt[62].

---

[58] Plett 1975b, 60; Zur Bedeutung der Unterscheidung zwischen Satz- und Textgrammatik s. bes. Raible 1972, der feststellt: „Die Konzeption von 'grammatical' und 'ungrammatical' modifiziert sich notwendigerweise durch die Überschreitung der Satzgrenze nach oben" (S. 236).

[59] S. oben § I.2.

[60] Gülich/Raible 1977, 41 ff.

[61] Vgl. Blomqvist 1978, 121, der feststellt, daß eine Menge Vorarbeiten für das Griechische noch zu leisten sind; s. immerhin schon Apollonios Dyskolos, ΠΕΡΙ ΣΥΝΤΑΞΕΩΣ; s. Bühler 1934 passim und bes. Raible 1972 passim und 1975. Für die neuere Textlinguistik s. z. B. Plett 1975b, 60–79 mit Diskussion und Zusammenfassung der einschlägigen Literatur; weiter Dressler 1973, 25–27, 57–62.

[62] Zur Orientierung s. die Gesamtdarstellungen bei Kallmeyer et alii 1977, 177–252; van Dijk 1977, 43–92 und Lyons 1977b, 636–724; vgl. auch die Liste bei Isenberg 1974, 195.

Textkonstitutive Merkmale	Begriffliche Überlappung der Terminologie[63]
Rückverweisende Merkmale, d. h. Merkmale, die sich auf Informationen im Vortext beziehen	Anaphora/[64] Proformen (Pro-nomina, -verbia, -adverbien)/[65] bestimmter Artikel/[66] Thema/Topic/[67] Substituens/[68] Rückverweisende metakommunikative Ausdrücke[69]
Vorverweisende Merkmale, d. h. Merkmale, die auf nachfolgende Zeichen bzw. Nachinformation verweisen	Kataphora/[64'] gewisse Proformen/[65'] unbestimmter Artikel/[66'] Rhema/Comment/[67'] Substituendum/[68'] Vorverweisende metakommunikative Ausdrücke/[69']

Fig. 6.

Gülich/Raible unterscheiden im Anschluß an Apollonios Dyskolos[70] und ihm folgend K. Bühler[71] zwischen textinternen 'Relationen' bzw. 'Relato-

[63] Da die textkonstitutiven Merkmale eng miteinander verknüpft sind und demzufolge von den jeweiligen Autoren paarweise diskutiert werden, erscheint es mir zweckmäßig, die Anmerkungsziffern, die jeweils bei den rückverweisenden Merkmalen stehen, bei den vorverweisenden Merkmalen wiederkehren zu lassen (14; 14' usw.).

[64] Zur Wortbildung sowie zur Sache s. Bühler 1934, 121 ff., bes. 122 mit Anm., 385 ff.; Dressler 1973, 22 ff., 57 ff.; Kallmeyer et alii 1977, 180, 240 ff.; Gülich/Raible 1977, 42–46; Raible 1972, 150–160.

[65] Dressler 1973, 25 ff.; Steinitz 1974, 247–265; Bellert 1974, 225 ff.; Kallmeyer et alii 1977, 235–243; Raible 1972, 14 ff., 150 ff.

[66] Vor allem Weinrich 1974; Raible 1972, 33–149; Plett 1975 b, 64 f.; für das Griechische vgl. Raible 1972, 60 ff.; Jedoch kann der bestimmte Artikel auch kataphorische Funktion haben wie bes. Raible 1972, 120 f. gezeigt hat; s. auch das Diskussionsreferat des Aufsatzes von Weinrich 1974, 284–293. Kallmeyer et alii 1977 neigen zu dem Schluß, ,,daß die 'Signalfunktion' des unbestimmten Artikels nicht in einem Verweis auf 'Nachinformation' zu sehen ist, als vielmehr darin, daß dem Hörer/Leser durch ihn angezeigt wird, daß *nicht auf Vorinformation* verwiesen wird.'' (S. 193; s. auch S. 245.)

[67] Vor allem in der ,,Funktionalen Satzperspektive'' der Prager Schule (z. B. die Aufsätze in Daneš [Hrsg.] 1974); dazu Gülich/Raible 1977, 60–89, bes. die Tabelle zur Problematik der terminologischen Definition auf S. 89; vgl. auch Kallmeyer et alii 1977, 223. Als Beispiel an einem NT-text s. Schenk 1976/77.

[68] Die ,,Substitutionale Textlinguistik'' R. Harwegs ist dargestellt in seiner Veröffentlichung von 1968 a und in zahlreichen Aufsätzen z. B. 1973 und 1978. Dazu Gülich/Raible 1977, 115–127 und Kallmeyer et alii 1977, 194–197. Für eine fünfstufige Klassifikation der Substitutionen s. Raible 1972, 160 ff.

[69] Gülich/Raible 1977, 27 f.; 1977 a, 140–142; Gülich 1976, 234–242 aber auch Plett 1975 b, 103 und Kallmeyer et alii 1977, 241.

[70] Apollonios Dyskolos: ,,So zerfallen sie [sc. die Pronomina] in *deiktische und anaphorische*, während sie unter der gemeinsamen Benennung (ἀντωνυμίαι) vereinigt bleiben.'' (99,2); Übersetzung nach Buttmann 1877, 75 (Buttmanns Hervorhebung). Griechischer Text: Grammatici Graeci II: 2, 135.

ren' und 'Deixis' als ,,Sonderfall von Referenz"[72]. Auf letztere Bezeichnung werden wir im Abschnitt über die pragmatische Kohärenz zurückkommen[73]. Relatoren bzw. Konnektoren sind *textinterne* Beziehungen, von denen zwei Arten zu unterscheiden sind: solche die verweisende *und* verknüpfende Funktion und solche die *nur* verknüpfende Funktion haben, d. h. ko- bzw. subordinierende Konjunktionen; die subordinierenden Konjunktionen sind außerdem nur satzintern möglich[74]. Weiterhin gebrauchen Gülich/Raible, deren Terminologie wir uns unten bezüglich der Gliederungsmerkmale anschließen werden, den Ausdruck 'kataphorisch' nur für satzinterne kataphorische Relatoren, während die kataphorischen Relationen oberhalb der Satzeinheit ,,nur in Fällen metakommunikativer bzw. metasprachlicher Eingriffe vorkommen"[75].

Zum Kohärenzproblem gehört auch die Frage nach Textergänzungen. Deren gibt es drei[76]. Aus syntaktischer Sicht gilt es, das sprachlich Implizierte durch Verweisung explizit zu machen. Diese *Implikationen* lassen sich sprach- bzw. textintern durch den 'textuellen Kontext' explizit machen. Auf diese Weise werden die syntaktischen Kohärenzlücken im Text geschlossen[77].

Im Hinblick auf unsere Aufgabe, Kriterien für eine möglichst intersubjektive Analyse einer spezifischen Textgattung zu finden, sei ausdrücklich auf H. Pletts Feststellung, daß ,,Art, Umfang und Distribution der Kohärenzfaktoren Strukturmomente (sind), welche die Voraussetzung für die Bildung von *Textsorten* darstellen", hingewiesen[78]. Abschließend sei nochmals hervorgehoben, daß die syntaktische Kohärenzfrage an der Kode des Textes orientiert ist[79]. Die semantischen bzw. pragmatischen Kohärenzfragen sollen unten ihre Behandlung finden.

1.2.3.2. *Die semantische Textdimension*

Auf semantischer Ebene wird von Zeichenbenutzern abgesehen. Aus semantischer Sicht erscheint der Text als Zeichen, das auf etwas Bezeich-

---

71 Bühler 1934, 80, 105–107, 121 ff.

72 Gülich/Raible 1977, 41 ff.; Raible 1972, 61; vgl. auch Kallmeyer et alii 1977, 193;

73 S. unten § 1.2.3.3.3.

74 Gülich/Raible 1977, 43 und 45.

75 Gülich/Raible 1977, 44; Raible 1972, 154, bes. aber 159 f.; so auch Kallmeyer et alii 1977, 183 f., 241. Eine etwas weniger restriktive Verwendung des Terminus ,,kataphorisch" findet sich z. B. bei Dressler (1973, 57 ff.) und bei Weinrich (1974, 266–293, bes. 276): Verweis auf Nachinformation im allgemeinen.

76 Für die semantischen bzw. pragmatischen Präsuppositionen s. unten zu den Abschnitten 1.2.3.2.3. bzw. 1.2.3.3.3.

77 S. z. B. Plett 1975 b, 67, 72–75, 87–91; Bellert 1974, 214–245.

78 Plett 1975 b, 70 (Hervorhebung von mir).

79 Zur Bedeutung der syntaktischen Konnektoren/Relatoren für die *Semantik* s. schon Apollonios Dyskolos passim und bes. das Zitat oben Anm. 70; vgl. weiterhin z. B. van Dijk 1977,

netes verweist[80]. Ehe wir uns der Textsemantik zuwenden, sollen einige philosophisch–semantische Prinzipien diskutiert werden. Gewöhnlicherweise unterscheidet man in der philosophischen Referenzsemantik zwischen zwei Theorien:

(1) „Die *Abbildtheorien* oder *realistischen* semantischen Theorien"[81]. Nach diesen Theorien in ihren verschiedenen ontologisch-erkenntnistheoretischen Ausprägungen[82] übt das Zeichen (Textzeichen) eine Stellvertreterfunktion aus (aliquid stat pro aliquo), d. h. der Gebrauch hängt von der Bedeutung ab; dadurch wird „eine scharfe Trennung zwischen Semantik und Pragmatik möglich"[83]. Die Position der realistischen Semantik geht, wie v. Kutschera zutreffend darlegt, „von der Idee aus, daß die Bedeutung sprachlicher Ausdrücke in einer abbildenden Beziehung zu den Dingen besteht, die konventionell festgelegt ist und in deren Betrachtung man prinzipiell sowohl von der Beziehung der Ausdrücke zu Sprecher und Hörer abstrahieren kann, wie von den jeweiligen konkreten Situationen ihrer Verwendung". Bezüglich der Interpretation von Textgattungen ist in negativer Hinsicht die Feststellung v. Kutscheras von bes. Gewicht, daß „diese Isolierung der Sprache von ihrem Gebrauchskontext und die Verabsolutierung ihrer abbildenden Funktion vor allem auf die *deskriptive* Bedeutung der behauptenden Rede zugeschnitten (ist), die in der realistischen Semantik auch fast ausschließlich untersucht wird"[84];

(2) Die *pragmatischen* oder *sozio-kommunikativen* semantischen Theorien[85]. Nach diesen Theorien ist umgekehrt die Bedeutung vom Gebrauch abhängig, was zur Folge hat, daß die Pragmatik des Zeichens seine Semantik determiniert[86]. F. v. Kutscheras allgemeine Beschreibung der gemeinsamen Ansätze der verschiedenen pragmatischen Theorien lautet:

52–90; Plett 1975 b, 52 (s. Zitat oben Ende § 1.2.2.) und 105 mit Hinweis auf die Zeichensyntaktische Distributionssemantik S. 60 ff.; ganz bes. zu dieser Frage aber Kallmeyer et alii 1977, 213 ff. et passim; weiteres s. unten § 1.2.3.2.3.

[80] S. oben § 1.2.2.; vgl. Plett 1975 b, 99–119.

[81] v. Kutschera 1975, 32; „Realistisch" heißen diese Theorien, weil sie „einen Begriffsrealismus vertreten" (ibid.); Unter den realistisch-semantischen Theorien findet nur der „*Konventionalismus*" bei v. Kutschera eine ausführliche Behandlung, da er gegenüber dem „*Naturalismus*" die „plausibelste Position" darstellt (S. 35); s. die ausgezeichnete Darstellung dieser Theorien ibid., 31–77. In seiner Typologie von Bedeutungstheorien nennt S. J. Schmidt 1969 diese Theorien: „Das Partizipationsmodell der platonisch-platonistischen Tradition" (S. 9–18); Heger 1976, 33 f.

[82] v. Kutschera 1975, 332 f.

[83] Ibid., 32.

[84] v. Kutschera 1975, 78 (meine Hervorhebung); zur Kritik an dieser Art von Semantik s. Kallmeyer et alii 1977, 109–113; S. J. Schmidt 1969 und 1976 a.

[85] v. Kutschera 1975, ibid.; s. auch die ebenfalls hervorragende Darstellung dieser Theorien ibid., 80–203. Vgl. Plett 1975 b, 100 f. und Kallmeyer et alii 1977, 114–128, bes. 123 f.; s. auch S. J. Schmidts Behandlung dieser Theorien in dem § über „Das operationale Bedeutungsmodell bei Wittgenstein und seinen Nachfolgern" (1969, 19–32); Heger 1976, 32 f.

[86] So Plett 1975 b, 101; vgl. v. Kutschera 1975, 79.

„Die Sprache wird in verschiedenen Handlungszusammenhängen verwendet, zu verschiedenen Zwecken, in verschiedenen Situationen. Daher kann man der Sprache nicht nur *eine* semantische Funktion zuschreiben, sondern es gibt ebensoviele semantische Funktionen wie Handlungskontexte, in denen Sprache gebraucht wird"[87]. Richtet sich die realistische Semantik hauptsächlich auf die deskriptive Funktion, so ist es für die pragmatisch-kommunikative Semantik charakteristisch, daß sie sich einer Reihe anderer Funktionen (z.B. *emotive, performative, präskriptive Funktionen*[88]) zuwendet, was für unsere gattungstheoretische Untersuchung von größtem Belang ist[89]. Wenn die Bedeutung aber strikt vom Sprachgebrauch abhängt, bedarf es jedoch „nur eines kleinen Schnitts mit dem Occamschen Messer, um die Annahme abstrakter Bedeutungsentitäten [d.h. Begriffe, Propositionen, Themen und, für uns von bes. Wichtigkeit, Gattungen] ganz aufzugeben und die Bedeutung eines sprachlichen Ausdrucks mit seinem Gebrauch zu identifizieren"[90]. Wenn die pragmatisch-kommunikativen Theorien zu einem radikalen Nominalismus führen, sind sie für die form- und gattungstheoretische Fragestellung unfruchtbar; werden aber Abstracta anerkannt, sind sie gerade für die Ausarbeitung der Funktion von Gattungen außerordentlich brauchbar[91].

Da es nicht unsere Aufgabe sein kann, im Rahmen dieser Arbeit die erkenntnistheoretischen Probleme, die mit den verschiedenen semantischen Theorien verknüpft sind, zu erörtern, gehen wir nicht auf diese näher ein, sondern beschränken uns auf das für unsere Zwecke Erforderliche[92]. In der realistischen Semantik wird seit der Antike zwischen Objekten der Zeichen und den gedanklichen Abbildern der Objekte der Zeichen unterschieden[93]. Das Textzeichen besitzt, gemäß Plett, als Bewußtseinsphänomen eine designative (mentale) Bedeutung, als Realitätsphänomen hingegen einen denotativen (empirischen) Bezug[94]. Die Frage nach dem Bezug (Denotation, Re-

---

87 v. Kutschera 1975, 78f.; vgl. auch ibid., 115, 137 und zusammenfassend 329–344; s. auch Hempfer 1977, 14ff.

88 Die ausführlichste und m. E. adäquateste Differenzierung auf linguistischer Basis findet sich bei Große 1976; vgl. auch § 1.3. unten.

89 Vgl. v. Kutschera 1975, 79 et passim; s. auch § 1.3.

90 v. Kutschera 1975, 79; Eine nominalistische Position wäre die Folge davon. Ausgehend vom späten Wittgenstein (s. dazu Hempfer 1973, 237 Anm. 35) plädiert dafür S. J. Schmidt 1969, 160–164. Ibid., 89 und 1976a, 58 nimmt er im Anschluß an P. Hartmann indessen eine Mittelposition ein.

91 S. unten § 1.3. und § 1.4.

92 Vgl. hierzu die Stellungnahme des Sprachphilosophen v. Kutschera 1975, 40f.

93 Schon bei Platon und Aristoteles aber bes. bei den Stoikern, s. Coseriu 1969, 27–104 und Steinthal 1890 passim; Paul 1978, 155–263. Für dieses Phänomen findet man in der modernen Philosophie eine Reihe verschiedener, wenn auch nicht ganz synonymer Bezeichnungen; s. z. B. die Zusammenstellung bei Wunderlich 1974, 242 und die übersichtliche Diskussion bei v. Kutschera 1975, s. v. Bedeutung bzw. Bezug.

94 Plett 1975b, 99; zur weiteren Differenzierung s. v. Kutschera 1975, 332f.

ferenz, Extension) stellt sich besonders angesichts metaphorischer/symbolischer/fiktiver und religiöser Texte. Dabei geht es uns in diesem Zusammenhang nicht um die *erkenntnistheoretische* Beantwortung der Frage des Bezuges, d.h. der Frage der ontologischen Referenz, sondern um die *semiotische* Frage des Bezuges, d.h. die Frage nach der kulturellen Referenz[95]. Dadurch, daß wir nach der kulturellen Referenz fragen, sind wir ganz in die Nähe der pragmatischen oder sozio-kommunikativen semantischen Theorien angelangt[96].

Bei historischen Analysen antiker bes. mythologischer bzw. religiöser Texte ist die sozio-kommunikative Referenzialität von äußerstem Belang, weil nicht unser Weltverständnis aber auch nicht das- oder diejenige(n) der damaligen Welt generell der Interpretation zugrundegelegt werden soll, sondern dasjenige der sozialen bzw. religiösen Gruppe, die hinter dem zu analysierenden Text steht, d.h. dasjenige Weltverständnis der im Text vorausgesetzten bzw. dargelegten Kommunikationssituation[97].

Eng verbunden mit der Frage nach Bedeutung und Bezug ist die Frage nach „möglichen Welten", so wie sie bes. in der Modallogik gestellt worden ist. Unter diesem Oberbegriff[98] unterscheidet van Dijk zwischen:

(1) der aktualen Welt;
(2) imaginären oder fiktiven Welten, „where the facts are different from the real or actual facts, but compatible with the postulates (laws, principles, etc.) of the actual world";
(3) „worlds with partly or fully different laws of nature, *i.e.* worlds which are increasingly dissimilar to 'our' world, or rather to the set of worlds which could have been the real world, *i.e.* those worlds satisfying the same set of basic postulates"[99].

---

[95] Eco 1972, 72f.; Plett 1975b, 101; Bellert 1974: „Für eine linguistische Beschreibung ist es irrelevant, ob besagter Glaube dem aktuellen Geisteszustand des Sprechers entspricht oder nicht; der Sprecher verhält sich so, als glaube er dies, und deshalb gehört eine solche Proposition zur semantischen Interpretation unabhängig davon, ob der Sprecher nun aktuell daran glaubt, oder ob er nur vorgibt, daran zu glauben" (219; vgl. weiter 224f. und 228f.). Raible 1975, 26: „Der Wahrheitsgehalt spielt bei der Kommunikation durch Sprache überhaupt keine Rolle. Denn man versteht einen Satz oder einen Text ebenso gut, gleichgültig ob er erfunden, erlogen oder wahr ist." Vgl. auch Anm. 37 und 104. Zum unbewältigten Problem der Wahrheitswerte selbst bei Analysen von Sätzen bzw. kurzen Erzähltextabschnitten innerhalb der aktualen Welt s. z.B. Sellers 1973; Gülich/Raible 1977, 184f.

[96] Vgl. van Dijk 1977, 35 aber auch v. Kutschera 1975, 332 und 336.

[97] Vgl. Kallmeyer et alii 1977, 142f.; unter den Literaturwissenschaftlern und Linguisten heben u.a. Hempfer 1973, 131 und Plett 1975b, 81 und 90 die Bedeutung des Verhältnisses zur Historie hervor; s. auch Olsson 1974, 9f.

[98] Vgl. van Dijk 1977, 29.

[99] van Dijk 1977, 29f., wo sich die Zitate finden; vgl. auch Lewis 1972, 175; Schnelle 1973, 218ff., 238; Wunderlich 1974, 255–261; Bellert 1974, 228f.; Ballmer 1975, 188ff.; Fillmore 1976, 88; Gülich/Raible 1977, 38–40, 56–58, 150f., 186ff.; 1977a, 137, 152; Heger 1976, 317ff.; 1977, 278. In Bezug auf Dialogstrukturen s. auch Günther 1977, 211. Sehr interessant aber außerordentlich komplex ist auch die „Textstruktur-Weltstruktur-Theorie" von J. S. Petöfi; s. dazu den zusammenfassenden aber auch kritischen Bericht bei Gülich/Raible 1977, 151–191, bes. 151ff. und 186ff.; Harweg 1979, XXXIII–XXXVII.

Wenn in einem Text mehrere „mögliche Welten“ vorkommen, ist eine *Erreichbarkeits-Relation* zwischen den jeweiligen Welten erforderlich, damit die Kohärenz und mehr noch die Verständigung überhaupt erzielt werden kann[100]. Wie sich unten zeigen wird, spielt die Unterscheidung verschiedener Welten bei der Strukturanalyse des Visionenbuches eine überragende Rolle[101].

Zusammenfassend läßt sich sagen, daß in letzter Zeit die pragmatisch orientierten Bedeutungstheorien unter den Semiotikern und Linguisten aber auch unter den Sprachphilosophen immer mehr an Aktualität gewonnen haben. Diese Veränderung, der wir unten bei der Behandlung der Sprech- bzw. Schreibakttheorien näher nachgehen werden,[102] hat zur Folge gehabt, (1) daß in der Sprechakttheorie die Unterscheidung zwischen propositionalem Gehalt und illokutiver Kraft nicht einfach mit der Unterscheidung zwischen Semantik und Pragmatik gleichzusetzen ist[103] und (2) daß der kommunikativen Referenzialität innerhalb der Semantik und der Linguistik immer stärkere Bedeutung zukommt[104].

Die besonderen linguistisch-semantischen Fragen sollen unten im Abschnitt über die semantische Kohärenz erörtert werden.

1.2.3.2.1. *Die textsemantische Ausdehnung.* War die textsyntaktische Ausdehnung als eine „Kombination mindestens zweier miteinander korrelierter Sätze“ definiert, so gilt für die Textsemantik, daß ein Text der Ausdehnung nach zur Not aus einem einzigen Wort bestehen kann[105].

---

[100] van Dijk 1977, 30 und 94; Allwood et alii 1977, 113; Zur Differenzierung der Relationen zwischen verschiedenen Welten s. unten § 2.2.2.3.1.

[101] S. unten § 2.2.2.3.1., wo innerhalb von „möglichen Welten“ zwischen (1) diesseitiger Welt: (1 a) faktischer Welt, (1 b) fiktiver Welt und (2) jenseitiger Welt unterschieden wird.

[102] S. § 1.3.

[103] Z. B. Wunderlich 1976, 27, 119 et passim; Große 1976, 59.

[104] Eco 1972, bes. 69–76: „Jeder Versuch zu bestimmen, was das Referens eines Zeichens ist, zwingt dazu, dieses Referens als eine abstrakte Größe zu definieren, die nichts anderes als eine kulturelle Uebereinkunft ist.“ (S. 74; hervorgehoben bei Eco.) Eco illustriert ebenda seine semiotische Position durch das seit Frege berühmte Beispiel vom Morgenstern/Abendstern. Lyons 1977 a, 118: „To define meaning as a relationship between words and things, as we have seen, will not do; and the postulation of theoretical entities, such as Carnap's designata or Morris's dispositions to respond, must be justified, not by demonstrating their ontological or psychological validity, but their usefulness for the purpose of describing how language is used in everyday life.“ S. J. Schmidt 1976 a, 82–87 et passim spricht von einer „Referenztheorie im Rahmen einer Instruktionssemantik“ (S. 82); idem 1973, 238: „Die instruktionssemantische Frage nach der *Referenz* eines Ausdrucks kann also nicht lauten: Was bezeichnet Ausdruck X?, sondern: Welche Anweisungen an Kommunikationspartner gibt X in typischen kommunikativen Handlungsspielen? Wie wird X von Kommunikationspartnern realisiert?“ Gülich/Raible 1977, 38–40; Plett 1975 b, 10 f.; s. weiterhin die Darstellung verschiedener „pragmatischer“ Positionen bei v. Kutschera 1975, 78–203, 336–344, bes. 338 f., aber auch unseren Überblick zur Textsemiotik einerseits und zur Sprechakttheorie andererseits.

[105] Plett 1975 b, 102; Gülich/Raible 1977, 51; Oomen 1974, 50.

Ist die semantische Einheit eines Satzes mit Hilfe des Begriffs ,,Proposition" ausdrückbar[106], so die Einheit eines Textes bzw. eines Teiltextes mittels dem Begriff ,,Thema"[107]. Jedes Thema kann seinerseits in verschiedenene ,,Teil- oder Subthemen" untergliedert werden und folglich ist ,,eine ganze Hierarchie von Themen und Teilthemen denkbar"[108].

Die semantische Ausdehnung wird durch ein Thema bzw. eine Hierarchie von Themen und Teilthemen bestimmt und diese bilden die Basis für Texte und Teiltexte[109]. Konkret bedeutet diese Hierarchisierung, daß alle Textaussagen aus dem Textthema müssen abgeleitet werden können. ,,Auf diese Weise ist ein Text jeweils als ein Stemma von deduktiven Explikationen analysierbar; seine Spitze bildet das Thema, seine Basis die Aussage. Soweit ein Thema auf konkrete Aussagen zutrifft, reicht ein Text. Soweit sich ferner der Gültigkeitsbereich eines Teilthemas erstreckt, reicht ein Subtext"[110]. Anders ausgedrückt: das Thema hat im Verhältnis zum Teilthema die größere Ausdehnung.

Von bes. Gewicht für unsere Aufgabe ist die Feststellung von H. Plett, daß die Hierarchie von Themen und Teilthemen ,,nicht nur den einzelnen Text in seiner semantischen Spezifik konstituiert, sondern möglicherweise den Ausgangspunkt für semantisch bedingte *Textsorten* darstellt"[111].

1.2.3.2.2. *Die textsemantische Abgrenzung*. War Text bzw. Teiltext durch Thema bzw. Teilthema bestimmt, so folgt daraus, daß die Begrenzung des Themas auch die Begrenzung des Textes bzw. die Begrenzung eines Teilthemas auch die Begrenzung eines Teiltextes ist. Mit dem Themawechsel findet also auch ein Textwechsel statt usw.[112].

Auf diese Weise können mehrere Teilthemen innerhalb eines übergeordneten Themas erscheinen und es wird zu fragen sein, wie sich diese zueinander verhalten und wie eine Hierarchie von Teilthemen hergestellt werden kann. Die Vorgeschichte des Visionenbuches hebt sich z.B. thematisch vom nachfolgenden apokalyptischen Teil erheblich ab und bildet durch sein

---

106 Zum Begriff ,,Proposition" vgl. Stalnaker 1974, 150ff.; S. J. Schmidt 1976a, 88–92; Searle 1971, 48–54; 1974, 89–91; Wunderlich 1976, 70–73; v. Savigny 1974, 148f.; Große 1976, 16ff., 95ff.; Gülich/Raible 1977, 275; Lewandowski 1976b, s.v., 556f.; s. auch die Diskussion unten § 1.3.1.

107 Zum Begriff ,,Thema" vgl. Dressler 1973, 17ff., 89 et passim; Wienold 1972, 98–120; Plett 1975b, 102; van Dijk 1977, 114, 131–142; Gülich/Raible 1975a, 159f.; 1977, 55; Lewandowski 1976c, s.v., 831f.

108 Plett 1975b, 102; Dressler 1973, 19, 44; van Dijk 1977, 133f.: ,,A concept or conceptual structure (a proposition) may become a discourse topic if it *hierarchically organizes* the conceptual (propositional) structure of the sequence."

109 Dressler 1973, 17.

110 Plett 1975b, 103, 112.

111 Plett 1975b, 102 (Hervorhebung von mir); vgl. unten zum Begriff ,,Teiltext" § 2.1.

112 Plett 1975b, 103; Dressler 1973, 19 und bes. 65; Gülich/Raible 1977, 55.

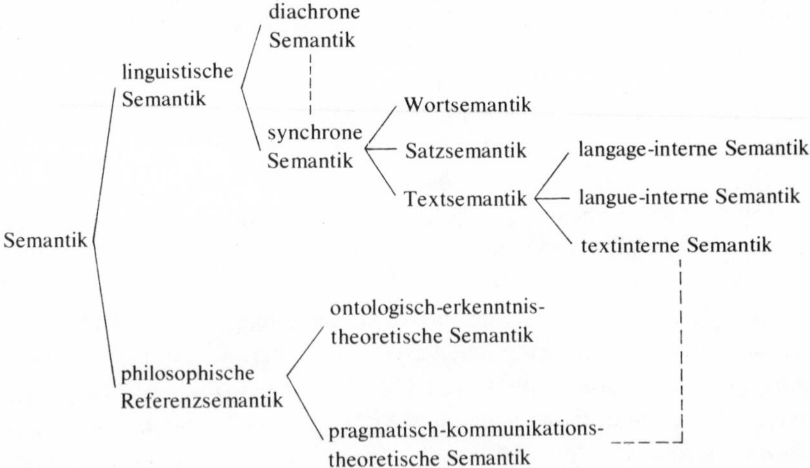

Fig. 7.

Subthema einen Textteil des Ganzen[113]. Manchmal kann aber ein Thema- bzw. Teilthemawechsel durch eine metakommunikative Äußerung wie im Beispiel [2] oben in § 1.2.3.1.2. aus dem Visionenbuch ausdrücklich mitgeteilt sein. ,,Dies sind jeweils Delimitationsmerkmale, die einen metasemantischen Status einnehmen", bemerkt H. Plett zurecht, wie aus der Darstellung der Gliederungsmerkmale unten hervorgehen wird[114].

Die nähere Ausführung zur Abgrenzung von Texten bzw. Teiltexten wird in den Abschnitten 2.1. und 2.2. ihre Behandlung finden.

1.2.3.2.3. *Die textsemantische Kohärenz.* Bei der semantischen Kohärenz geht es sehr allgemein ausgedrückt um die Kompatibilität bestimmter Merkmale, u. zw. sowohl in paradigmatischer wie in syntagmatischer Hinsicht[115]. Da, wie wir schon gesehen haben, die Semantik Gegenstand verschiedener Betrachtungsweisen ist, versuchen wir – allerdings stark vereinfachend – unter Rücksichtnahme auf unser form- und gattungskritisches Untersuchungsziel gemäß Fig. 7 zu differentieren[116].

Das sprachliche Zeichen oder Element kann sich hinsichtlich seiner Bedeutung beziehen auf:

(1) Elemente der außersprachlichen Wirklichkeit, d. h. auf Analoga im textexternen Bereich; diese Kenntnis der außersprachlichen Wirklichkeit wird *Referenzsemantik* genannt[117];

[113] S. die Analyse unten § III.3.2.

[114] Plett 1975 b, 103; vgl. dazu ausführlich § 2.2.2. unten.

[115] Vgl. Plett 1975 b, 104; Kallmeyer et alii 1977, passim; van Dijk 1977, 93–129.

[116] Vgl. auch das etwas anders gestaltete Diagramm zur Semantik bei Welte 1974, s.v., S. 552.

[117] Zur weiteren Differenzierung s. oben § 1.2.3.2.; Große 1976, 14; Bellert 1974, 226, 234; Gülich/Raible 1977, 46 ff.

(2) andere sprachliche Elemente innerhalb von Texten verschiedenen Abstraktionsgrades; Generell wird diese Art von Semantik *Textsemantik* genannt[118]. Innerhalb der Textsemantik unterscheiden wir je nach Abstraktionsebenen zwischen sprachlichen Elementen, die sich beziehen auf:

(a) andere sprachliche Elemente innerhalb des langage, d. h. im textinternen Bereich eines außereinzelsprachlichen Systems; diese Kenntnis der innersprachlichen außereinzelsprachlich-strukturellen Beziehungen bezüglich der außersprachlichen Wirklichkeit nennen wir *langage-interne Semantik*[119];

(b) andere sprachliche Elemente innerhalb der langue, d. h. im textinternen Bereich eines einzelsprachlichen Systems; diese Kenntnis der innersprachlichen einzelsprachlich-strukturellen Beziehungen bezüglich der außersprachlichen Wirklichkeit nennen wir im Anschluß an E. U. Große *langue-interne Semantik*[120];

(c) andere sprachliche Elemente innerhalb eines Einzel-Textes (parole), d. h. im textinternen Bereich eines Textexemplars; diese Kenntnis der innersprachlichen Beziehungen bezüglich der außersprachlichen Wirklichkeit nennen wir, wieder im Anschluß an Große, *textinterne Semantik*[121].

Innerhalb der Referenzsemantik soll im Anschluß an die Ausführungen oben zwischen den realistischen oder, wenn man präzisieren will, ontologisch-erkenntnistheoretischen und den pragmatisch-kommunikationstheoretischen Aspekten unterschieden werden[122]. Die referenzielle Frage soll uns bei der Textinterpretation in diesem Zusammenhang nur als Frage der kulturell bedingten Referenz, also pragmatisch-kommunikationstheoretisch beschäftigen[123]. Aber selbst wenn wir die ontologische Frage außer-acht lassen, bleibt die Frage nach der Referenz, u. zw. sowohl in pragmatisch-kommunikativer als auch in textsemantischer Sicht; beide sind nicht zu trennen, sondern aufs engste miteinander verknüpft[124], wie z. B. die Kontroverse zwischen Wortsemantikern und Kontextualisten exemplarisch zeigt. Die extremen Wortsemantiker vertreten die Ansicht, daß die Wörter für etwas Außersprachliches stehen und ihre Bedeutung in den Text mitbringen[125]; die extrem kontextualistisch arbeitenden Textlinguisten be-

---

[118] Dressler 1973, 16 et passim; Kallmeyer et alii 1977, 98f., 101; Bellert, ibid.; Gülich/Raible, ibid.; Lewandowski 1976 c, s.v., S. 827 f.

[119] Vgl. Brekle 1974, 121; de Saussure 1967, 16 ff., 117; so auch Gülich/Raible 1977, 34–38 mit Anm. 20; 53 f.; Gülich 1976, 243 Anm. 38.

[120] Große 1976, 14; als Beispiele der strukturellen Semantik nennt Große: paradigmatische Wortsemantik, semantische Solidaritäten; dazu kommt laut Große noch die generative Satzsemantik. S. auch Brekle 1974, 121 ff.; de Saussure 1967, passim; Gülich/Raible 1977, ibid.; Gülich/Raible 1975 a, 194 f.

[121] Große 1976, ibid.; Brekle 1974, ibid.; de Saussure 1967, passim.

[122] Vgl. oben § 1.2.3.2. und ferner Kallmeyer et alii 1977, 138 f.

[123] Zur Begründung s. oben § 1.2.3.2. und unten § 2.2.2.3.1.

[124] Vgl. Kallmeyer et alii 1977, 101; Plett 1975 b, 105; Gülich/Raible 1977, 47.

[125] Kallmeyer et alii, 1977, 101.

haupten dagegen, „daß das isolierte Wort selbst keine Bedeutung hat, sondern diese erst im Kontext erhält, d. h. daß der Kontext die Bedeutung konstituiert"[126].

Gegen das Extrem beider Auffassungen wendet sich P. Hartmann, wenn er zuerst im Anschluß an Wittgenstein feststellt, „daß Wörter erst im Text eine bestimmte Bedeutung bekommen", um dann sofort die Einseitigkeit Wittgensteins zu korrigieren: „jeder weiß, daß Wörter nicht nur eine Bedeutung im Text bekommen, sondern daß sie auch eine mitbringen; denn wenn sie nichts mitbrächten, würde gar kein Text zustande kommen"[127].

Kallmeyer et alii, die eine ähnliche Position einnehmen, schlagen eine Brücke zwischen beiden Extremen durch ihre Unterscheidung zwischen *Referenzpotential* und *Referenzanweisung*[128]. Wegen der Polysemi einzelner Lexeme ist es offensichtlich, daß diese als isolierte Wörter nur das Potential einer Bedeutung besitzen, nicht aber die spezifische Bedeutung selbst. Lexika enthalten also lediglich Referenz*potentiale,* während Texte Referenz*anweisungen* enthalten[129]. Diese sind „Anweisungen an einen Hörer ..., sich auf bestimmte Ausschnitte seines Wirklichkeitsmodells, d. h. auf ihm bekannte Geschichten zu beziehen"[130]. Um von einem Referenzpotential zu einer Referenzanweisung zu gelangen, ist eine Monosemierung oder zumindest eine Reduktion der Vieldeutigkeit erforderlich und diese „wird bewirkt durch die wechselseitige semantische Determination sich zueinander solidarisch verhaltender Lexeme; d. h. von Lexemen, die bei aller Verschiedenheit bestimmte referentielle Eigenschaften teilen"[131]. Nun wird aber ein Text nicht nur durch bestimmte Sequentialität, Distribution oder Rekurrenz kompatibler Lexeme bzw. Begriffe kohärent. Bedeutungsvoll für die Kohärenz eines Textes ist außerdem die referentielle Anschließbarkeit einer Reihe von Sätzen, bzw. Propositionen. Auch dies ist freilich keine hinreichende, wohl aber eine notwendige Bedingung für die Konstitution eines kohärenten Textes[132].

Erweitert auf Texte und Teiltexte gehört zur Kohärenzfrage folglich der thematische Zusammenhalt[133]. Hinsichtlich des thematischen Zusammenhalts entstehen in Texten des öfteren Anzeichen eines niedrigeren Grades

---

126 S. Lewandowski 1976a, 353f., s.v. Kontexttheorie der Bedeutung.

127 Hartmann 1968, 211f.; Wittgenstein 1975, § 43, vgl. auch S. J. Schmidt 1976a, 58, der für die „Korrelation beider Faktoren" plädiert; S. auch idem 1969, 88–100; v. Kutschera 1975, 109–118, 139–151.

128 Kallmeyer et alii 1977, 115–119; „Anweisung" ist ein *kommunikativer* Begriff s. ibid. 44ff.; vgl. auch Gülich/Raible 1977, 35 und ferner unten in diesem §.

129 Kallmeyer et alii 1977, 138.

130 Kallmeyer et alii 1977, 142; vgl. S. J. Schmidt 1973, 237; „Anweisung oder *Instruktion* an Kommunikationspartner im Rahmen eines kommunikativen Handlungsspiels."

131 Kallmeyer et alii 1977, 123f.; S. auch den § zur „Isotopie" ibid., 143–161, spez. 146.

132 Gülich/Raible 1977, 47; Große 1976, 101; van Dijk 1977, passim.

133 Dressler 1973, 65f.; S. J. Schmidt 1973, 237 (s. Zitat unten § 1.2.3.3.3.); van Dijk 1977, 95, 114ff., 132ff.; s. ferner die Zusammenstellung bei Große 1976, 14f.

von Kohärenz, die nur durch eine *diachrone* Analsye des jeweiligen Textes zu erklären sind[134]. So wirft z. B. M. Dibelius in seinem Kommentar zum Hirten des Hermas dem Verfasser oftmals Ungeschicktheit der Stoffbehandlung vor, die darin begründet sei, daß der Verfasser in ungeschickter Weise fremden Stoff übernommen hat, ohne ihn genügend verarbeiten zu können[135]. In manchen – nicht aber in allen – dieser Fälle liegen in der Tat Anzeichen einer *semantischen* Kohärenz niedrigeren Grades vor[136].

Als besonders wichtige Merkmale semantischer Kohärenz – von der schon erwähnten Anschließbarkeit von Begriffen, Propositionen und Themen abgesehen – seien die für die unten in § 2.2.2.3. angegebenen Gliederungsmerkmale mit textexternen Analoga gekennzeichneten Koordinate in hierarchischer Folge angeführt:

(1) Mögliche Welten – ,,the same possible world"
(2) Zeit- und Ortsangaben – ,,at the same place and/or at the same time"
(3) Handlungsträger – ,,referential identity between individuals"[137].

In den allermeisten Texten treten jedoch Veränderungen dieser Korrelate ein, weshalb diese Kohärenzmerkmale gleichzeitig als Delimitationsmerkmale vorwiegend zur Abgrenzung von Teiltexten dienen können. Neue Situationen (Welten) werden dargestellt, zu anderen Zeitpunkten und/oder an anderen Orten mit anderen Handlungsträgern. Damit jedoch die Kohärenz bewahrt wird, ist es erforderlich, ,,that newly introduced individuals are related to at least one of the individuals already 'present'. Similarly, we may expect that assigned properties also are related to properties already assigned. And finally a change of world or situation will also be constrained by some accessibility relations to the world or situation already established. In other words, changes must somehow be *homogeneous*"[138].

Im Abschnitt über die syntaktische Kohärenz haben wir speziell auf die *Verweisformen* hingewiesen. Nun stellt Verweisung nicht nur syntaktische Kohärenz her, sondern sie bewirkt gleichzeitig semantische Kohärenz[139]. Wie bedeutungsvoll Verweisung im Text ist, geht schon aus der Häufigkeit ihres Vorkommens hervor.

---

134 Vgl. dazu Kummer 1975, 161 f. Hempfer 1973, 122, 192 ff. und zum ganzen Problem Coseriu 1974, bes. 206–247; S. auch unten § 1.2.3.3.3.

135 Dibelius 1923, etwa 473 et passim.

136 S. die ausführlichere Diskussion unten § 1.2.3.3.3. zur textpragmatischen Kohärenz.

137 van Dijk 1977, 93 ff.; die Zitate entstammen S. 93; Die Hierarchisierung indes stammt von mir; dazu vgl. Anm. 99 und § 2.2.2.3.1.

138 van Dijk 1977, 94; vgl. Kallmeyer et alii 1977, 142 f.; zur Sache s. die Thema-Rhema-Gliederung in der Prager Schule (s. oben Anm. 67).

139 Außer den in Anm. 79 gegebenen Hinweisen s. Dressler 1973 passim; Zum Verhältnis zwischen Syntaktik und Semantik vgl. Steinitz 1974, 246–265; Heger 1976, 19–22; Gülich/Raible 1977 a, 163; 1977, 132: ,,Syntax und Semantik (sind) nur in einem analytischen Prozeß von einander zu trennen".

Wenn zur Textsemantik die Beziehung teils zur außersprachlichen Wirklichkeit, teils zu anderen sprachlichen Elementen gehört, entsteht die Frage, wie diese Beziehungen in Relation zu einander zu setzen sind. Zu unterscheiden ist dabei zwischen

(1) Referenz als textinterner Relation. Diese referentiellen Verweisformen können als „materiale Supposition“[140] d. h. als „Substitution auf Metaebene“ bzw. „Substitution auf Abstraktionsebene“[141] oder in Form von „definiten Nominalgruppen“[142] auftreten;

(2) Relatoren oder nicht-referentiellen Verweisformen, die anaphorisch oder kataphorisch wirken. Gewöhnlicherweise spricht man hierbei von Referenz bzw. referentieller Verweisung. Mit Gülich/Raible ziehen wir die Bezeichnung Relatoren vor[143], weil in diesem Zusammenhang nicht direkt von der Textebene auf die außersprachliche Wirklichkeit referiert wird, also keine unmittelbare Referenzidentität zwischen Bezugselement und Verweisform vorliegt[144], sondern nur eine mittelbare durch die „Konnexionsanweisung“; wir nehmen so die von Kallmeyer et alii initiierte „*Theorie der vermittelten Referenz*“ auf[145]. Durch diese Theorie kommt den Differenzierungen Raibles zwischen Substitutionen auf Meta-, Abstraktions- und Textebene bzw. Harwegs zwischen „eindimensionalen“, „zweidimensionalen“ und „kontaminierten“ Substitutionstypen[146] bei der Herstellung der Textkohärenz gewiß eine größere Rolle zu als dies Kallmeyer et alii zugestehen. Hier sei, außer auf die erwähnten Substitutionen verschiedener Ebenen, nur noch auf die Bedeutung der Renominalisierung hingewiesen[147].

Wie die syntaktischen Implikationen zur Kohärenzherstellung im Bereich der Syntaktik gehören, so gehören zur Kohärenzherstellung im Bereich der Semantik die semantischen Implikationen/Präsuppositionen sofern das Präsupponierte sich auf Begriffe, Propositionen oder Themen bezieht[148]. Auf diese Weise werden semantische Kohärenzlücken im Text geschlossen. Als Beispiel aus dem Visionenbuch sei auf den vorausgesetzten aber

---

[140] Vgl. Menne 1973, 20f.; Lyons 1977a, 5–10; Raible 1972, 10f.

[141] Raible 1972, 10ff., 13ff., 150f., 195–203; Gülich/Raible 1977, 41f.; Große 1976, 63 mit Anm. 39; Kallmeyer et alii 1977, 232f.; s. unten § 2.2.2.2.2.

[142] Kallmeyer et alii 1977, 230, 244–246.

[143] Gülich/Raible 1977, 42–46; Raible 1972, 61f. mit Anm. 81.

[144] So u. a. Harweg 1968a, 22.

[145] Kallmeyer et alii 1977, 213–229; vgl. auch die Figuren ibid., 214 und 216; Zustimmend Große 1976, 122 Anm. 9; Zur Untergliederung der nichtreferentiellen Verweisformen s. Kallmeyer et alii 1977, 238–244; s. aber schon Bühler 1934, 385ff., bes. 390.

[146] Harweg 1968a, 20ff. bes. 28f. und 178ff.

[147] S. unten § 2.2.2.4.1.

[148] Zu diesem philosophisch wie linguistisch schwierigen Begriff vgl. vor allem den Sammelband von Petöfi/Franck 1973; Kempson 1975; Wilson 1975; s. ferner Stalnaker 1974, 156ff.; Dressler 1973, 85; Wörner 1978, 47; S. J. Schmidt 1976a, 92–106, und die Behandlung unten § 1.2.3.3.3.

nicht mitgeteilten Visionsbericht von den sieben Jungfrauen zwischen 16,2b und 16,2c hingewiesen.

Abschließend kann mit H. Plett die textsemantische Kohärenz folgendermaßen definiert werden: ,,Semantische Textkohärenz ist bedingt durch die Korreferenz (d. h. den gleichen denotativen Bezug) von Texteinheiten. Die Korreferenz ist mit Hilfe semantischer Merkmale beschreibbar. Sie reicht im Einzelfall von der totalen Identität bis zur partiellen oder gar einer minimalen Mengengleichheit der Merkmale. Entsprechend hoch oder niedrig ist die Kohärenzdichte eines Textes anzusetzen"[149]; von bes. Gewicht ist dabei die Feststellung, daß semantische Kohärenzkonstituenten, von denen wir nur einige erwähnen konnten, auf den drei Ebenen der langage, langue und parole vorhanden und demzufolge analysierbar sind und, nicht zuletzt durch Hierarchisierung von Themen und Teilthemen, bei Form- und Gattungsbestimmungen eine erhebliche Rolle spielen[150].

1.2.3.3. *Die pragmatische Textdimension*

Pragmatisch gesehen ist Text ein Mittel, wodurch Kommunikation zwischen Sender/Autor und Empfänger/Leser mit Hilfe von Sprachzeichen über ,,Gegenstände und Sachverhalte" ermöglicht wird[151]. Dabei spielen solche Faktoren wie Intention, Verhältnis zwischen Kommunikationspartnern, pragmatische Präsuppositionen sowie Kommunikationsstrategien u. ä. ein[152]. Entscheidender Faktor aber ist die Kommunikationssituation, in welcher ein Text geäußert/geschrieben bzw. gehört/gelesen wird. Aus einer Fülle von Fragestellungen sollen drei von prinzipieller Wichtigkeit behandelt werden:

(1) Selbst bei monologischer Kommunikation, zu der Erzähltexte zu rechnen sind, ist der Autor von der jeweiligen Kommunikationssituation nicht unabhängig, sondern mit Große ist festzustellen, daß der Autor durch seine ,,*Interpretation* ... der Bedürfnisse, Erwartungen und Kenntnisse des anvisierten Empfängers bzw. der Empfängerschaft mitbestimmt wird. Auch hier wird also der Sender – freilich indirekt – durch die Empfänger beeinflußt"[153].

Dies bedeutet, daß auch ein in textexterner Hinsicht monologisches

---

[149] Plett 1975 b, 107.

[150] Vgl. die sog. Motiv- oder Interessegattungen in der Formgeschichte § 1.4.2.2. bzw. Differenzierung durch Themen in der Gattungsgeschichte § 1.4.1.3.

[151] S. oben § 1.2.2.; vgl. ferner u. a. folgende übersichtlichen Arbeiten zur Sprachpragmatik: Wunderlich (Hrsg.) 1975; S. J. Schmidt (Hrsg.) 1974 und 1976 b; S. J. Schmidt 1976 a und 1978; Henne 1975; Schlieben-Lange 1975; Braunroth et alii 1978; Breuer 1974; Plett 1975 b, 79–99.

[152] Dressler 1973, 92–101; Kallmeyer et alii 1977, 69; Wunderlich 1971, 177–179.

[153] Große 1976, 13.

Textganzes wie das Visionenbuch nur im Rahmen der *Interaktion* zwischen Autor und Lesern zu interpretieren ist[154].

(2) Für geschriebene Texte muß grundsätzlich zwischen ,,textexternen Sprechsituationen" einerseits und ,,textinternen Sprechsituationen" andererseits unterschieden werden, wobei textexterne Pragmatik die Kommunikationssituation zwischen *Autor* und *Adressat(en),* die textinterne Pragmatik die Kommunikationssituation zwischen innerhalb des Textes dargestellten *dramatis personae* anzeigt[155]. Auf diese fundamentale Unterscheidung kommen wir unten zurück[156].

(3) Da die Textkonstitution in pragmatischer Sicht nicht *in toto* situationsabstrakt, sondern immer von der Kommunikationssituation des Autors bzw. des Lesers abhängt, entsteht die Frage nach der Generalisierbarkeit der pragmatischen Wissenschaft. Die Lösungsversuche gehen prinzipiell in zwei Richtungen: (a) Die Pragmatik wird als ,,Gegenstand einer (noch ausstehenden) Theorie der Performanz" aufgefaßt[157]; dies würde bedeuten, daß pragmatisch gesehen nicht nur ,,jede Textualitätsnorm eine Individualitätsnorm" sei, sondern auch, daß ein Text ,,niemals vollständig abgeschlossen" sein könnte, denn jeder Adressat/Leser versteht den Text anders als andere Leser und mehr noch: jedesmal anders, wenn er den Text erneut liest[158]. Bei alten Texten kommt darüberhinaus noch die kommunikative Differenz zwischen Autor und Interpreten hinzu[159]; (b) Die Pragmatik ,,(kann) prinzipiell genauso Gegenstand der Untersuchung der Sprachkompetenz sein wie Syntax und Semantik"; dies besagt, ,,daß es sich nicht um individuell zufällige, sondern um rekurrente Phänomene sprachlicher Kommunikation" handeln muß[160]. Nach diesem Verständnis von Pragmatik als Teil eines virtuellen Systems geht es vor allem um eine Typologisierung von Sprechsituationen bzw. Sprechhandlungen[161]. Von bes. Gewicht für

---

[154] S. unten § 1.3. zur Textfunktion!

[155] Vgl. Hempfer 1977, 10ff., 18; 1973, 173ff.; Gülich 1976, 229f., 236–241; Fillmore 1976, 93.

[156] S. unten § 2.2.2.2.1.

[157] Welte 1974, 55, s.v. Pragmatik; Oomen 1974, 55; Schlieben-Lange 1975, 20: ,,Bei linguistischer Pragmatik ... handelt es sich um eine Linguistik der 'parole' im besten Sinne ...". Plett 1975 b, 81 spricht zwar im Zusammenhang der Pragmatik von einer Theorie der Parole, betont aber zugleich, daß diese Möglichkeit nur ,,in dem Sinne, daß die Individualnorm von einer Sozialnorm überlagert wird", zu verstehen ist; hinsichtlich Pletts Position s. auch Anm. 160.

[158] Plett 1975 b, 80.

[159] Vgl. unten § 2.2.2.2.1.

[160] Hempfer 1977, 1–25 (die Zitate finden sich auf S. 3); Hempfer 1973, 223. Vgl. van Dijk 1972, 315f.; 1977, 192; Searle 1971, 32; Searle 1974, 86–89; Wunderlich 1971, 153; 1975 a, 11–58 spez. 37ff.; Brekle 1974, 121–135; Kummer 1975, 164f.; Raible 1975, 11f.; Apel 1973, 15; S. J. Schmidt 1976 a, 22–42 mit ausführlicher Diskussion der Alternative; Oller 1970, 506: ,,What we need is not an additional theory of performance but an adequate theory of competence". Plett 1975 b, 91 spricht bezüglich der Textstrategien von ,,pragmatischen Universalien"; vgl. Eggs 1974, 59; Gülich 1976, 230.

[161] Für ersteren s. Hempfer 1977, 14–21, der drei Sprechsituationstypen unterscheidet: Kon-

die Gattungstheorie ist die Feststellung, daß die Sprechsituationstypen bzw. Sprechakttypen Grundlage spezifischer Gattungen sind[162]. Dresslers Formulierung von 1972, daß ,,nur eine Textpragmatik die Grundlage für eine Typologie von Textsorten abgeben zu können (scheint)"[163], hat sich durch die nachherige Forschung innerhalb der Textpragmatik immer mehr bestätigt[164]. Theoretisch ausschlaggebend ist dabei die Erkenntnis, daß die Pragmatik als gattungsdifferenzierendes Merkmal nur als *Bestandteil der langue* bzw. *des langage* funktionieren kann[165]. Die Bedeutung der pragmatischen Sprech/Hörakt – bzw. Schreib/Textakttheorien für Gattungstheorie und Formgeschichte soll unten in § 1.3. behandelt werden.

1.2.3.3.1. *Die textpragmatische Ausdehnung.* Anders als in der Syntaktik steht ein Text in pragmatischer Hinsicht außerhalb des syntaktischen Regelsystems bezüglich seiner Ausdehnung. Dies heißt, daß die syntaktische Minimalbedingung hier keine Rolle spielt. Ein Text kann unter Umständen genauso wie in der Semantik aus einem einzigen Wort oder Satz bestehen[166]. Dagegen wird Text unter diesem Aspekt als eine ,,*kommunikative Funktionseinheit*" aufgefaßt[167] und zeichnet sich demzufolge durch zwei bes. Eigenschaften aus: (1) Die Polyfunktionalität; daß Texte mehrdeutig und offen für verschiedene Interpretationen sind, zeigt sich nicht nur durch ihre semantische Polysemie, sondern vor allem darin, daß sie ,,in verschiedenen Kommunikationssituationen" unterschiedlich, bisweilen entgegengesetzt ausgelegt werden können[168]. Die Polyfunktionalität tritt, wenn auch nicht ausschließlich so doch überwiegend, bei der Interpretation von Einzeltexten, d. h. auf der Ebene der parole, zutage[169]. (2) Die Aufbaustrategien; diese fest aufgebauten Strategien besitzen dagegen ihre Gültigkeit nicht nur für Einzeltexte, sondern für ganze Gattungen und haben also ,,den Charakter von pragmatischen Universalien"[170]. Instruktive Beispiele für die Tragweite der kommunikativen Funktion bei der Konstitution von Textgat-

---

stativer, performativer und berichtender Situationstyp; für letzteren vor allem Wörner 1978, 243–263; Gülich 1976, 230–232; vgl. auch S. J. Schmidt 1976a, 46ff., 115ff., 119ff.

162 Hempfer, ibid.; Gülich, ibid. und s. weiterhin unten § 1.3.

163 Dressler 1973, 95.

164 Vgl. z. B. Hempfer 1973, 222 et passim; Schlieben-Lange 1975, 105f.; S. J. Schmidt 1976a, passim; Plett 1975b, 84ff.; S. J. Schmidt 1978, 58; Gülich 1976; Hempfer 1977.

165 S. unsere methodologisch wichtige Unterscheidung zwischen ,,Pragmatik, Semantik und Syntaktik" als hierarchisch geordneten Aspekten eines *Eingrenzungsprinzips* einerseits und ,,faculté de langage, langue und parole" als ebenfalls hierarchisch geordneten Ebenen eines *Abstraktionsprinzips* andererseits sowie die Interrelation der Prinzipien mit ihren jeweiligen Aspekten und Ebenen in § 1.5.

166 Plett 1975b, 82; Gülich/Raible 1977, 50; Kallmeyer et alii 1977, 46; Oomen 1974, 50.

167 Plett, ibid.; Kallmeyer et alii, ibid.; Oomen 1974, 55; S. J. Schmidt 1976a, 144–149.

168 Plett 1975b, 82f.

169 Plett 1975b, 83; Hempfer 1973, 223.

170 Plett 1975b, 91; Hempfer, ibid.

tungen liefert schon die antike Rhetorik[171]. Als Beispiel sei auf H. Lausbergs Darstellung der drei Gattungen der Redegegenstände hingewiesen[172]: (a) *genus iudicale* mit der Strategie von Anklage bzw. Verteidigung. Musterfall ist die Rede vor dem Gericht; (b) *genus deliberativum* mit der Strategie von Zu- bzw. Abraten. Musterfall ist die Rede vor der Volksversammlung; (c) *genus demonstrativum* mit der Strategie von Lob bzw. Tadel. Musterfall ist die Rede vor einer Festversammlung.

Augenfällig in dieser Gattungsbeschreibung ist, daß jede Gattung nicht nur ihre besondere Strategie (oder illokutive Kraft bzw. Textfunktion), sondern auch ihre spezifische Kommunikationssituation (Sitz im Leben) hat[173]. Bei umfangsreicheren Texten wird damit zu rechnen sein, daß sie nicht nur eine Strategie bzw. Funktion besitzen, sondern vielmehr eine Hierarchie von ,,Haupt- und Nebenstrategien"[174], die sich verschiedenen Texten bzw. Teiltexten zuordnen läßt[175].

Die pragmatische Textausdehnung ist also an der kommunikativen Leistung zu messen, die durch die dominierende Textfunktion (Strategie, Illokution) hergestellt wird.

1.2.3.3.2. *Die textpragmatische Abgrenzung.* Gewöhnlicherweise begnügt sich die Pragmatik mit der einfachen Feststellung, daß Texte dort aufhören, wo der Autor/Sprecher sie als beendet erklärt. Man zeigt auf die Bedeutung von Anfangs- bzw. Schlußsignalen hin[176]. Die Konvention, die dazu führt,

---

[171] Der antiken Rhetorik gebührt in diesem Zusammenhang bes. Aufmerksamkeit, weil sie sich semiotisch nach syntaktischen, semantischen und pragmatischen Aspekten befragen läßt. Zu den syntaktischen und semantischen Figuren, die von Bonsiepe (1968, 11–18, bes. 12 und 14) unterschieden wurden, hat Kopperschmidt (1973, 167–171, bes. 170f.) eine Klasse pragmatischer Figuren aufgewiesen. Diese letztere Gruppe kennen wir auch sonst unter dem Namen ,,Figuren der Publikumszugewandtheit" (Lausberg 1973a, 376–384 [§§ 758–779]; diesen Figuren stellt Lausberg die ,,Figuren der Sachzugewandtheit", 384–455 [§ § 780–910] gegenüber.) bzw. ,,Apellfiguren" (Plett 1975a, 63ff., 109f.; 1975b, 141; 1977c, 127–134, 141–147). Die Einsicht der Relevanz der Pragmatik war schon eine der grundlegenden Faktoren der antiken Rhetorik, ,,die sich seit je mit der Produktion von Texten unter bestimmten, kommunikativ relevanten Gesichtspunkten befaßt(e)" (Gülich/Raible 1977, 54). Vgl. dazu z.B. Morris 1975, 53; Henne 1975, 92–102; Abrams 1978, 29; Hempfer 1977, 24 Anm. 51; Plett 1975a, 4f.; Lausberg 1973a, 140ff. Dressler 1973, 108 spricht von der Rhetorik als ,,Vorläufer der Textlinguistik"; Betz 1974/75 und 1979 verwendet erfolgreich u.a. rhetorische Analysekategorien um die kommunikative Funktion des Galaterbriefes herauszuarbeiten; vgl. auch die einschlägigen Handbücher zur antiken Rhetorik: Lausberg 1973a, 1973b, 1976; Kennedy 1963 und 1972; Martin 1974; Plett 1975a; ferner Plett (Hrsg.) 1977a; Dubois et alii 1974.

[172] Lausberg 1973a, 52–55; vgl. Martin 1974, 10, 17ff., 167ff., 177ff.; Plett 1975a, 15; Breuer 1974, 142ff.

[173] Kallmeyer et alii 1977, 70f.; Plett 1975b, 84.

[174] Plett 1975b, ibid.; ferner: Oomen 1974, 60–63; Bühler 1934, 30–33; Gülich/Raible 1975a, 159f.; 1975b, 5; 1977a, 133; Gülich 1976, 230–232; S. J. Schmidt 1976a, 150; 1978, bes. 53f.

[175] S. Näheres zu § 1.3. und 2.1.

[176] Vgl. Plett 1975b, 84; Kallmeyer et alii 1977, 46.

ist am einfachsten am Beispiel eines Briefes zu erläutern[177]. Dieses Beispiel ist auch insofern instruktiv als daran exemplifiziert werden kann, wie Zeichenkonventionen einerseits textgattungsgebunden, andererseits einzelsprachlich bedingt sein können[178]. In solchen Texten bzw. Textsorten, wo keine metakommunikativen Zeichen vorliegen, müssen pragmatische Abgrenzungen von Texten bzw. Teiltexten nach kommunikativen Funktionseinheiten mit spez. Mitteilungszwecken vorgenommen werden[179].

Weiterhin ist im Anschluß an die Unterscheidung zwischen „textexterner und textinterner Kommunikation" darauf hinzuweisen, daß Texten nicht nur äußere, sondern auch innere Begrenzungen unterliegen[180]. In Bezug auf die äußere Abgrenzung, d. h. den Bereich „innerhalb dessen der Gesamttext funktioniert" haben wir es mit einem außerlinguistischen oder situativen Kontext zu tun[181]; in Bezug auf die innere Abgrenzung können Texte aus pragmatischer Sicht teils nach verschiedenen Kommunikationsebenen geordnet, teils in Teiltexte niedrigeren Grades untergliedert werden[182]. „Solche Binnengrenzen gliedern den Text in kommunikative [sc. funktionelle] Teileinheiten, die in hierarchischer Weise aufeinander aufbauen", stellt H. Plett fest, der auch die gattungsspezifische Bedeutung der hierarchisch geordneten Teiltexte eines Textganzen zurecht hervorhebt, wie unten zu zeigen sein wird[183]. Eine typisch pragmatische Delimitation von einem Textganzen in Teiltexte, ist die Bezeichnung einer ganzen Dialogfolge als eines in sich geschlossenen Teiltextes: der Teiltext fängt dort an, wo der Dialog anfängt und hört dort auf, wo der Dialog zuende ist[184].

Entscheidendes pragmatisches Kriterium für die Abgrenzung von Texten ist die kommunikative Funktionseinheit. Zusammen mit metakommunikativen Gliederungsmerkmalen ermöglicht sie sowohl die äußere Abgrenzung von Texten als auch die innere Delimitation von Teiltexten eines Textganzen u. zw. nicht nur betreffs eines Textexemplares sondern ebenfalls betreffs ganzer Textgattungen[185].

1.2.3.3.3. *Die textpragmatische Kohärenz.* Obwohl W. Dressler die Pragmatik aus der Textgrammatik ausgeschlossen hatte unter Hinweis darauf, daß

---

177 Zum Briefformular im Urchristentum, s. z. B. Vielhauer 1975, 64 ff.

178 Zum Unterschied zwischen dem orientalischen und dem griechischen Formular s. z. B. Vielhauer 1975, ibid. und dort ang. Lit.

179 Vgl. Plett 1975 b, 85; S. J. Schmidt 1976 a, IV, 9, 22 et passim.

180 S. oben § 1.2.3.3. und unten § 2.2.2.2.1.

181 Plett 1975 b, 85 f.; Oomen 1974, 65.

182 S. dazu unten § 2.2.

183 Plett 1975 b, 86; Oomen 1974, 63–65; Gülich/Raible 1975 a, 146, 159 ff.; s. ausführlicher unten § 2.1. und 2.2.

184 Gülich/Raible 1977, 149, 158.

185 S. Anm. 183.

sie ,,nicht allgemein zur Linguistik gerechnet wird"[186], war er jedoch gezwungen, festzustellen, daß die semantische – und wir fügen hinzu: sowie die syntaktische – Kohärenz notwendige aber keine hinreichenden Bedingungen der Textkonstitution sind, u. zw. einfach aus dem Grunde, weil die ,,pragmatische(n) Voraussetzungen" fehlen[187].

Oben haben wir festgestellt, daß Text, syntaktisch gesehen, als eine geregelte Folge von Sätzen bzw. Teiltexten, die durch textinterne Verknüpfungselemente lückenlos miteinander verknüpft sind, und, semantisch gesehen, als mittels Korreferenz bestimmte Texteinheiten aufzufassen ist. In pragmatischer Sicht hingegen ist Text mit S. J. Schmidt als ,,thematisch kohärente Äußerungsmenge *mit erkennbarer kommunikativer Funktion*" bzw. als ,,thematisch geordnete kohärente Menge von *Instruktionen*" zu definieren[188].

Dieses pragmatische Verständnis von Kohärenz ist deshalb so bedeutungsvoll, weil manche Texte nur sehr geringe syntaktische und/oder semantische Kohärenzmerkmale aufweisen[189], obwohl die Sätze bzw. Teiltexte von einem Autor in ein Textganzes eingefügt worden sind. Wie oben dargelegt wurde, ermangelt es an manchen Stellen des Visionenbuches semantischer Kohärenz, die nur durch *diachrone* Untersuchungen zu beheben ist. Dies darf allerdings nicht ohne weiteres dazu führen, dem Autor ,,schriftstellerisches Ungeschick" vorzuwerfen[190], denn selbst, wenn die semantische Kohärenz zuweilen niedrig ist, kann der Text in pragmatischer Hinsicht mit einem hohen Grad von funktionaler Kohärenzdichte konsequent strukturiert sein, wie dies im Visionenbuch des Hermas tatsächlich der Fall ist[191] und wie es für die Gattung Apokalypse insgesamt charakteristisch sein dürfte[192].

Aufs engste verknüpft mit der Frage der kommunikativen Funktion als kohärenzbildender Faktor, ist die Frage der *pragmatischen Präsuppositionen*[193]. Präsuppositionen gehören zu den wichtigsten Konstituenten einer

---

[186] Dressler 1973, 4. Dagegen definieren Kallmeyer/Meyer-Hermann 1973 die Textlinguistik zum einen als einen ,,transphrastischen Ansatz" und zum anderen als einen ,,kommunikativ orientierten Ansatz" (S. 221ff.), wobei die Pragmatik sogar als konstitutiv für die Textlinguistik angesehen wird; vgl. auch Kallmeyer et alii 1977, 184ff. und Wunderlich 1976, 295f. Zur Orientierung über die Entwicklung innerhalb der Textlinguistik s. jetzt die beiden von Dressler edierten Sammelbände 1978a und 1978b.

[187] Dressler 1973, 16f.

[188] S. J. Schmidt 1973, 237 bzw. 238 (Hervorhebung von mir).

[189] Vgl. Plett 1975b, 86; Dressler 1973, 97; Große 1976, 101; v. Kutschera 1975, 180f.

[190] Dibelius 1923, 423. Noch weiter geht neuerdings White 1973, 35ff., der von ,,The Style-Pattern of Superfluous Detail" redet.

[191] Für diese Behauptung muß vorläufig auf die Textanalyse unten, ausführlicher aber auf den II. Band dieser Untersuchung hingewiesen werden; vgl. auch Vielhauer 1975, 522.

[192] S. die vorhergehende Anm. und vgl. die richtige Tendenz bei z.B. Hartman 1975 und Vielhauer 1975, 488ff.

[193] Vgl. die oben Anm. 148 angegebene Lit.

pragmatischen Kohärenzbildung[194]. Soll Kommunikation erfolgreich zustande kommen, müssen Autor/Sprecher und Leser/Hörer über gewisse gemeinsame Voraussetzungen verfügen[195] und diese Präsuppositionen müssen von den Kommunikationspartnern für wahr gehalten werden. ,,Die Menge der von Partnern für wahr gehaltene Präsuppositionen in einem kommunikativen Handlungsspiel ist der wohl wichtigste Bestandteil einer Kommunikationssituation", bemerkt S. J. Schmidt ganz zurecht[196].

Von bes. Gewicht hierbei ist die gemeinsame Kenntnis ,,möglicher Welten", denn wie Bellert eindringlich betont hat, ist eine Kenntnis der Welt beim Leser in einem vom Autor angenommenen Sinne notwendig, wenn Information und Intention ihr Ziel erreichen soll[197]. Sollte z.B. die funktionale Strategie der Autorisation und Konsolation des Visionenbuches bei den Adressaten ankommen, war eine gemeinsame Voraussetzung beim Autor und seinen Adressaten nicht nur das ,,Für-Wahr-Halten"[198] der jenseitigen Welt und ihrer Representanten, sondern auch die Überlegenheit der jenseitigen gegenüber der diesseitigen Welt[199]. Bei der Interpretation alter Texte gehört das Herausfinden der jeweiligen Präsuppositionen zu den unerläßlichsten Aufgaben des Exegeten um die pragmatischen Kohärenzlücken schließen und damit das erstrebte Ziel einer möglichst intersubjektiven Textinterpretation erreichen zu können[200].

Oben in § 1.2.3.1.3. und § 1.2.3.2.3. haben wir festgestellt, daß *Verweisung* sowohl syntaktische als auch semantische Kohärenz herstellt. Wenn wir uns jetzt der bes. Form der Verweisung, die Deixis genannt wird, zuwenden, können wir nur einige – allerdings sehr wesentliche – Aspekte behandeln[201].

---

194 Vgl. Stalnaker 1974, 159; S. J. Schmidt 1976a, 102f.; Schmidt schlägt dort eine vom üblichen abweichende, sechsrangige Klassifikation vor, gelangt aber am Ende zu einer Zweiteilung: (1) ,,Voraussetzungen . . ., die im Sprachsystem zu lokalisieren sind", die er ,,syntaktisch-semantische Implikationen" nennt; (2) Voraussetzungen, ,,die im Rahmen des gesamten kommunikativen Handlungsspiels angesetzt/angenommen werden müssen"; dieser zweiten Gruppe wird die Bezeichnung ,,Präsupposition" vorbehalten. Die Subklassifikation, wie sie Schmidt vorgenommen hat, wird bei Textanalysen von hohem heuristischen Wert sein, nicht zuletzt, wenn man die textinterne/textexterne Zweiteilung berücksichtigt.

195 Vgl. Ehlich/Rehbein 1975, 102; Plett 1975b, 89; Stalnaker 1974, 157; S. J. Schmidt 1976a, 102f.; Dressler 1973, 85; Kallmeyer et alii 1977, 142.

196 Vgl. dazu bes. S. J. Schmidt 1976a, 94f. (Das Zitat entstammt S. 95).

197 Bellert 1974, 222; vgl. auch Sellers 1973, bes. 181 und S. J. Schmidt, ibid.

198 Zur Referenzfrage als semiotische Frage des Bezuges s. oben § 1.2.3.2.

199 Zur Bedeutung dieser Asymmetrie s. unten § 2.2.2.3.3.

200 Vgl. zur Sache Plett 1975b, 92; Hingewiesen sei in diesem Zusammenhang auch auf eine treffende Bemerkung von Kallmeyer et alii 1977, 99: ,,Referenzielle Textanalyse – *Textsemantik* – darf nicht mit *Textinterpretation* verwechselt werden. Die Textinterpretation zielt im letzten darauf ab, den 'Sinn' eines Textes, die möglichen Konsequenzen, die aus einem Text zu ziehen sind, sichtbar zu machen. Sie impliziert u.a. auch eine *pragmatische* Fragestellung . . ."

201 Allgemein s. Lyons 1973, 279–285; 1977b, 636–724; Ehlich 1978 mit einem extensiven Forschungsüberblick.

(1) Auf Apollonios Dyskolos' Unterscheidung zwischen der anaphorischen und der deiktischen Funktion der Pronomina haben wir schon hingewiesen und führen nun die grundlegende Distinktion aus seiner Schrift ΠΕΡΙ ΑΝΤΩΝΥΜΙΑΣ an: Πᾶσα ἀντωνυμία ἢ δεικτική ἐστιν ἢ ἀναφορική, αἵ κατὰ πρῶτον καὶ δεύτερον μόνως δεικτικαί, αἵ κατὰ τὸ τρίτον καὶ δεικτικαὶ καὶ ἀναφορικαί, ...[202].

Wegen der Bedeutung der deiktischen Ausdrücke im Visionenbuch gehen wir auf diese Unterscheidung von ,,Zeigwörtern"[203] etwas näher ein. Laut Apollonios ist also das Wesen der Pronomina entweder ,,δεῖξις, Hinweisung auf gegenwärtige Gegenstände, oder ἀναφορά, Rückbeziehung auf Abwesendes, aber schon Bekanntes. Durch die δεῖξις auf τὰ ὑπὸ ὄψιν ὄντα entsteht eine πρώτη γνῶσις (de pron. 77b [= Grammatici Graeci II: 1, 61]), durch ἀναφορά eine δευτέρα γνῶσις (de synt. 98,26 [= Grammatici Graeci II: 2, 134])"[204].

Auf diese Unterscheidung baut Bühler, wenn er die Anaphora (und Kataphora) von der Deixis abtrennt und separat behandelt[205]. Der Grund für diese Trennung liegt darin, daß Anaphora/Kataphora textinterne Verweisung im *sprachlichen Kontext,* während Deixis textexterne Verweisung im *Situationskontext* bezeichnet[206]. Von dieser Einsicht her stellt Ehlich zurecht fest: ,,Das spezifische Kennzeichen der deiktischen Kategorien ist offensichtlich, daß sie in die dritte Dimension, die Pragmatik, fallen ..."[207].

(2) Der pragmatische Charakter der deiktischen Kategorien wird dadurch bestätigt, daß sie ihren Ausgangspunkt in der Kommunikationssituation bezüglich erstens Sender und Empfänger, zweitens Sender/Empfänger-Zeit und drittens Sender/Empfänger-Ort nehmen; es handelt sich also um die bekannte Bühlersche Ich-Jetzt-Hier-Origo und ihre Differenzierung[208].

---

[202] de pron. 10b [= Grammatici Graeci II: 1, 9f.]; vgl. auch Steinthal 1891, 316 und das Zitat oben Anm. 70.

[203] So Bühler 1934, 107f.

[204] Steinthal 1891, 313; vgl. Bühler 1934, 118f.; Raible 1972, 61. Zu δευτέρα γνῶσις vgl. die Darstellung der ,,Theorie der vermittelten Referenz" oben § 1.2.3.2.3.

[205] Bühler 1934, 121ff.; die Deixis wird in §§ 6–8, die Anaphora in § 26 erörtert.

[206] Bühler 1934, 80ff.; Zu Bühlers Aktualität s. z.B. Raible 1975, 12; vgl. weiter Raible 1972, 61; Gülich/Raible 1977, 41f.; Fillmore 1972, 147 et passim; Kallmeyer et alii 1977, 193; Handbuch der Linguistik 1975, 29, s.v. Anapher; Wunderlich 1971, 177ff.; Klein 1978 passim. Heger 1976, 227 unterscheidet im selben Sinne zwischen ,,innendeiktische(n) und außendeiktische(n) Funktionen".

[207] Ehlich 1978, 118f. (Das Zitat entstammt S. 118); Hempfer 1973, 162; Schnelle 1973, 263ff. Gülich/Raible 1977, 41 nennen Deixis ein ,,Sonderfall der Referenz" offensichtlich weil sie nicht zwischen pragmatischen und semantischen Aspekten unterscheiden (vgl. § 2.2.2.1.). Zur Frage der Referenz bei deiktischen Ausdrücken s. Klein 1978, 32f.; Wunderlich 1971, 178f.; Weinrich 1974, 287; Harweg 1968a, 46ff., bes. 53.

[208] Bühler 1934, 102–119; Fillmore 1972, 147–151; Wunderlich 1971, 179. Zum Origo-Problem s. zuletzt Klein 1978. Vgl. auch die semantisch kohärenzbildenden Koordinate: Zeit- und Ortsangaben und Handlungsträger bei Lewis 1972, 175 und vgl. unten § 2.2.2.3.1.

(a) *Die personale Deixis*[209]: Die Personalpronomina der ersten und zweiten Person sind stets deiktisch, während die der dritten Person mal deiktisch mal anaphorisch sein können[210]. Im Visionenbuch spielen die Personaldeixeis – sei es in Form von Pronomina (ἐγώ, σύ, ἡμεῖς, ὑμεῖς), sei es in Form von Verbflexionen – eine wesentliche Rolle, u. a. bei der Zuordnung von Teiltexten zu den verschiedenen Kommunikationsebenen, u. zw. bes. bei der Unterscheidung der Ebenen 2a und 3a von den Ebenen 2 und 3 durch Anzeigen der Adressaten: [3,4]; 6,7; 7,4b; 17,1; 18,9; 19,2b; 20,2; 21,2; 23,5b; 24,2b; 24,6b. Erwähnenswert ist auch die Tatsache, daß der Text des Visionenbuches im wahren Sinne einen Ich-Bericht darstellt. Kein einziges Mal nennt sich der Autor selber mit Namen, sondern spricht von sich selbst nur in der Ich-Form; allein von den Offenbarungsträgern wird er mit Ἑρμᾶ angeredet. Siehe auch unten zu (3)!

(b) *Die lokale Deixis*[211]: Wie bes. W. Klein gezeigt hat, entsteht ein „*Koordinationsproblem*" bei der Zuordnung von „personaler" und „positionaler" Deixis[212], denn „in jeder Kommunikationssituation kann jeder Kommunikationsteilnehmer sein eigenes Zeigfeld haben; er hat auf jeden Fall seine eigene Origo"[213], was zur Folge hat, daß in vielen Fällen Sprech- und Hörort bzw. Sprech- und Hörzeit mehr oder weniger auseinanderfallen. In schriftlicher Kommunikation ist dies wohl Regel. Was das Visionenbuch betrifft, ist es offenbar, daß Senderort und Empfängerort nur zum Teil zusammenfallen: Senderort/Entstehungsort dürfte Rom sein[214]; die Frage der Empfangsorte bzw. Empfänger ist aber, wie die Anweisungen zur Verbreitung des Buches in 8,3 zeigen, sehr komplex[215]. Mit der Ortsdeixis im Visionenbuch aufs engste verknüpft, aber nicht identisch, ist die Zeitdeixis.

(c) *Die temporale Deixis*[216]: Noch verwickelter als die Bestimmung der Ortsdeixis ist im Visionenbuch die der Zeitdeixis. Im Zusammenhang der lokalen Deixis zeigt Klein auf das Problem der „*Origofestlegung*"[217]; dieses Problem macht sich bes. bei schriftlicher Kommunikation bezüglich der temporalen Deixis bemerkbar, weil man sich fragen muß, ob die Origo „sich auf die *Enkodierzeit* des Sprechers oder Schreibers oder die *Dekodierzeit*

---

209 Bühler 1934, 113 ff.; Fillmore 1972, 153 f.; Heger 1976, 228 ff.; Lyons 1977 b, 636–646.

210 S. das Zitat aus Apollonios Dyskolos de pron. 10b oben; und vgl. die Beispiele bei Lyons 1977b, 660 ff. und die dort aufgewiesene Bedeutung der Unterscheidung zwischen Anaphora und Deixis für die Referenz.

211 Bühler 1934, 103 f., 129 ff.; Fillmore 1972, 154–158; Heger 1976, 230 ff.; Lyons 1977b, 690–703. S. vor allem aber Klein 1978, dessen Behandlung der lokalen Deixis sehr aufschlußreich ist.

212 Der Terminus „positionale Deixis" als zusammenfassender Begriff für lokale und temporale Deixis stammt von Heger 1976, 227.

213 Klein 1978, 21.

214 Die Probleme, die damit zusammenhängen, sollen in Band II erörtert werden.

215 S. die Analyse unten § III.2.2. z. St.

216 Bühler 1934, 107, 132 ff.; Fillmore 1972, 158; Heger 1976, 242–247; Lyons 1977b, 677–690.

217 Klein 1978, 25.

des Hörers oder Lesers bezieht"[218]. Gewöhnlicherweise tritt dabei eine zeitliche Verzögerung oder Verschiebung ein, ,,woraus resultiert, daß das 'heute' des berichtenden Sprechers nicht das 'heute' des Hörers zu sein braucht, daß sich Sprecher und Hörer nicht mehr am selben Ort zu befinden brauchen"[219]. Eine lehrreiche Illustration für die Relevanz dieser Fragestellung bei Textanalysen stellt die Terminangabe der Bußfrist im Visionenbuch des Hermas dar. Angesichts der vorhandenen temporal-deiktischen Ausdrücke wie: μέχρι ταύτης τῆς ἡμέρας (6,4), ὡρισμένης τῆς ἡμέρας ταύτης (6,5), νῦν (6,8), εἰς ταύτην τὴν ἡμέραν (10,2) muß, in Abwandlung des Titels des Aufsatzes von Klein: ,,Wo ist hier?", die Frage lauten: ,,Wann ist jetzt?" Um nur einige Alternative zu nennen: Ist es etwa der Tag der ,,Erstveröffentlichung" oder der ,,Zweitveröffentlichung" zusammen mit dem Hirtenbuch oder beides, d. h. die *Enkodierzeit*(*en*) oder ist es der Tag, an dem das Buch den Gemeinden vorgelesen wurde, d. h. die *Dekodierzeit*(*en*)? Im letzteren Falle entsteht aber ein weiteres Problem, denn ,,sie hören die Botschaft nicht alle an einem Tag"[220].

(3) Oben haben wir zwischen textexterner und textinterner Sprechsituation unterschieden[221]. Diese Unterscheidung ist auch für die deiktischen Ausdrücke durchzuführen, weil die Deixeis von den Kommunikationspartnern auf der textexternen Kommunikationsebene nicht immer mit den Deixeis der *dramatis personae* auf den textinternen Kommunikationsebenen übereinstimmen[222]. Für das Visionenbuch gilt, daß Zeit- und Ort-Konstanten und zum Teil Personal-Konstanten auf der textexternen Ebene der Kommunikation von denen auf den textinternen Ebenen abweichen. Die Frage wer redet und wer angeredet wird spielt im Visionenbuch eine durchaus signifikante Rolle; nicht zuletzt der Übergang von der textinternen zur textexternen Sprechsituation durch die direkte Anrede der Presbyterin an die Adressaten des Autors bewirkt eine unüberschätzbare illokutive Funktion. Siehe die Stellenangaben in (2a)!

(4) Bisher haben wir Deixis in textexternen bzw. textinternen Situationskontexten, d. h. in der Terminologie Harwegs ,,Realdeixis", behandelt[223]. Es gibt aber auch eine textimmanente Deixis, von Harweg ,,Textdeixis", von Raible ,,Deixis am Text" und von Fillmore ,,Rededeixis" genannt[224]. Damit ist gemeint, daß auf einen Textteil im Text durch einen deiktischen Ausdruck Bezug genommen wird. Schon Apollonios Dyskolos hat diese Art von Deixis als einen bes. Fall gekennzeichnet: ὁπηνίκα μέντοι τὸ ἐκεῖνος

---

[218] Fillmore 1972, 167.

[219] Hempfer, 1973, 162; Zum Problem vgl. bes. Klein 1978, 24–28.

[220] Windisch 1908, 361; vgl. zu dieser Frage bes. Dibelius 1923, 447 et passim, der die Terminangabe mit Recht als ,,Fiktion" bezeichnet; s. die ausführlichere Erörterung in Band II.

[221] S. § 1.2.3.3. und vgl. unten § 2.2.2.2.1.

[222] Heger 1976, 227 f., 230; Hempfer 1973, 162.

[223] Harweg 1968a, 167.

[224] Harweg, ibid.; Raible 1972, 212–220; Fillmore 1972, 147, 157 f., 164 f.

καὶ τὸ οὗτος οὐ δείκνυσι τὰ ὑπ' ὄψιν, ἀναφέρουσι δέ, δεῖ νοεῖν ὅτι ἡ ἐκ τούτων δεῖξις ἐπὶ τὸν νοῦν φέρεται, ὥστε τὰς μὲν τῆς ὄψεως εἶναι δείξεις τὰς δὲ τοῦ νοῦ[225]. Solche Textverweise können mit Hilfe von temporalen bzw. lokalen Deiktika geschehen: oben in (1) wiesen wir auf einen vorhergehenden Abschnitt dieser Abhandlung durch das Zeitadverb ,,schon" hin und in diesem Satz haben wir im selben Sinne das Ortsadverb ,,oben" gebraucht. Diese Adverbien funktionieren in diesen Fällen nicht mehr als Realdeixeis, sondern als Textdeixeis, ,,deren Deixisobjekt ein Textsegment ist"[226]. Eine andere Möglichkeit des Textverweises ist die durch Substitution auf Meta- bzw. Abstraktionsebene: siehe die soeben verwendete ,,materiale Supposition": ,,der vorhergehende Abschnitt dieser Abhandlung"[227].

Es sei auch hier auf drei für die Textanalyse bedeutsame Textdeixeis aus dem Visionenbuch in Form von Substitutionen auf Meta- bzw. Abstraktionsebene hingewiesen: ἦν δὲ γεγραμμένα ταῦτα (6,1), die auf das sog. Himmelsbuch hinweist; μνημονεύετε τὰ προγεγραμμένα im Munde der Presbyterin ganz am Ende des Visionenbuches (24,6), die auf dieses selbst hinweist, und schließlich die oftmals begegnende τὰ ῥήματα ταῦτα, bei der in den meisten Fällen kaum entschieden werden kann, ob sie als Realdeixis oder Textdeixis anzusehen ist[228].

1.3. Sprech- und Schreibakttheorien der modernen Sprachphilosophie

1.3.1. Performative und Sprechhandlungen

Bei der Behandlung der semantischen (§ 1.2.3.2.) und der pragmatischen (§ 1.2.3.3.) Textdimensionen haben wir auf die Bedeutung der pragmatisch-kommunikativen Semantik sowie der Pragmatik für gattungstheoretische Untersuchungen hingewiesen. In Weiterführung des dort Ausgeführten sollen jetzt die Sprechhandlungstheorien, die auf der Grenze zwischen Pragmatik und Semantik liegen, auf ihre funktionelle Bedeutung für Gattungstheorie und Formgeschichte befragt werden; aus Raumgründen müssen wir uns dabei auf das für unsere Fragestellung Notwendigste beschränken.

Wenn nach der Funktion der Sprache gefragt wird, wird nicht allein, ja unter Umständen nicht einmal primär nach der theoretisch-deskriptiven Funktion, sondern in gleichem oder höherem Maße nach der praktischen Funktion gefragt; dadurch wird Sprache nicht nur als ein *Beschreibungs-*

---

225 ΠΕΡΙ ΣΥΝΤΑΞΕΩΣ 99, 16–20 [=Grammatici Graeci II: 2, 135 f.] Auf Apollonios weist Raible 1972, 218 Anm. 20 hin.

226 Harweg, ibid.; vgl. Raible 1972, 218.

227 Harweg, 1968a, 168; Raible 1972, 217 f.

228 Vgl. unten § 2.2.2.2.2.

mittel, sondern auch als ein *Handlungsmittel* verwendet. Der Handlungscharakter der Sprache wird schon in der ,,älteste(n) uns erhaltene(n) Abhandlung über die Sprache"[1], nämlich Platons Dialog Kratylos explizit erwähnt: ἆρ' οὖν οὐ καὶ τὸ λέγειν μία τις τῶν πράξεών ἐστιν;[2].

Dieses Verständnis der Sprache legt dann Bühler seiner Sprachtheorie zugrunde, wenn er ,,das menschliche Sprechen als eine Art, ein Modus des Handelns" beschreibt und dieses Handeln als eine ,,zielgesteuerte Tätigkeit" definiert[3]. Bühler wirkt allerdings erst in letzter Zeit innerhalb der Textlinguistik nach[4].

Entscheidend in erster Linie für die sprachphilosophische aber auch für einen Zweig der textlinguistischen Entwicklung wurde vor allem die Sprechakttheorie J. L. Austins und seines Schülers J. R. Searles, die besagt, daß mit Hilfe von sprachlichen Äußerungen verschiedene Arten von *Handlungen* vollzogen werden können[5].

Im Anschluß an die Definitionen M. Webers haben Gülich/Raible ein Handlungsmodell entwickelt, das für das oben § 1.1. wiedergegebene Kommunikationsmodell als Basis dient. Sie unterscheiden zwischen vier Stufen des Handelns: (1) Handeln als menschliches Verhalten, ,,wenn und insofern als der oder die Handelnden mit ihm einen subjektiven *Sinn* verbinden"[6]; (2) soziales/kommunikatives Handeln; (3) sprachlich und/oder nichtsprachlich realisierbares Handeln; (4) nur sprachlich realisierbares Handeln[7]. Wir ergänzen dieses Modell durch (5) mündlich realisierbares Handeln und (6) schriftlich realisierbares Handeln[8].

Solch eine Handlungstheorie ist deshalb für die Sprechhandlungstheorie von Bedeutung, weil erstens zwischen nur sprachlich und nicht-sprachlich bedingten kommunikativen Handlungen und zweitens zwischen mündlichsprachlichen und schriftlich-sprachlichen Handlungen und ihren jeweiligen Zwischenstufen unterschieden wird, u. zw. sowohl auf textexterner wie auf textinternen Kommunikationsebenen.

Austin, der allerdings keine Handlungstheorie entworfen hat, ist sich jedoch zu Anfang seiner sprechakttheoretischen Studien des Unterschieds zwischen sprachlichen und nicht-sprachlichen Handlungen bewußt, hat ihn

---

[1] v. Kutschera 1975, 32.

[2] Platon, Kratylos 387 B; vgl. auch die antike Rhetorik und s. § 1.2.3.3.1. mit Anm. 171.

[3] Bühler 1976, 59. Bühler vermißt ibid. ,,eine Theorie der *Sprechhandlung*"; vgl. bes. 1934, 48–69.

[4] Vgl. zu Bühler oben §1.2.2.

[5] Austin 1972 und 1975; Searle 1971; 1974; Searle (Hrsg.) 1971a; Schlieben-Lange 1975, 81–106; Stegmüller 1975, 64–85; Lyons 1977b, 725–786; Braunroth et alii, 1978, 134–186; Wunderlich 1975a; 1976; Wunderlich (Hrsg.) 1975; van Dijk 1977, 189–247; Wetterström 1977.

[6] Weber 1976, 8.

[7] Gülich/Raible 1977, 23f.; 1975a, 147ff.; vgl. auch Frese 1974; S. J. Schmidt 1976a; Große 1976, 22ff.; Henne 1975, 41f.; Kummer 1975; Leontev 1971; Assmann 1977, 13–16.

[8] Vgl. unten § 2.2.2.2.1.

aber in den späteren Arbeiten nicht aufrechterhalten können, wie M. Wörner in seiner eindringlichen Analyse gezeigt hat[9].

Austins erste Theorie ist die der „*Performative*". Kennzeichnend für die Performative ist, daß sie „ihren Sitz im Leben in institutionell verfaßten Lebensgemeinschaften (hat); es sind konventionelle Handlungen, die Sprache involvieren können, zu ihrer Operativität jedoch nicht notwendigerweise voraussetzen"[10]. Diese Definition besagt zweierlei: (1) daß Sprache kein konstitutiver aber möglicher Faktor der Performative ist[11]; Wörner scheint mir aus Systemzwang jedoch zu weit zu gehen, wenn er auf einer „relative(n) Beliebigkeit dessen was gesagt wird" beharrt[12]; in den Beispielen die er gibt: Ernennungen, Kommandos usw. und Heilige Handlungen wie Gelübde, sakramentale Heiraten, Priesterweihen, Taufen, [Abendmahle] etc.[13], können u. E. die dazugehörenden sprachlichen Formeln wie Homologien, Einsetzungsworte etc. nicht durch ein „Abrakadabra" ersetzt werden[14], zumal diese Formeln allemal konventionell sind; (2) daß es ein konventionelles Verfahren – Rituale oder zerimonielle Handlungen – geben muß, bei dem der Agent der Handlung Kapazität, d. h. Status mit Rechten und Qualifikationen und Position mit Ansprüchen und Autorität, als Voraussetzung der sozial-kommunikativen Handlung besitzt, damit die Performativen überhaupt geglückt vollzogen werden können[15].

Die Theorie der Performative ist der Stufe 3 des Handlungsmodells von Gülich/Raible zuzuordnen. Dieser Theorie der Performative im Unterschied zur Theorie der illokutiven Akte entspricht nach unserer Erweiterung weitgehend die Aufgliederung der Textfunktionen bei Große in „normative" und „nicht-normative Textfunktionen"[16].

Bezeichnenderweise nehmen sowohl Austin und Wörner auf der einen Seite als auch Große auf der anderen ihren Ausgangspunkt für die Analyse der Performative bzw. der normativen Textfunktion in der juristischen Sprache[17]. In beiden Funktionsbeschreibungen geht es nicht nur um sprachliche Äußerungen, sondern vor allem um den Status des Sprechers, was für die performative Funktion des Visionenbuches sowie der Gattung

---

[9] Wörner 1978; so schon Strawson 1971, 35f., auf den Wörner S. 207f. verweist.

[10] Wörner 1978, 244; vgl. auch 60, 88 et passim; vgl. Henne 1975, 68.

[11] Wörner 1978, 89: (1) „Performative sind keine Sprechhandlungen, sondern nicht-sprachliche konventionelle Verfahren"; (2) „Performative sind nicht-sprachliche konventionelle Verfahren, die die Verwendung von Sprache und sprachlichen Konventionen involvieren können, aber zu ihrem geglückten Vollzug nicht notwendig voraussetzen".

[12] Wörner 1978, 88.

[13] Wörner 1978, 22, 26, 96 et passim.

[14] S. Anm. 12.

[15] Wörner 1978, 15–23.

[16] Große 1976, 29f., 58–66; vgl. auch die Distinktion zwischen Sinn-Funktion auf der „Ebene der *institutionellen* Pragmatik" und auf der „Ebene der *situationellen* Pragmatik" bei Wunderlich 1976, 86ff. bzw. 105ff. (meine Hervorhebung); s. auch ibid., 312–330.

[17] Austin 1975, 12–38; Wörner 1978, 4–96; Große 1976, 58ff.: „legislative Funktion".

Apokalypse überhaupt von größtem Belang ist, wie unten zu zeigen sein wird.

Austins zweite Theorie ist seine eigentliche *Sprechhandlungstheorie*. Solche Sprechakte involvieren einerseits notwendigerweise Sprache und können andererseits ,,von jedermann vollzogen werden, unabhängig von spezifischen sozialen Rollen"[18]. Gemeinsam für performative und illokutive Akte ist der Handlungscharakter: ,,Zu sagen 'Ich taufe Dich' ist Taufen"; ,,Zu sagen 'Ich warne Dich' ist Warnen"[19]. Der entscheidende Unterschied ist: taufen oder ernennen kann nicht jeder, wohl aber warnen oder fragen. Die Sprechhandlungen ordnen sich in die 4. Stufe des erwähnten Handlungsmodells von Gülich/Raible ein und entsprechen weitgehend der ,,nicht-normativen Textfunktion" bei Große[20].

Die Unterscheidung zwischen performativen und illokutiven Handlungen ist im Hinblick auf die formgeschichtliche Frage des ,,Sitzes im Leben" in zweierlei Hinsicht bedeutungsvoll: (1) bezüglich der Differenzierung zwischen institutionell (Kult, Amt etc.) und situationell (geschichtliche oder alltägliche Situation) bedingten Handlungen; (2) bezüglich der Verbindung zwischen Formeln bzw. formelartigen Wendungen und institutionellem Handeln bzw. ,,Sitz im Leben"[21]. Austin unterscheidet bei Sprechakten zwischen lokutiven, illokutiven und perlokutiven Akten der Sprache. Problematisch ist jedoch bei Austin nicht nur die Definition der einzelnen Akte (bes. die Aufgliederung des lokutiven Aktes in phonetische, phatische und rhetische Aspekte), sondern auch die Verhältnisbestimmung zwischen den Akten oder besser: Aspekten eines Sprechaktes[22]. Mit einer Reihe Linguisten und Sprachphilosophen ziehen wir eine z.T. andere Einteilung der Aspekte vor, die Wunderlich durch Funktionsbenennungen mit anschließender semiotischer Einstufung charakterisiert hat: (1) Form-Funktion (Ebene der Syntax); (2) Bedeutungs-Funktion (Ebene der Semantik); (3) Sinn-Funktion (Ebene der Pragmatik)[23].

Nun hat H. Henne aus strikt kommunikativer Sicht her die einseitige Sprecherorientierung der Sprechakttheorien bemängelt und durch einen Hörverstehensakt ergänzt[24]. Stellen wir den Sprechakt, Hörverstehensakt

---

[18] Wörner 1978, 244.

[19] Wörner 1978, 86f.

[20] Große 1976, 30–40, 44–58, 68–74 usw.

[21] S. unten § 1.4.2. Es sei allerdings schon hier darauf hingewiesen, daß auch bezüglich des ,,Sitzes im Leben" eine Hierarchisierung ein dringliches Desiderat ist.

[22] Dazu bes. Wörner 1978; vgl. aber schon Searle 1971.

[23] Wunderlich 1976, 66f., 67ff., 86ff. Bei der Sinnfunktion unterscheidet Wunderlich zwischen zwei pragmatischen Ebenen, s. Anm. 16; ,,Ebene" ist hier nicht als Abstraktionsebene, sondern als ,,Eingrenzung des Gesichtspunktes" (ibid., 19) zu verstehen, weshalb wir den Terminus ,,Aspekt" vorziehen; vgl. auch v. Savigny 1974, 129; Gülich/Raible 1977, 31; Henne 1975, 59 und bes. Kummer 1975, 164f.

[24] Henne 1975, 70–72; 1977, 74f.; Henne/Rehbock 1978, 15–18.

Funktion	Sprechakt (Enkodierung)		Hörverstehensakt (Dekodierung)	
Form-Funktion	(1) *Äußerungs-Aspekt:*	sprachliche Zeichenstruktur	(1′) *Hör-Aspekt:*	Erkennen der Zeichenstruktur
Bedeutungs-Funktion	(2) *Propositionaler Aspekt:*	Referenz auf außersprachliche Gegenstände *indem* (1) ausgeführt wird	(2′) *Propositionaler Aspekt:*	Nachvollziehen der Referenz auf außersprachliche Gegenstände *indem* (1′) ausgeführt wird
Sinn-Funktion	(3) *Illokutiver Aspekt:*	intendierte kommunikative Instruktion *indem* (1) und (2) ausgeführt wird	(3′) *Inauditiver Aspekt:*	intendiertes Verstehen der kommunikativen Instruktion *indem* (1′) und (2′) ausgeführt wird
	(4) *Perlokutiver Aspekt:*	intendierte Konsequenzeffekte *dadurch*, daß (3) intendiert wird	(4′) *Perauditiver Aspekt:*	Einsicht in die intendierten Konsequenzeffekte *dadurch*, daß (3′) verstanden wird

Fig. 8.

und die Funktionsbenennung nebeneinander, ergibt sich ein Bild gemäß Fig. 8.

Von diesen vier Aspekten werden die drei ersten in einem Sprechakt aus innerer Notwendigkeit gleichzeitig vollzogen, während der perlokutive Aspekt ,,keine logisch notwendige Konsequenz des Sprechaktes" ist[25]. Dies bedeutet auch, daß die perlokutiven Aspekte nicht systemgebunden, d.h. von Konventionen abhängig, sondern ,,je individuelle Folgewirkungen eines je spezifischen Sprechaktes" sind und daß derselbe perlokutive Aspekt durch verschiedene illokutive Aspekte intendiert werden kann[26]. Ein naheliegendes Beispiel auf der Textebene[27] aus frühchristlicher Zeit ist die Intention zu überzeugen durch Autorisierung mittels zwei verschiedener Gattungen: Apokalypsen und pseudepigrapher Briefe[28]. Im Unterschied zum illokutiven kann der perlokutive Aspekt nicht explizit ausgedrückt werden ohne denselben zunichte zu machen; indem ich sage: ,,ich warne ...", warne ich; indem ich sage: ,,ich verheiße ...", verheiße ich; dadurch daß ich sage: ,,ich überzeuge ...", überzeuge ich aber nicht[29].

Sprechakte werden prinzipiell als aus einem illokutiven Satz und einem von diesem abhängigen propositionalen Gehalt zusammengesetzt aufge-

[25] Kummer 1975, 168, der auf die entsprechende Unterscheidung zwischen Ergebnissen und Konsequenzen in der Handlungslogik hinweist; vgl. auch Henne 1975, 58.

[26] Henne, ibid.

[27] S. gleich unten!

[28] Vielhauer 1975, 488, 522; Fischer 1976/77; Lindemann 1976, 245.

[29] Vgl. Wörner, 1978, 157.

faßt[30]. Solch eine ausführliche Äußerung nennt Austin eine *explizite* performative Äußerung. Nun können aber performative oder illokutive Akte auch in *impliziten* oder *primären* Äußerungen vorkommen[31]. Wörner ist außerdem der Meinung, daß nur diejenigen primären Äußerungen, die explizit gemacht werden können, als illokutive Akte zählen[32].

Hinsichtlich des Verhältnisses zwischen propositionalen und illokutiven Aspekten ist es angebracht, dies zusammen mit der Frage nach der Relation zwischen theoretischer und praktischer Funktion zu erörtern[33]. Eine und dieselbe Proposition (in Texten: Thema) kann mittels verschiedener illokutiver Akte ausgedrückt werden[34]. Ein Beispiel soll dieses verdeutlichen:

(1) Du gibst die Botschaft von der Christenbuße kund.
(2) Gib die Botschaft von der Christenbuße kund!
(3) Gibst Du die Botschaft von der Christenbuße kund?

Setzt man diese primären illokutiven Funktionen in explizit performative Gestalt um, erhält man in der Terminologie Großes eine ,,metapropositionale Basis"[35] als Hauptsatz und eine Proposition in Form eines vom Hauptsatz abhängigen Nebensatzes[36].

(1′) Ich behaupte, daß Du die Botschaft von der Christenbuße kundgibst.
(2′) Ich befehle Dir, daß Du die Botschaft von der Christenbuße kundgibst!
(3′) Ich frage Dich, ob Du die Botschaft von der Christenbuße kundgibst?

In (1) und (1′) handelt es sich um Feststellungen, in (2) bzw. (2′) um Aufforderungen und in (3) bzw. (3′) um Fragen. Die Proposition ist in allen drei Fällen die gleiche und weder wahr noch falsch[37]. Hier zeigt sich aber unmittelbar der Unterschied zwischen der Behauptung als Feststellung und den anderen illokutiven Akten, die keine Feststellungen sind. Nicht so, daß nur (2,2′) und (3,3′) allein eine illokutive Bedeutung haben, sondern vielmehr so, daß Behauptungssätze ,,eine deskriptive und eine performa-

---

[30] Vgl. Habermas 1971, 104; Wunderlich 1976, 46. Laut Große 1976, 14f. ist ein schriftlicher Text ,,eine abgeschlossene Folge von semantischen Sätzen, von denen ein jeder aus einem metapropositionalen Ausdruck und einer Proposition" besteht; s. weiter unten Anm. 34.

[31] Austin 1975, 32f., 56–65 et passim. v. Savigny 1974, 137f., 140f.; Große 1976, 95f. zeigt, daß das Verhältnis zwischen metapropositionaler Basis und Proposition von ,,Trennung" über ,,Stufenweise Inkorporation", ,,Freie Stellung" bis zur ,,Vollständigen Verschmelzung" reicht.

[32] Wörner 1978, 94f. et passim.

[33] S. unten Anm. 38.

[34] Searle 1971, 48; Große 1976, 16; Stalnaker 1974, 150f.

[35] Große 1976, 15: ,,*Für eine Instruktion an den Empfänger, wie er die Proposition verstehen soll* (z.B. als Aufforderung, als Versprechen, als Vermutung, als Tatsachenaussage) verwenden wir den Begriff *metapropositionale Basis*".

[36] Große 1976, 15f.

[37] Wörner 1978, 51, 53.

tive Bedeutung", während dessen Frage- und Befehlssätze usw. ,,keine deskriptive, sondern nur eine performative Bedeutung" haben[38]. Etwas zu behaupten heißt also, einen illokutiven Akt mit sowohl theoretischer als auch praktischer Funktion auszuführen. Die Unterscheidung verschiedener illokutiver Kräfte ist nicht immer möglich ohne die pragmatische Kommunikationssituation zu kennen, denn mit Behauptungssätzen kann man beurteilen, begründen etc., mit Fragesätzen befehlen, bezweifeln etc. und mit Befehlssätzen wünschen, fragen etc.[39].

Für performative wie für illokutive Akte gilt nach Austin u. a., daß sie zu Handlungen, die sie sind, kraft einer Konvention gemacht werden[40]. Ob eine Performative oder eine Sprechhandlung gelingen soll oder nicht, hängt von der Konvention ab. Eine Konvention entsteht jedoch nicht durch das Verhalten eines Einzelnen, sondern durch das Verhalten zumindest zwei Partner zueinander oder durch rekurrente Situationen innerhalb einer Gruppe bzw. einer Gesellschaft. Demzufolge ,,ist die Entwicklung einer Konvention immer an kollektive Tätigkeit gebunden"[41].

Nun hat Wörner wieder auf das Ungenügen des Konventionsbegriffes hinsichtlich Performativen und Sprechhandlungen bei Austin u. a. hingewiesen. Er unterscheidet zwischen einer *,,Konvention der Alltagswelt"*, die für illokutive Akte gilt und einer *,,Konvention für institutionelles Handeln"*, die für Performative zutrifft[42]. Z. B. sind Versprechen und Aufforderung konventionelle Handlungen, ,,die ihren Sitz im Leben der Alltagswelt" besitzen, während Exkommunikation und Taufen konventionelle Handlungen sind, die ihren Sitz im Leben einer bestimmten Institution haben[43]. Wieder zeigt sich ungezwungen die Relevanz für die formgeschichtliche Frage nach den ,,Sitzen im Leben" verschiedener Formen und Gattungen[44].

1.3.2. Makrostrukturelle Schreibakte

Bisher war hauptsächlich von Sprechakten einzelner Sätze die Rede. Dies war insofern notwendig als die Sprechakttheorie, wie der Name andeutet, primär auf gesprochene Sprache ausgerichtet war. In diesem Abschnitt

---

[38] v. Kutschera 1975, 178; vgl. auch 175ff.; Stegmüller 1975, 82: ,,Wer etwas behauptet, vollzieht genauso einen illokutionären Akt wie jemand, der warnt, der etwas verspricht oder sich entschuldigt" (kursiv bei Stegmüller); Wörner 1978, 54: ,,Feststellungen (sind) lediglich eine Teilklasse von Sprechhandlungen, die Wahrheitswerte tragen"; Große 1976, 53.

[39] Vgl. außer Austin 1975 z.B. v. Kutschera 1975, 169.

[40] Vgl. auch v. Savigny 1974, 142; Austin 1975 passim; v. Kutschera 1975, 182f.; Henne 1975, 67ff.

[41] Kummer 1975, 174; Wörner 1978, 199; vgl. zum Konventionsbegriff vor allem Lewis 1975.

[42] Wörner 1978, 189–203; die Zitate entstammen S. 200; vgl. Henne 1975, 68.

[43] Wörner 1978, 201.

[44] S. unten § 1.4.2.

sollen wir darauf bauend, die Fragestellung in zweierlei Hinsicht erweitern: (1) auf Schreibakte und (2) auf die Makrostruktur von Texten bzw. Gattungen.

H. Henne unterscheidet hinsichtlich Sprechhandlungen zwischen gesprochener und geschriebener Sprache und hat als Pendant zur ,,Sprechakt- und Hörverstehensakttheorie" eine ,,Schreibakt- und Leseakttheorie" entworfen[45]. Dabei muß in einem Schreibakt nicht nur mehr verbalisiert werden als im Sprechakt, sondern ,,die im 'illokutiven' Akt bestimmte Kommunikationsintention des Schreibers kann sich nicht auf die im Sprechakt *gemeinsame* außersprachliche Kommunikationssituation stützen"[46]. Hier muß mit einer ,,kommunikativen Differenz" zwischen Schreiber und Leser gerechnet werden, selbst dann, wenn der Sender vom Empfänger indirekt beeinflußt ist[47].

Schreibakte und Texte beziehen sich aufeinander insofern, als Texte aus pragmatischer Sicht zunächst eine Folge von Schreibakten darstellen[48]. Wenn es aber in einem Text eine Folge von Sprechakten gibt, die den inneren Zusammenhang herstellt, wird analog zur hierarchischen Untergliederung von Themen und Teilthemen innerhalb der Semantik[49] mit einer Hierarchie von Schreib- und Leseakten innerhalb der Pragmatik zu rechnen sein[50]. Ein Text besteht demzufolge aus ,,Haupt- und Nebenstrategien, primäre(n) und sekundäre(n) illokutive(n) Rollen"[51].

Jeder Schreibakt aber hat seine spezifische Funktion innerhalb der jeweils höheren Stufe der Schreibakte bis hin zur vorherrschenden Strategie des Gesamttextes[52]. Die Bedeutung solcher Illokutionshierarchien nicht nur für Einzeltexte sondern für Schreibweisen und Gattungen heben u. a. E. Gülich in Bezug auf Erzähltexte[53] und Kl. Hempfer bezüglich der Gattungstheorie generell hervor, wenn er erstens eine Reduktion der konkreten Sprechakte auf Sprechsituationen und zweitens eine Typologisierung dieser Sprechsituationen in ,,konstative", ,,performative" und ,,berichtende" unternimmt[54]. E. Gülich weist außer auf das Problem der Hier-

---

[45] Henne 1975, 47ff., 73ff.; bes. aber Große 1976; vgl. Wunderlich 1976, 295.

[46] Henne 1975, 74.

[47] S. oben § 1.2.3.3.

[48] Vgl. v. Kutschera 1975, 180; v. Dijk 1977, 246; Wunderlich 1976, 295 und § 1.2.3.3.1. mit Anm. 167.

[49] S. oben § 1.2.3.2.1. und vgl. v. Dijk 1977, 246.

[50] Vgl. S. J. Schmidt 1976a, 150; 1973, 236f.; v. Dijk 1977, 242.

[51] Plett 1975b, 84.

[52] S. oben § 1.2.3.3.1.

[53] Gülich 1976, 230–233.

[54] Hempfer 1973, 160–164; 1977, 14–21; vgl. auch Raible in Gülich/Raible 1975b, 140; Große 1976, 69: ,,Es ist m. E. diese Konkretheit des Begriffs des illokutiven Akts, die ihn einerseits zu einem geeigneten Beschreibungsinstrument der Pragmatik macht, andererseits aber seine Verwendung zu einer Texttypologie bisher verhindert hat".

archisierung von Illokutionen auch auf das damit zusammenhängende Problem der illokutiven Indikatoren bei Textanalysen hin.

Am ausführlichsten hat sich Große damit befaßt[55]. Wir führen hier versuchsweise einige, wie uns scheint, bes. wichtige Indikatoren für die Ausarbeitung von makrostrukturellen Schreibakten in hierarchischer Ordnung an, ohne Vollständigkeit zu erstreben, was sich im Hinblick auf die Forschungslage ohnehin nicht durchführen ließe:

(1) Gemäß der Unterscheidung zwischen Performativen und Sprechhandlungen setzen wir als performative Indikatoren verschiedene *institutionelle oder amtliche Faktoren* ein. Für das Visionenbuch zeigt sich die performative Kraft sowohl auf der textexternen Ebene durch Verlesung vor der Gemeinde in Gegenwart der Presbyter (8, 3), als auch auf den textinternen Ebenen, deren performative Kräfte sich natürlich textextern auswirken durch die Vermittlung der Offenbarungsbotschaft mittels einer hierarchischen Einbettung supranaturaler Phänomene wie Offenbarungsträgern, Himmelsbuch und Schwurbericht Gottes[56].

(2) *Präsignale* oder *metakommunikative Äußerungen* (metakommunikative Sätze, Substitutionen auf Metaebene)[57]; Unter Präsignalen sind in erster Linie Titel oder Gattungsbezeichnungen zu nennen und ihre Bedeutung besteht darin, ,,den Empfänger sogleich über die Funktion (und teilweise noch genauer sogar den Typ oder Subtyp) des Textes (zu) orientieren"[58]. Nun betonen v. Dijk und Gülich vollkommen zurecht, daß solche ,,Makro-performativen" in sich selber nicht explizite performative bzw. illokutive Formeln sind, ,,but they express the illocutionary force of the discourse as a whole"[59]. Aus dem Visionenbuch sei ὅρασις als illokutiv wirksame Substitution auf Metaebene erwähnt.

(3) Neben der Präsignale scheint uns die *Teiltextfolge* der wichtigste makrostrukturelle Illokutionsindikator zu sein[60]. Ähnlich, obwohl er u. E. einen nicht ganz adäquaten Terminus verwendet, argumentiert v. Kutschera: ,,Entscheidend ist wohl, daß der Satzfolge als ganzer eine bestimmte, eigenständige illokutionäre Rolle zukommt, oder in unserer Terminologie: daß es einen performativen Modus gibt, der sie zusammen als Erzählung, Bericht, Diskussion, Begründung etc. charakterisiert, während kleinere Abschnitte der Folge, speziell die einzelnen Sätze der Folge, sich nicht so charakterisieren lassen"[61]. Für das Visionenbuch sowie für die Gat-

---

[55] Große 1976; leider ist die im Vorwort für 1977 angekündigte Fortführung seiner Arbeit noch nicht erschienen.

[56] S. die Analyse unten § III.2.2. und den Kommentar dazu § III.3.1.

[57] Große 1976, 20ff., 72; Gülich 1976, 234 Anm. 22, 248. Vgl. unten § 2.2.2.2.

[58] Große 1976, 21; Schon Austin 1975, 75, erwähnt als Indikatoren u. a. ,,titles such as Manifesto, Act, Proclamation, or the subheading 'A Novel . . .'" Vgl. auch Wörner 1978, 79.

[59] v. Dijk 1977, 245; Gülich 1976, 234 Anm. 22.

[60] Vgl. unten § 2.1.

[61] v. Kutschera 1975, 180; vgl. v. Dijk 1977, 241.

tung Apokalypse allgemein sei auf die Analyse unten § III.2.2. und den Kommentar dazu § III.3.2. usw. hingewiesen. Wenn die Teiltextfolge irgend eine Präzision als makrostruktureller Schreibhandlungsindikator erlangen soll, bedarf es allerdings einer Reihe ranggeordneter Gliederungsmerkmale mit pragmatisch-kommunikativen Delimitationsmerkmalen an der Spitze. Solch eine Hierarchie versuchen wir im Anschluß an und Weiterführung von E. Gülich und W. Raible unten in § 2.2.2.3. herzustellen.

(4) Zu den Teiltexten, die bes. Berücksichtigung verdienen, zählen vor allem *Texteinleitungen* bzw. *Textschlüsse*. Man denke nur an Briefe!

(5) Große erwähnt als einen der wichtigsten Funktionsindikatoren den *Appellfaktor,* der in schriftlicher Kommunikation bes. durch die ,,Häufigkeit wertender Wörter und Wendungen" und durch die ,,Häufigkeit rhetorischer Figuren" zum Ausdruck kommt, und er zeigt, wie durch Appellfaktoren z. B. Tatsachenaussagen ,,weder vom Sender als bloße Tatsachenaussagen gemeint (sind), noch vom Empfänger als solche verstanden (werden)"[62].

(6) Natürlich spielen auch die *expliziten* illokutiven Äußerungen bzw. die *metapropositionalen Basen* eine erhebliche Rolle für die Instruktion an den Empfänger, wie er die Proposition verstehen soll, aber dieser Indikator wirkt in erster Linie auf der Satzebene und nur indirekt durch Rekurrenz auf der makrostrukturellen Ebene.

(7) Als letzter Indikator sei auf die verschiedenen Propositionstypen: Ich-Proposition, Du-Proposition und Er-Proposition hingewiesen[63]. Die performative bzw. illokutive Kraft der angegebenen Indikatoren kann auf zweierlei Weise verstärkt werden: (a) durch Zusammenwirken, wie es genauso mit den Gliederungsmerkmalen der Fall ist und (b) durch Rekurrenz[64]. Ein aufschlußreiches Beispiel aus dem Visionenbuch ist die wiederholte Substitution auf Metaebene: ὅρασις β', γ', δ'[65].

Abschließend sei noch auf die Universalität von performativen und illokutiven Akten hingewiesen. Damit Sprech- und Schreibhandlungstheorien überhaupt für die Gattungstheorie und die Formgeschichte brauchbar sein sollen, ist es erforderlich, daß sie nicht nur in ihrer Konkretheit funktional wirken, sondern daß sie als Typisierungen von performativen und illokutiven Handlungen konventionell wirksam sind und auf der Ebene der Langue und gegebenenfalls auf der Ebene des Langage verwendet werden können[66].

---

62 Große 1976, 18.

63 Große 1976, 17.

64 Vgl. Große 1976, 22 und 101 ff.

65 Vgl. Große 1976, 143 Anm. 4: ,,Eben wegen der Progressivität der Lektüre ist die Aufrechterhaltung der Orientierung des Lesers über die Funktion bzw. die *dominante Funktion des Textes wichtig*" (meine Hervorhebung).

66 Vgl. z. B. Wörner 1978, 243–263; v. Kutschera 1975, 168; Eggs 1974, 59; Große 1976, 69; Gülich 1976, 230.

1.4. Gattungstheorie und Formgeschichte

1.4.1. Die Gattungstheorie

Wer sich mit der Formgeschichte, ob alttestamentlich-jüdischer oder neutestamentlich-urchristlicher Texte, befaßt, kann es nicht unterlassen, die Gattungstheorie der allgemeinen Literaturwissenschaft zu berücksichtigen[1]. Es ist jedoch weder möglich noch notwendig, im Rahmen dieser Arbeit einen ausführlichen Überblick über die Diskussion der literarischen Gattungstheorien zu geben; dies ist in vorbildlicher Weise von Hempfer 1973 getan worden und wir können uns daher kurz fassen.

1.4.1.1. *Die Abstraktionshierarchie und die Existenzweisen der Gattungen*

In der Gattungstheorie wie in der Textlinguistik unterscheidet man zum einen zwischen Text als Einzeltext bzw. Textvorkommen und Text als Gattung bzw. Textsorte[2] und zum anderen zwischen Textsorten und verschiedenen Textsorten*klassen*[3].

Aus gattungsgeschichtlicher Sicht hat Hempfer im Anschluß an eine Abstraktionshierarchie eine systematische Terminologie entworfen:

(1) Mit '*Sprech-* oder *Kommunikationssituation*' ist die Relation zwischen einem Sender und einem Empfänger in der sich ein Sprech-Schreibakt vollzieht gemeint[4]; Die Kommunikationssituation ist ein weniger konkreter Begriff als der Sprechakt und schließt mehrere solche in sich ein[5].

Bezüglich der Sprechsituation unterscheidet Hempfer einerseits zwischen ,,den textinternen Sprecher-Hörer-Relationen und der textexternen Relation von Autor und Leser"[6] und andererseits zwischen drei *Typen* von Sprechsituationen: (a) der *konstative* Sprechsituationstyp, der allen unpersönlich formulierten Texten zugrundeliegt[7]; (b) der *performative* Sprechsituationstyp, der ,,durch die Umkehrbarkeit der Sprecher-Hörer-Relation definiert" wird[8]; (c) der *berichtende* Sprechsituationstyp, der sich vom performativen Typ dadurch unterscheidet, daß jener ,,der Vermittlung einer

---

[1] Für die Entwicklung innerhalb der Folkloristik vgl. bes. Ben-Amos/Goldstein (Hrsg.) 1975 und Ben-Amos (Hrsg.) 1976.

[2] Vgl. Gülich/Raible 1975a, 160; 1977, 40f.; 1977a, 136f.; Heger 1976, 7–30; 1977, 261; Plett 1975b, 137.

[3] Vgl. Gülich/Raible 1975a, 146, 169; Raible 1975, 33f.

[4] Hempfer 1973, 26; Wunderlich 1971, 177; Welte 1974, 601f.; vgl. oben § 1.3.2.; An erste Stelle der Hierarchie tritt also ein pragmatischer Begriff!

[5] Vgl. § 1.3.2. Anm. 54.

[6] Hempfer 1977, 14; S. § 1.2.3.3. und § 2.2.2.2.1. und dort angegebene Literatur.

[7] Hempfer 1977, 16; als Beispiel nennt Hempfer das Protokoll.

[8] Hempfer 1977, 17f.; als Beispiel werden Drama und Hörspiel genannt. Diesem Typ entspricht der dialogische Kommunikationsakt bei Große 1976, 12.

von der aktuellen Sprechsituation unabhängigen Sprech- und/oder Handlungssituation" dient[9], was bei schriftlichen Erzähltexten eine zeitliche Verzögerung und örtliche Veränderung zur Folge hat[10]. Dieser berichtende Typ entspricht bei Gülich der Erzählsituation[11]. Wie Hempfer richtig bemerkt, können verschiedene Sprech- bzw. Schreib*akte* in den einzelnen Sprech- bzw. Kommunikationstypen vorkommen[12] und ferner können performative Sprech-/Kommunikationssituationen auch in berichtenden Sprech-/Kommunikationssituationen auftreten[13]. Für manche Erzähltexte bedarf es allerdings einer weiteren Differenzierung, die wir anhand des Visionenbuches unten in § III.3.1. aufzeigen werden.

(2) Die zweite Abstraktionsstufe von oben her ist die '*Schreibweise*'. Darunter sind ,,ahistorische Konstanten" bzw. ,,generische Invarianten" wie z.B. Erzählung, Drama, Satire zu verstehen[14]; in der Linguistik entspricht der Begriff Textsortenklasse dem der Schreibweise[15]. Die Schreibweisen werden von Hempfer im Anschluß an Piagets Strukturbegriff[16] als Relationen von Elementen verstanden, ,,die über bestimmte Transformationen einerseits die überzeitlichen Typen und andererseits die konkreten historischen Gattungen ergeben"[17]. Die jeweiligen Schreibweisen sind selber in spez. Sprechsituationstypen eingebettet[18].

(3) Die dritte Abstraktionsstufe setzt sich aus '*Gattungen*' zusammen. Diese lassen sich als historisch variable Verwirklichungen der ahistorischen Konstanten definieren und können ,,nicht nur auf einer, sondern auf der Überlegung von zwei oder mehr Schreibweisen beruhen"[19]. Linguistischerseits wird meist der Terminus ,,Textsorte" verwendet, wie wir oben sahen[20]. Die Schreibweise/Textsortenklasse ,,Erzählung" z. B. umfaßt verschiedene einzelne Gattungen/Textsorten wie Roman, Fabel, Märchen, Biographie aber auch Evangelium und Apokalypse[21].

(4) Die Gattungen können dann wiederum in *Unter-* oder *Subgattungen* differenziert werden, wie etwa Roman in Kriminalroman, Liebesroman etc.

---

[9] Hempfer 1973, 162; Gülich 1976, 225, 229; Große 1976, 121 Anm. 2, der betont, daß schriftliche Kommunikation ,,zur Überwindung einer sowohl räumlichen als auch zeitlichen Distanz dienen (kann)"; s. weiter oben zur Deixis § 1.2.3.3.3.

[10] Hempfer 1977, 18 f.; als Beispiel werden Roman und Novelle angeführt. Diesem Typ entspricht der monologische Kommunikationsakt bei Große 1976, 12.

[11] Gülich 1976, 225.

[12] Hempfer 1977, 16.

[13] Hempfer 1977, 18 und 19.

[14] Hempfer 1973, 27 und 224 f.; vgl. Gülich/Raible 1977, 53 f.

[15] Vgl. die Belege oben Anm. 3 und 4.

[16] Vgl. z. B. Piaget 1973 a.

[17] Hempfer 1973, 27.

[18] Vgl. Hempfer 1973, 224 f.

[19] Hempfer 1973, 27 und 224 (das Zitat ist S. 224 entnommen).

[20] S. oben Anm. 3 und 4.

[21] Vgl. Gülich 1976, 224 ff., 244.

Mit der terminologischen Abstraktionshierarchie ist auch die Frage nach den Existenzweisen der Gattungen angesprochen. Die Möglichkeiten, die sich hierbei ergeben – *nominalistische*, *realistische* und *konzeptualistische* Positionen verschiedener Prägung – finden alle in Hempfer 1973 eine ausführliche Behandlung[22]. Wir schließen uns Hempfer an, der sich aufgrund von J. Piagets genetischer Epistemologie für eine ,,konstruktivistische Synthese" einsetzt. Der Konstruktivismus stellt insofern eine Synthese dar als ,,er die Allgemeinbegriffe weder nur als Sprachfiktionen abtut [Nominalismus] noch ihnen apriorische Existenz neben den konkreten Individuen im platonischen oder aristotelischen Sinne zugesteht [Realismus], sondern sie als aus der Interaktion von Erkenntnissubjekt und -objekt resultierende Konstrukte begreift"[23].

Bes. wichtig in diesem Zusammenhang ist Hempfers Kritik an der Verfahrensweise bei Stegmüller, anderen logischen Positivisten sowie einer Reihe Linguisten und Strukturalisten. Ihre Schwäche besteht laut Hempfer darin, daß sie alle ihre Analysen synchron bzw. statisch durchführen und die diachronen bzw. historischen Analysen vernachlässigen[24]. Die Bedeutung der Einbeziehung der Diachronie in die Gattungsanalyse liegt ausgerechnet in der möglichen Transformation ahistorischer Strukturen der Schreib-/Kommunikationssituation bzw. Schreibweisen in die historischen Gattungen; hier ergibt sich nämlich ein möglicher Ausgangspunkt für eine prinzipielle Erklärung des schwierigen Phänomens der Mischgattungen[25].

1.4.1.2. *Der Ausgangspunkt für Gattungsbestimmungen*

Bei der Analyse historischer Gattungen ergibt sich unmittelbar ,,das Problem des Anfangs"[26]. Dieses Problem ist aufs engste mit dem Verhältnis zwischen deduktiven und induktiven Vorgehen verschränkt[27]: wird von einem allgemeinen Textmodell ausgegangen, verwendet man ein deduktives Verfahren; geht man dagegen von einem Textkorpus aus, bedient man sich anstelle eines induktiven Prinzips. Beide Verfahrensweisen sind zwar gleich ,,legitim und einwandfrei" sind aber beide auch in ihrer reinen Form mit

---

[22] S. Hempfer 1973, 30–122; zum Universalienproblem s. Stegmüller 1974 und idem (Hrsg.) 1978.

[23] Hempfer 1973, 221; s. aber ausführlicher dort S. 122–127.

[24] Hempfer 1973, 122, 131 und 192; S. auch Stempel 1971, 53–78 und die sich dazu anschließende Diskussion S. 217–239; *Mutatis mutandis* gilt für Gattungen, was Kummer 1975, 162 für Konventionen festgestellt hat: ,,Die zeitliche Eingrenzung der Geltung von Bedeutungskonventionen hebt die starre Trennung von diachroner und synchroner Untersuchung von Sprache auf. Die Konventionen, die innerhalb einer Gruppe G gelten, sind unterschiedlichen Alters und wandeln sich unterschiedlich schnell." S. auch Schlieben-Lange 1975, 105f.

[25] Vgl. Hempfer 1973, 140f., 212–220.

[26] Hempfer 1973, 128ff.

[27] Gülich/Raible 1977, 17–21, 193; Hempfer, ibid.; S. J. Schmidt 1978, 55; Coseriu 1972, 10f.

Problemen behaftet[28]. Die Schwierigkeiten, die sich beim rein deduktiven Vorgehen einstellen, sind[29]: (a) das Risiko der Verabsolutierung wegen vorgegebener Irrtumsfreiheit[30]; (b) die Vernachlässigung der Sonderstellung der Sprachwissenschaft im allgemeinen und der Gattungstheorie im besonderen ,,zwischen den 'erklärenden' und den 'verstehenden' Wissenschaften"[31]; (c) das Absehen von der Tatsache, daß selbst ,,Mathematik und Logik Disziplinen (sind), die natürliche Sprachen *voraussetzen*"[32]; (d) die Unmöglichkeit, Kriterien für die Auswahl eines zu analysierenden Textkorpus angeben zu können[33]. Die Schwierigkeiten, die sich beim rein induktiven Prinzip ergeben, sind in erster Linie: (a) die Methodenlosigkeit, die mit einer Ermangelung an Hierarchisierung der Elemente und Relationen bei Textanalysen zusammenhängt[34]; (b) das gleich zu behandelnde Korpusproblem.

Für unser Ziel, an eine versuchsweise Definition der Gattung Apokalypse zu gelangen, ist die Frage, welche Texte heranzuziehen sind, bes. akut. Im Anschluß an Hempfer besprechen wir vier verschiedene Ausgangspunkte[35]:

(1) durch Wahl eines *Archetypus;* aber wie kann ein solcher festgestellt werden? Wenn man nun eine Textwahl getroffen hat, riskiert man, einem bestimmten individuellen Textexemplar ,,Systemcharakter" zuzuschreiben, wie dies in der Theologie des öfteren mit Daniel der Fall ist[36];

(2) durch Abstraktion konstitutiver Gattungselemente aus für jeweilige Gattungen als *vorbildlich angesehenen Werken;* Wie aber entscheidet man, welche Texte als bes. vorbildliche und reine Vertreter einer bestimmten Gattung anzusehen sind[37]? Dieser Ausgangspunkt läßt sich auch in der Apokalyptikforschung nachweisen; man braucht nur an die ,,Vorbildlichkeit" der Apk Johannes zu denken[38];

(3) durch eine *Dialektik von Ganzem und Einzelnen;* dieses Verfahren wird von Hempfer als das bisher ,,historisch adäquateste" angesehen, da ,,der jeweilige Vorentwurf des Ganzen die Analyse des Einzelnen leitet, die ihrerseits wiederum den Vorentwurf modifiziert"[39]; es handelt sich also um ein echtes hermeneutisches Verfahren[40]. Dennoch bleibt das Problem: mit welchen Texten kann verantwortlich angefangen werden?

[28] Gülich/Raible 1977, 19; Hempfer 1973, 130,

[29] Vgl. Edmundson 1967; Stachowiak 1965; Hartmann 1965; Gülich/Raible 1977, 14–21.

[30] Gülich/Raible 1977, 19; Hempfer 1973, 129.

[31] Gülich/Raible 1977, 20.

[32] Ibid.

[33] Vgl. Hempfer 1973, 130.

[34] Hempfer 1973, 129, 132.

[35] Vgl. Hempfer 1973, 132–136.

[36] Vgl. z.B. Volz 1934, 11.

[37] Hempfer 1973, 134.

[38] S. die Kommentare!

[39] Hempfer 1973, 135.

[40] Vgl. Bultmann 1964, 5f.; Raible 1975, 36f.

(4) durch *Rückgriff auf schon existierende Textgruppierungen;* Dieser Ausgangspunkt ist in Wirklichkeit eine Präzisierung von (3). Entweder durch solche Textgruppierungen, die sich im Laufe der Forschungsgeschichte ausgebildet haben, oder durch solche, die von Verfassern oder zeitgenössischen Lesern aufgrund von Präsignalen oder Struktureigenschaften als zu einer Gruppe zusammengehöriger Texte erklärt worden sind[41].

„Auch diese Verfahren der Korpuskonstitution sind natürlich nicht objektiv in dem Sinn, daß sie prinzipiell eindeutige Textzuordnungen erlauben", hebt Hempfer mit Recht hervor, „sie haben jedoch sowohl gegenüber der beliebigen Korpusbildung wie gegenüber normativen Setzungen und gegenüber einer rein induktiven, auf dem identischen Gattungsnamen beruhenden transepochalen Gruppenbildung den Vorteil, von konkreten Kommunikationsbedingungen auszugehen, d.h. mit dem semiotischen Gattungsverständnis wirklich ernst zu machen. Ferner vollzieht sich dergestalt eine *dialektische Vermittlung von Induktion und Deduktion,* indem die Gattungsbestimmung einerseits nicht mehr oder weniger axiomatisch gesetzt, sondern aufgrund empirisch vorgegebener Textgruppenbildungen erstellt wird, die dann aber ihrerseits eine Neuinterpretation dieser 'Gegebenheiten' erlaubt, insofern sie es z. B. ermöglicht, bestimmte Texte aus dem zunächst approximativ konstituierten Korpus auszuschließen, weil sich diese nicht in der gleichen Weise strukturieren lassen wie die Mehrzahl der anderen, oder aber umgekehrt zunächst nicht berücksichtigte Werke einzubeziehen, weil sie dem gleichen Modell gehorchen"[42].

1.4.1.3. *Die Hierarchie der Differenzierungskriterien und die Gattungsabstraktion*

Problematisch bei der Errichtung von gattungsdifferenzierenden Merkmalen ist die Zuordnung verschiedener Merkmale zu entsprechenden Abstraktionsebenen. Meistens fehlen solche Versuche einfach aus dem Grunde, weil zwischen den verschiedenen Ebenen nicht differenziert wird.

Hempfer ist dabei der Meinung, daß innerhalb der Abstraktionsebenen Sprechkommunikationssituation und Schreibweise/Textsortenklasse nur mittels Texttiefenstrukturen differenziert werden kann, während Oberflächenstrukturen besser geeignet sind „bestimmte historische Gattungen zu unterscheiden"[43]. Gülich/Raible haben u. E. allerdings überzeugend

---

[41] Die Bedeutung der Gattungstradition betonen auch Gülich/Raible 1977 a, 151 f.; Raible 1975, 36 f. und Heger 1977, 278.

[42] Hempfer 1973, 136 (Hervorhebung von mir). Zur Dialektik von Induktion und Deduktion vgl. ferner Raible in Gülich/Raible (Hrsg.) 1975 b, 142 f.; Gülich/Raible 1977, 21; Plett 1975 b, 13, 304; von exegetischer Seite ist dies von Theißen 1974, 51; 1975, 284 und von Conzelmann 1974, 176, 179; 1976, 122 nachdrücklich betont worden.

[43] Hempfer 1973, 151; vgl. auch 148 und 226.

nachweisen können, daß die gattungsdifferenzierende Makrostruktur der Schreibweise ,,Erzählung" gerade mit Hilfe von Merkmalen an der Textoberfläche herausgearbeitet werden kann. Ob dies für alle möglichen Schreibweisen durchführbar ist, läßt sich jedoch nicht ohne Erprobung entscheiden[44]. Konkrete Kriterien oder Merkmale, einzeln oder zusammengenommen, sind indessen ziemlich vager Art wie etwa Thema, Aufbau, Metrum, stilistische Kodes und Aufführungssituation[45]; in dieser Hinsicht befindet sich die literaturwissenschaftliche Gattungstheorie in einer ebenso unklaren Lage wie die Formgeschichte, wie gleich unten zu sehen sein wird.

Ein notwendiges Desiderat bei der Herstellung von Differenzierungskriterien für eine Gattungsbestimmung ist aus diesem Grunde die Ersetzung einer rein klassifikatorischen ,,Aneinanderreihung von Einzelelementen" bzw. isolierten Merkmalen verschiedenster Art, wie sie nicht nur in der Literaturwissenschaft[46] und Formgeschichte[47], sondern selbst in der Textlinguistik[48] immer noch vorherrscht. Ein Ersatz dafür wäre die Herstellung einer hierarchischen Verhältnisbestimmung von Elementen, Merkmalen und Teiltexten eines Textganzen, wie sie Hempfer unter Berufung auf den Strukturbegriff Piagets am eindringlichsten gefordert hat[49].

Solche Modelle hierarchischer Prägung finden sich in der Textlinguistik neuerdings bei Heger 1976 und 1977 in Form eines aszendenten Vorgehens und bei Gülich/Raible 1975 a und 1977 a in Form eines deszendenten Verfahrens. Im Rahmen dieses Methodenfortschrittes will auch unser eigener Versuch verstanden werden.

1.4.2. Die Formgeschichte

Im Unterschied zur Gattungstheorie der Literaturwissenschaft ist die Formgeschichte von Anfang an fast ausschließlich praktisch-induktiv vorgegangen und es fehlt immer noch fast gänzlich an theoretisch-deduktiver Modellbildung; dies beeinträchtigt in erheblichem Maße die Möglichkeit einer bündigen Darstellung ihrer Methode. Es dürfte kein Zufall sein, daß für die Formgeschichte bis zum heutigen Tage weder eine ausgearbeitete Methodenlehre noch eine zusammenfassende und zuverlässige Bestandsaufnahme zur Verfügung steht.

---

[44] Gülich/Raible 1975 a und 1977 a; vgl. nunmehr auch Assmann 1977.

[45] S. Hempfer 1973, 150–189.

[46] Vgl. Hempfer 1973, 178.

[47] Für die Gattung Apokalypse ist dies bes. markant, wie die Aufzählung verschiedener literarischer Merkmale bei Vielhauer 1975, 487–490 und ,,The Master-Paradigm" bei Collins 1979 a, 5–9 zeigen. Vgl. aber bei Collins die Betonung der Bedeutung der Relation zwischen den verschiedenen Elementen auf S. 12.

[48] S. die Kritik bei Hempfer 1973, 179 und vgl. die sehr unterschiedlichen Differenzierungskriterien in Gülich/Raible (Hrsg.) 1975 b.

[49] Hempfer 1973, 137 ff., 178 f., 190 f. et passim; vgl. auch Wellek/Warren 1972, 146.

1.4.2.1. *Die Unterscheidung zwischen Gattung und Form*

Die Formgeschichte innerhalb der neutestamentlichen Wissenschaft hat sich, wenn auch nicht ausschließlich, so doch überwiegend den synoptischen Evangelien zugewandt; ihre Aufgabe besteht laut R. Bultmann darin: „1. den literarischen Charakter der E. als ganzer zu beschreiben und ihre Stellung in der allgemeinen Literaturgeschichte zu bestimmen; 2. die Geschichte des in den E. verarbeiteten Traditionsstoffes von seinen vorliterarischen Ursprüngen bis zu seiner literarischen Fixierung in den verschiedenen E. zu beschreiben in der Erkenntnis, daß der Traditionsstoff ursprünglich aus Einzelstücken bestand, deren Entstehung und Geschichte durch die Untersuchung ihrer Form zu erhellen ist“[50].

In dieser Definition kommt der synchrone und diachrone Charakter der Formgeschichte, wie der Name schon sagt, deutlich zum Ausdruck. In Konsequenz mit dieser doppelten Aufgabebeschreibung unterscheidet H. Conzelmann terminologisch zwischen *Gattungsforschung,* die die Gattungen des Evangeliums, der Briefliteratur, der Apokalypse etc. als ganze untersucht und *Formgeschichte,* die die in den Gattungen aufgenommenen Formen wie Apoftegmata, Herrenworte, Wundergeschichten etc. bzw. Pistisformeln, Homologien, Lieder und Paränese etc. erforscht[51]. Angesichts dieser klaren Differenzierung der Untersuchungsobjekte ist die Ablehnung der terminologischen Unterscheidung bei Koch und Vielhauer nicht sehr einleuchtend[52].

Gewöhnlicherweise verbindet man die Formgeschichte in erster Linie mit der zweiten Definition Bultmanns, aber im Unterschied zu Dibelius widmet Bultmann den letzten Teil der „Geschichte der synoptischen Tradition“ seiner ersten Definition[53]. Unsere eigene Untersuchung steht vornehmlich im Dienste der ersten Aufgabe, d. h. wir interessieren uns für die Feststellung der Gattung des Visionenbuches, aber insofern als die Makrostruktur einer Gattung durch Art, Ablauf und Relation vorhandener Teiltexte, die z. T. aus Formen bestehen, konstituiert wird[54], kommt auch der zweiten Aufgabe ein erhebliches Gewicht zu; wir analysieren jedoch in diesem Zusammenhang nicht die Formen um ihrer selbst, sondern um der Gattung willen[55].

---

[50] Bultmann 1928, 418.

[51] S. Conzelmann 1956, 1310; so auch Bornkamm 1958, 999f.; vgl. auch Doty 1972, 433ff. und Hartman 1978, 5f.

[52] Koch 1974, 6 Anm. 5; Koch selbst unterscheidet zwischen „Rahmengattung“ und „Gliedgattung“ (ibid., 230 et passim); Vielhauer 1975, 3 Anm. 5.

[53] Bultmann 1964, 347–400; vgl. aber Dibelius 1926; s. jetzt Vielhauer 1975 und dazu die Besprechung von Betz 1978a.

[54] S. unten § 2.1.

[55] Vgl. Bultmanns 1967 prinzipiell wichtige Stellungnahme, auch wenn er sie im Hinblick auf die Act formulierte: „Die Frage nach der Einheit und dem Sinn eines Abschnitts ist nun nicht zu trennen von der Frage nach seiner Stellung im Zusammenhang der ganzen Acta“ (S. 414); vgl. ferner Thyen 1974, 49.

Wie in der Gattungstheorie der Literaturwissenschaft, wird auch in der Formgeschichte durch Abstraktionsdifferenzierungen zwischen Schreibweisen/Textsortenklassen und Gattungen/Textsorten unterschieden; so gruppieren Vielhauer und Theißen in Abwandlung der Einteilung Bultmanns den Traditionsstoff der Evangelien in ,,Formen des Redestoffes", ,,Formen des Erzählstoffes" und ,,Zwischenformen: Apoftegmata/Paradigmata"[55a]. Diese für die kleineren Formen durchgeführte Abstraktionsdifferenzierung müßte nun in konsequenter Weise und in Anlehnung an die Gattungstheorie auf die Erforschung der umfangreicheren Gattungen der urchristlichen Literatur ausgedehnt werden.

Wenn die moderne Textlinguistik entdeckt hat, ,,daß der Mensch nicht in Sätzen, sondern in Texten" spricht bzw. schreibt[56] und demzufolge sich einer transphrastischen und kommunikativen Textanalyse zuwendet[57], tut sie laut Koch nur das ,,was die Formgeschichte herkömmlich" getan hat, ,,ohne daß auf die exegetische Formgeschichte Bezug genommen wird"[58].

Wenn dies auch bezüglich des Forschungsobjekts ,,Text" zutrifft, so bewahrheitet es sich jedoch leider in keiner Weise in Bezug auf die Theoriebildung, was mit der hauptsächlich induktiven Ausrichtung der Formgeschichte zusammenhängt; hier möchten wir eine Brücke schlagen.

1.4.2.2. *Die formgeschichtlichen Differenzierungskriterien*

In der klassischen Formgeschichte, so wie sie beispielsweise auf dem alttestamentlichen Gebiet von Gunkel[59] und auf dem neutestamentlichen Gebiet von K. L. Schmidt [60], Dibelius[61] und Bultmann[62] entwickelt wurde, stehen stets drei Dimensionen oder Aspekte im Blickfeld der Analyse: (1) die Form/der Stil; (2) der Inhalt/das Motiv und (3) der ,,Sitz im Leben". Wenn man diese drei Aspekte mit den Literaturbegriffen, semiotischen Komponenten und verschiedenen Funktions- bzw. Strukturmodellen in Fig. 4 oben vergleicht, tritt die – wenn auch nicht identische so doch weitgehende – Strukturähnlichkeit zutage. Das semiotische Strukturmodell ist gewissermaßen von den Formgeschichtlern in ihrer exegetischen Arbeit schon längst vorweggenommen worden, ohne daß man sagen könnte, daß sie sich sonderlich um die theoretische Ausarbeitung ihrer Methode gekümmert hätten.

55a Vielhauer 1975, 291, 298, 301; Theißen 1974, 126ff.; Bultmann 1964, 8, 73, 223, 260.

56 Dressler 1973, 3 et passim; ferner z. B. Hartmann 1968; 1971; Harweg 1968a und 1968b; Raible 1972; Kallmeyer et alii 1977; Dressler (Hrsg.) 1978a und 1978b; s. auch Große 1976, 26.

57 Kallmeyer/Meyer-Hermann 1973, 221.

58 Koch 1974, 307; vgl. ibid., 289–342; s. jetzt auch Berger 1977.

59 Zu Gunkel s. vor allem Klatt 1969, 144–148.

60 K. L. Schmidt 1964; 1923; 1928.

61 M. Dibelius 1971; 1929.

62 Bultmann 1964; 1928; 1965.

Die Verwendung dieser Aspekte bei der Gattungs- bzw. Formdifferenzierung „shows a perplexing methodological flexibility and inconsistency", schrieb Knierim in einem für die Problemstellung wichtigen Aufsatz[63].

(1) Seit Gunkel stand der „Sitz im Leben" eines Textes im Vordergrund des formgeschichtlichen Interesses. Dieser Begriff ist indessen kein einheitlicher, genauso wenig wie die Begriffe Pragmatik und Sprech- bzw. Kommunikationssituation[64].

(a) Zumeist wird er einseitig senderorientiert gebraucht[65] als Ursprung einer bes. Gattung; aber schon Gunkel hat den Begriff kommunikativ verwendet, wenn er bei der „theoretischen Erörterung" den oben § 1.1. angeführten Fragenkatalog anbietet[66].

(b) Wie eine Sprech- bzw. Kommunikationssituation der Gattungstheorie die Einbettung verschiedener Schreibweisen und Gattungen sein kann, so „(fächert) sich ... ein Sitz im Leben ... in eine Mehrzahl von Gattungen auf, die enger oder loser miteinander verbunden sind"[67]. Ohne daß es direkt zum Ausdruck kommt, wird dem Sitz im Leben hier eine ähnliche Position eingeräumt wie der Sprechsituation bei Hempfer.

(c) Für die Gattungsforschung von entscheidender Bedeutung ist die Feststellung, daß die Frage nach dem Sitz im Leben primär keine Frage nach der Entstehungssituation eines Einzeltextes ist, „sondern nach dem Ursprung und der Zugehörigkeit einer bestimmten literarischen Gattung in und zu *typischen* Situationen und Verhaltungen einer Gemeinschaft"[68]. Dies wiederum schließt nicht aus, daß das einzelne Textexemplar einen bes. Anlaß gehabt haben kann. Wichtig ist diese Feststellung deshalb, weil so der „Sitz im Leben" als Systembegriff verstanden wird und auf der Ebene der Langue seinen angemessenen Platz einnimmt, wie oben auch in Bezug auf die Pragmatik festgestellt werden konnte[69].

(d) Schwierigkeiten bereitet im besonderen die Eingrenzung des Begriffs „Sitz im Leben". Er wird oft sehr offen gebraucht, was z. B. Stendahl gegenüber Dibelius' Predigttheorie bemängelt hat[70]. Manchmal unterscheidet man zwischen „geschichtlicher Situation" als allgemeinem und „Sitz im Leben" als engerem, z. T. institutionellem Begriff[71].

Auch bezüglich des Begriffes „Sitz im Leben" scheint uns eine Hierarchisierung unabdingbar erforderlich zu sein, nicht zuletzt im Hinblick auf

---

[63] Knierim 1973, 436.

[64] s. z. B. das Referat bei Iber 1957, 308–320.

[65] Vgl. das ähnliche Problem bei der Pragmatik, s. Lyons 1977 a, 115 und in der Sprechakttheorie, Henne 1977, 74 f.

[66] S. auch Koch 1974, 35 f.; Bultmann 1964, 41; Theißen 1974, 12.

[67] Koch 1974, 35.

[68] Bultmann 1964, 40 f., 4; vgl. Buss 1978.

[68] Bultmann 1964, 40 f., 4 (Hervorhebung von mir); vgl. Buss 1978.

[69] S. oben § 1.2.3.3. und s. bes. § 1.5.

[71] Vielhauer 1975, 14, 364 f.; Koch 1974, 43.

die Gattung Apokalypse, deren gemeinsamer Sitz im Leben eine Krisensituation der jeweiligen Gemeinde zu sein scheint[72], der sich aber für die einzelnen Textexemplare ziemlich unterschiedlich gestalten kann; dazu kommt noch die Vorlesung vor der Gemeinde im Kult, wie das Visionenbuch und die Apk belegen.

Solch eine Hierarchisierung würde auch die Möglichkeit anbieten, die sprechakttheoretische Unterscheidung zwischen performativ-institutionellen und illokutiv-situationellen Handlungen für die Frage des Sitzes im Leben zu berücksichtigen.

(2) Wenn der Aspekt ,,Sitz im Leben" als ,,soziologische Tatsache"[73] als erstes Differenzierungskriterium in Frage kommt[74], so bedeutet dies allerdings nicht, daß die zwei anderen Dimensionen keine Berücksichtigung finden. Formale Kriterien spielen in der Analyse selbst doch eine ausschlaggebende Rolle: bei der Analyse des Redestoffes und der Apoftegmata verwenden alle Formgeschichtler formale Differenzierungskriterien. Hier ist also keineswegs der ,,Sitz im Leben" allein maßgebendes Kriterium, sondern Form/Stil spielt eine entscheidende Rolle. Man spricht daher von ,,Form- bzw. Stilgattung", ,,die an Aufbau und anderen äußeren Merkmalen erkennbar" ist[75]. Dies trifft auch für den Erzählstoff zu. Ein Teil des Erzählmaterials, namentlich die Wundergeschichten, werden nach äußeren, formalen Merkmalen analysiert und zur Formgattung gezählt, während die Geschichtsschreibung, Mythen und Legenden keine solche formalen Merkmale aufweisen sollen und folglich nicht zur Formgattung gerechnet, sondern entweder Motivgattung[76] oder Interessegattung[77] genannt werden.

Auch in der Apokalyptikforschung fängt man, wie Collins und Kochs Aufsätze sehr schön zeigen, an, formale Differenzierungskriterien auf Kosten der inhaltlichen Kriterien zu erstellen[78]. Aber wie bei Vielhauers ,,Stilelemente"[79] sind sie erstens sehr unterschiedlicher Art, zweitens nicht ranggeordnet und drittens weiß man nicht, wie konstitutiv sie eigentlich sind. Dieselbe Kritik gilt auch der ,,Reihe kleineren Formen", die sich laut Vielhauer in Apokalypsen finden.

Form, Inhalt und Sitz im Leben kommen alle drei als gattungsdifferenzierende Merkmale vor, ohne daß eine theoretische Begründung für die jeweilige Verwendung angegeben wird. Durch die Verwendung streng definierter Gliederungsmerkmale zur Delimitierung hierarchisch geordneter Teiltexte gattungsdeterminierender Art versuchen wir, dieses Dilemma der

---

[72] Brashler 1977, 141–144 et passim; Vielhauer 1975, 493.

[73] K. L. Schmidt 1928, 639.

[74] Vgl. z.B. Bultmann 1964, 4f.; Dibelius 1971, bes. 8–34.

[75] Vielhauer 1975, 306; Iber 1957, 287ff.; vgl. bes. Hartman 1978, 11f.

[76] Iber 1957, 288.

[77] Grobel 1937, 14.

[78] Collins 1979a, 6ff.; 1979b, 28; Koch 1978 passim; vgl. auch Yarbro Collins 1979, 104f. und Fallon 1979, 148.

[79] Vielhauer 1975, 487–490; vgl. die Diskussion bei Brashler 1977, 71–95.

Formgeschichte für die Schreibweise Erzählung, wenn nicht gar für die Erzählgattung Apokalypse, zu lösen.

1.4.2.3. *Formgeschichte – Redaktionsgeschichte*

Die Zuwendung zur Erforschung der Evangelien als ganzer war, wie Vielhauer betont, *forschungsgeschichtlich* kein ,,völlig neuer Ansatz", sondern ,,die konsequente Durchführung des formgeschichtlichen Gesamtprogramms"[80]; Dennoch sind diejenigen Forscher im Recht, die in der Redaktionsgeschichte einen anderen Ansatz sehen als die der Formgeschichte. *Theoretisch* arbeitet nämlich die Gattungsforschung, wenn sie ein Evangelium als Ganzes analysiert, auf einer anderen Abstraktionsebene, als wenn die Redaktionsgeschichte ein Evangelium als Textganzes um seiner selbst willen untersucht[81]. Im ersten Fall wird der Text als Zeichengestalt auf der Langue-Ebene erforscht, im zweiten als Textvorkommen auf der Parol-Ebene[82].

1.5. Die Interrelation zwischen linguistischen Abstraktionsebenen und semiotischen Eingrenzungsaspekten im Hinblick auf Gattungstheorie und Formgeschichte

Wie in den vorherigen Abschnitten mehrmals dargelegt wurde, muß prinzipiell zwischen hierarchisch strukturierten ,,*Abstraktionsebenen*" und ebenso hierarchisch gegliederten ,,*Eingrenzungsaspekten*" unterschieden werden. Der Unterschied zwischen den beiden Modellen ist von Hempfer klar gesehen, wenn er feststellt, ,,daß die allgemeine Semiotik das Verhältnis von Pragmatik einerseits zur Syntaktik und Semantik andererseits nicht als Relation zwischen einem (abstrakten) System und dessen (konkreter) Aktualisierung begreift, wie dies für die Oppositionspaare *langue/parole* bzw. Kompetenz/Performanz im Verständnis der Linguistik gilt"[1]. Nun genügt es allerdings nicht, zwischen den beiden Modellen zu unterscheiden; sie müssen vielmehr auch in Beziehung zu einander gestellt werden, nicht zuletzt hinsichtlich ihrer Bedeutung für Gattungstheorie und Formgeschichte[2].

Auch in der allgemeinen Semiotik stellt man, wie wir gesehen haben, nicht nur eine Rangordnung von Pragmatik, Semantik und Syntaktik inner-

---

[80] Vielhauer 1975, 290f.; vgl. Esser 1969; Strecker 1961, 143f.

[81] Vor allem Marxsen 1956; Güttgemanns 1970; Allerdings überzeugt mich Güttgemanns Argumentation in keiner Weise.

[82] S. § 1.5.

[1] Hempfer 1977, 1; vgl. 1973, 43, 46, 74.

[2] Brekle 1974, 121–135.

halb des Eingrenzungsaspektes her, sondern man unterscheidet auch zwischen Zeichenexemplar und Zeichengestalt innerhalb eines Abstraktionsverfahrens, daß wiederum diese drei Aspekte in sich einschließt[3].

Nun kann man sich sprachtheoretisch mit der Unterscheidung zwischen Zeichenexemplar und Zeichengestalt nicht zufriedengeben. In der allgemeinen Linguistik wird seit F. de Saussure zwischen einem System des allgemeinen Sprachvermögens (*faculté de langage*) als höchster Abstraktionsebene, einem System einer Einzelsprache (*langue*) als zweithöchster Abstraktionsebene und einer aktualisierten Rede (*parole*) als Ebene der jeweiligen Konkretion unterschieden. In der Textlinguistik verwendet man für die beiden Abstraktionsebenen bisweilen die Termini einzelsprachliches bzw. außereinzelsprachliches System[4].

Innerhalb der Gattungstheorie und Formgeschichte kommt eine prinzipiell ähnliche aber noch verfeinerte Zerlegung der Abstraktionsebenen, wie wir gesehen haben, vor: es kommen einzelsprachliche Gattungen und Subgattungen sowie außereinzelsprachliche Schreibweisen, Gattungen und zuweilen Subgattungen vor[5].

Zu allen drei oder gegebenenfalls mehreren Ebenen des Abstraktionsverfahrens lassen sich die Aspekte des Eingrenzungsverfahrens in Beziehung setzen. Ein (Text-)Zeichen kann also in seiner Relation R(Z,D,M), R(Z,D) oder R(Z,Z') als Zeichenexemplar/Textvorkommen, als einzelsprachliche Zeichengestalt/Textsorte/Gattung/Subgattung etc. oder als außereinzelsprachliche Zeichengestalt/Schreibweise/Textsortenklasse/Gattung/Textsorte etc. enkodiert, dekodiert bzw. erforscht werden[6].

Umstritten ist allerdings die Stellung der Pragmatik innerhalb der Langue-/Langage-Ebenen. Zuweilen wird sie der Parole-Ebene zugeordnet, wohl aus dem Grunde, weil man zwischen den beiden Modellen nicht unterscheidet. Wie aber oben § 1.2.3.3. gezeigt wurde, ,,kann die Pragmatik genauso Gegenstand der Untersuchung der Sprachkompetenz sein wie Syntax und Semantik"[7]; Auch die Sprachphilosophie und die Formgeschichte sprechen ihren pragmatischen Dimensionen: performativen/illokutiven Akten sowie Sitz im Leben, Universalität bzw. Typikalität zu[8].

Für die Erforschung apokalyptischer Texte z. B. bedeutet dies,

(1) daß nicht nur Texte eines einzelsprachlichen Systems sondern Texte verschiedener Einzelsprachen, wie hebräisch, aramäisch, griechisch, latein,

---

[3] S. § 1.2.2.

[4] Vgl. oben § 1.2.3.2.3. mit Anm. 119–121; dazu noch Coseriu 1974, 225; 1975, 139, 173 f.; Raible 1975, 11; Brekle 1974, 44–54, 121–125; Koch 1974, 290, 296; Gülich/Raible 1977, 34 ff. mit Anm. 20, 53 ff., 134 f.; 1977 a, 136 f.; Heger 1977, 261–309 f.; 1976, 7–30; Henne 1975, 82 ff.; Gülich 1976, 243.

[5] S. § 1.4.1. und 1.4.2.

[6] S. § 1.2.2.

[7] Hempfer 1977, 3; vgl. die in § 1.2.3.3. Anm. 160 angeführten Belege aus der Lit.

[8] S. § 1.3.2. und § 1.4.2.2.

	Semiotik	Linguistik	Gattungstheorie	Formgeschichte
III.	Außereinzelsprachliche Zeichengestalt	Faculté de langage	Außereinzelsprachliche Schreibweisen und Gattungen	Außereinzelsprachliche Gattungen und Formen
A.	*Pragmatik*	*Pragmatik*	*Pragmatik*	*Sitz im Leben*
B.	*Semantik*	*Semantik*	*Semantik*	*Inhalt/Motiv*
C.	*Syntaktik*	*Syntaktik*	*Syntaktik*	*Form/Stil*
II.	Einzelsprachliche Zeichengestalt	Langue	Einzelsprachliche Gattungen und Subgattungen	Einzelsprachliche Gattungen und Formen
A.	*Pragmatik*	*Pragmatik*	*Pragmatik*	*Sitz im Leben*
B.	*Semantik*	*Semantik*	*Semantik*	*Inhalt/Motiv*
C.	*Syntaktik*	*Syntaktik*	*Syntaktik*	*Form/Stil*
I.	Zeichenexemplar	Parole	Das einzelne Werk	Das einzelne Werk (Redaktionsgeschichte!)
A.	*Pragmatik*	*Pragmatik*	*Pragmatik*	*Sitz im Leben*
B.	*Semantik*	*Semantik*	*Semantik*	*Inhalt/Motiv*
C.	*Syntaktik*	*Syntaktik*	*Syntaktik*	*Form/Stil*

I.–III.: Hierarchisierung der Abstraktionsebenen
A.–C.: Hierarchisierung der Eingrenzungsaspekte

Fig. 9.

koptisch und ihre Übersetzungen in Bezug auf ihre evtl. gemeinsame Gattungszugehörigkeit untersucht werden können u. zw. mit Hilfe hierarchisch – nach semiotischen Aspekten – geordneter Gliederungsmerkmale;

(2) daß unter der Annahme der Einbettung verschiedener Gattungen/Subgattungen in, je nach Abstraktionstiefe, gemeinsamen oder ähnlichen Kommunikationssituationen bzw. Schreibweisen möglicherweise eine Abstraktionshierarchie von Offenbarungsschriften wie „Prophettexten", „Apokalypsen", „Gespräche des Auferstandenen mit seinen Jüngern" etc. erreichbar wäre[9];

(3) daß prinzipiell zwischen der Analyse und Interpretation eines Einzeltextes *per se* (Redaktionsgeschichte) und eines Textexemplars als Teil einer ahistorischen Schreibweise bzw. einer historischen Gattung (Gattungsforschung/Formgeschichte) unterschieden werden muß.

Ein zusammenfassender Überblick über die Ergebnisse des Paragraphen „Texttheorie und Formgeschichte" wird in Form einer Schematisierung in Fig. 9. gegeben.

[9] S. Vielhauer 1975, 485 ff., 680 ff.

2. Ein texttheoretisches Modell für formgeschichtliche Analysen narrativer Texte

2.1. Gattungsdifferenzierung durch zweidimensionales Textverständnis

Auf der Grundlage der in § 1 dargebotenen Theorieübersichten, soll jetzt ein Analysemodell vorgeführt werden, mit dessen Hilfe es möglich sein soll, Präzisierungen der Gattungsbestimmung des zu analysierenden Textes des Visionenbuches und eine adäquatere Definition der Gattung Apokalypse zu erreichen.

Wir knüpfen hier bewußt an das Modell, das E. Gülich und W. Raible für die Analyse von Erzähltexten erarbeitet und an mehreren konkreten Texten erprobt haben, an, da die von ihnen errichteten Kriterien zum einen mit in der Formgeschichte schon vorhandenen kompatibel sind und zum anderen sich auch für die Analyse des Visionenbuches als ,,durchaus operational" erweisen werden[1].

2.1.1. Text als zweidimensionales Gebilde

Mit dem durch den Terminus Text (*textura, textus, textum, textere*) naheliegenden Bild von der Weberei, legen Gülich/Raible die auch von Harweg gebrauchte zweidimensionale Struktur von Texten dar[2]: die erste Dimension des Gewebes ist der durchgehende Zettel, die Kettfäden, die zweite Dimension wird durch den Durchschuß, Einschlag, erzeugt.

Auf Texte übertragen stellt die erste Dimension, die von links nach rechts verläuft, die ,,Verkettung" oder ,,syntagmatische Substitution" dar[3]. Wie in einem Gewebe ist diese Dimension eine notwendige, aber keine hinreichende Bedingung für die Entstehung von Texten. Die zweite Dimension, die von oben nach unten erzeugt wird, ist eine notwendige und konstitutive Dimension; sie ist es, die ein bestimmtes Textmuster hervortreten läßt. Während Harweg der Meinung ist, daß die erste Dimension die fundamentalere sei[4], weisen Gülich und Raible auf einen bedeutsamen Unterschied der beiden Dimensionen: die Erzeugung von links nach rechts ist ,,das bei allen Texten, gleich welcher Textsorte, identisch konstituierende Prinzip"[5], wäh-

[1] Vgl. Harweg 1979, XIII.

[2] Harweg 1973, 69f.; Gülich/Raible 1977, 51–55; vgl. auch die Diskussion ibid., 99–101 (Tagmemik), 119–121 (Harweg), 138 (Heger), 288 (Wienold); S. auch Hempfer 1973, der zwischen Mikrostrukturen auf Satzebene und Makrostrukturen auf Textebene unterscheidet (S. 144 und 179f.).

[3] Harweg 1968a, 148, 21; 1978.

[4] Harweg 1973, 69.

[5] Raible 1978, 320.

rend die Erzeugung von oben nach unten das textsorten-spezifische Prinzip ist.

Die musterbildenden Teile des Durchschußes im Gewebe entsprächen dann den schreibweisen- bzw. gattungsbildenden Teiltexten eines Textganzen, u. zw. in ihrer geprägten funktionalen Zuordnung zum Ganzen und zu jeweils übergeordneten Teiltexten. Wenn diese Analogie stimmt, dann kann davon ausgegangen werden, daß Gattungen/Textsorten bzw. Schreibweisen/Textsortenklassen durch „die Art, die Abfolge und die Verknüpfung" ihrer jeweiligen Teiltexte charakterisiert werden[6]. Daß Texte nicht nur textexterne, sondern auch textinterne Abgrenzungen verschiedener Art besitzen, haben wir oben gesehen[7]. Diese Binnengrenzen gliedern Texte „in kommunikative Teileinheiten, die in hierarchischer Weise aufeinander aufbauen"[8] und in Relation zu einander gestellt sind[9].

2.1.2. Die Bedeutung der zweidimensionalen Betrachtungsweise

Erstens sind die für bestimmte Schreibweisen oder Gattungen charakteristischen Teiltexte und ihre Verknüpfung *invariant,* „so daß sie nicht ohne weiteres auswechselbar sind"[10], d. h. der durch Art, Abfolge und Relation von Teiltexten charakterisierte Aufbau der Makrostruktur von Texten, denn darum geht es, ist textsorten-/gattungsspezifisch[11].

Zweitens, und für die Analyse von Apokalypsen bedeutsam, ist die Frage nach der einzel- bzw. außereinzelsprachlichen Bedingung für das Auftreten von invarianten Makrostrukturen einer bes. Schreibweise bzw. Gattung[12].

Drittens nehmen Gülich/Raible anhand kommunikationsorientierter Überlegungen an, daß diese durch Teiltexte dargestellte Makrostruktur an der Textoberfläche erkennbar sein muß, denn der Leser oder Hörer „bekommt vom Autor oder Sprecher weder eine Makrostruktur noch eine Texttiefenstruktur geliefert, sondern einen Text tel quel. Es muß also Signale

---

[6] Gülich/Raible 1977, 53; 1975 a, 146, 159 f.; vgl. Stempel 1975, 178; Plett 1975 b, 85 f.; S. J. Schmidt 1976 a, 147; Werlich 1975, 80–99; Leuschner 1972; Gülich/Raible 1977, 54 f. und Stempel, ibid., 176 u. a. weisen prinzipiell m. R. auf den Aufbau der Gerichtsrede der klassischen Rhetorik hin, aber für die praktische Analyse ist, wie Plett 1975 a, 16 und 22 betont, die Dispositio der Rhetorik für manche Gattungen zu gering entwickelt. Zur Rhetorik vgl. oben § 1.2.3.3.1. Anm. 171.

[7] S. § 1.2.3.1.2.; § 1.2.3.2.2. und § 1.2.3.3.2.

[8] Plett 1975 b, 86; vgl. bes. Oomen 1974, 53, 55–60, 65 et passim.

[9] Hempfer 1973, 139, 178, 190 und oben § 1.4.1. Vgl. jetzt auch Raible 1978, 323 mit Anm. 7 und Gülich/Raible 1979, VIII; S. J. Schmidt 1978, 51, 53.

[10] Plett 1975 b, 86; Gülich/Raible 1977, 53.

[11] Gülich/Raible 1977, 133; 1975 a, 193–195.

[12] S. Gülich/Raible 1977, 53 f. und ferner oben § 1.5.

geben – genannt Gliederungsmerkmale –, über welche der Leser/Hörer zu einer solchen Makrostruktur kommen kann"[13]. Von exegetischer Seite her wäre auf den Ratschlag von G. Bornkamm, ausgerechnet im Zusammenhang mit der Makroanalyse der Apk, hinzuweisen: ,,Für die Kennzeichnung des *Gesamtaufrißes* ist es ratsam, sich an möglichst *augenfällige Indizien* zu halten"[14].

Damit Teiltexte hierarchisch geordnet werden können, müssen formal ranggeordnete Merkmale zur Verfügung stehen, mit deren Hilfe ein Textganzes in Teiltexte verschiedenen Grades delimitiert werden kann. Solche Gliederungsmerkmale sollen unten aufgestellt werden.

2.2. Methodischer Vorgang einer makrostrukturellen Textanalyse

2.2.1. Anordnung des Textes nach verschiedenen Kommunikationsebenen und Gliederung in Teiltexte verschiedenen Grades

Die Gattung Apokalypse als historische Gegebenheit[1] der Schreibweise/Textsortenklasse ,,Erzählung" ist immer Bestandteil einer berichtenden Sprech- bzw. Kommunikationssituation[2]. Das Spezifische der berichtenden Erzählung ist, daß sie ,,der Vermittlung einer von der aktuellen Sprechsituation unabhängigen Sprech- und/oder Handlungssituation dient"[3].

Damit ist die Grundlage für die Differenzierung zwischen textexterner und textinterner Kommunikationssituation erbracht. Wie E. Gülich und W. Raible am Beispiele anderer Erzähltexte aufgewiesen haben, können nämlich in narrativen Texten eingebettete Kommunikationsvorgänge dargestellt werden: ,,Die dargestellten Personen kommunizieren miteinander, und ihre Kommunikationsakte werden dem Hörer/Leser vom Erzähler mitgeteilt"[4]. Nun liegt in manchen Erzähltexten eine noch tiefere kommunikative Einbettung vor, wofür der Text des Visionenbuches ein hervorragendes Beispiel ausmacht[5].

Der erste Schritt der Textanalyse besteht also in der Zerlegung des Tex-

---

[13] Raible in Gülich/Raible 1977a, 163; vgl. ibid., 132f.; 1977, 54 et passim bei der Auseinandersetzung mit anderen Linguisten; Hendricks 1973, 175; vgl. auch Harweg 1979, XIII; Assmann 1977, 3ff.

[14] Bornkamm 1963, 204 (Hervorhebung von mir).

[1] Genauso wie Roman, Novelle, Evangelium etc.

[2] Vgl. Gülich 1976, 225f.

[3] Hempfer 1977, 19; vgl. 1973, 173ff.; Fillmore 1976, 93; Gülich 1976, 229f., 236ff. S. auch oben § 1.2.3.3. und unten § 2.2.2.2.1.

[4] Gülich 1976, 229; s. aber schon Gülich/Raible, 1975a und 1977a, mit der Unterscheidung zwischen Rahmenerzählung auf der textexternen und Binnenerzählung auf der textinternen Kommunikationsebene.

[5] S. die Analyse und den Kommentar unten § III.2.2. und § III.3.1.

tes in verschiedene Kommunikationsebenen, wie wir dies in § III.1.2. unternommen haben[6].

Der zweite Schritt besteht in der Delimitierung des so zerlegten Textes in funktionale Teiltexte verschiedenen Grades mittels formal bestimmten und hierarchisch geordneten Gliederungsmerkmalen.

2.2.2. Die formalen Gliederungsmerkmale und ihre Hierarchie

2.2.2.1. Die Hierarchisierung

Wie Kl. Hempfer betont, ist eine Zuordnung der Differenzierungskriterien zu ,,jeweils eindeutig bestimmten Abstraktionsebenen“ bei Gattungsanalysen unentbehrlich[7]. Die Abstraktionsebenen, Sprechsituationen und Schreibweisen (=Textsortenklasse) können laut Hempfer nur durch Texttiefenstrukturen differenziert werden[8], während Oberflächenstrukturen geeignet sind ,,bestimmte historische Gattungen zu unterscheiden“[9].

Gülich/Raible gehen einen Schritt weiter mit ihrer Hypothese, daß selbst die Makrostruktur der Textsortenklasse ,,Erzählung“ an der Textoberfläche erkennbar sein muß, wenn Teiltexte ,,nicht nur thematisch, sondern auch und zuallererst formal abgrenzbar“ sein sollen[10]. Um also Texte hierarchisch in Teiltexte verschiedenen Grades delimitieren zu können (§ 2.1.2.), bedarf es dazu eines intersubjektiv überprüfbaren Instruments, nämlich formal definierter Gliederungsmerkmale[11]. Diese Gliederungsmerkmale müssen allerdings nicht nur wohldefiniert, sondern auch hierarchisch geordnet sein.

Aufgrund der Ergebnisse der Metatheorie (§ 1.2.) ist es erforderlich, daß diejenigen Merkmale mit den umfassendsten Relationen [R(Z,D,M)] an erster, die mit weniger umfassenden [R(Z,D)] an zweiter und die mit am wenigsten umfassenden Relationen [R(Z,Z′)] an dritter Stelle stehen. M.a.W., an erste Stelle treten die pragmatischen, an zweite Stelle die semantischen und an dritte Stelle die syntaktischen Gliederungsmerkmale. Eine hierarchische Dreiteilung unternehmen auch Gülich/Raible, wenn sie diese Merkmale (1) in solche auf Metaebene, (2) in solche mit einem Analogon im textexternen Bereich aber außerhalb der Metaebene und (3) in solche ohne direktes Analogon im textexternen Bereich einteilen[12]. In der

---

[6] S. auch die – allerdings viel weniger komplizierte – Zuordnung des Fabeltextes ,,The Lover and His Lass“ von J. Thurber zu zwei Kommunikationsebenen bei Gülich/Raible 1977, in der Faltkarte nach S. 150, die uns als Modell gedient hat.

[7] Hempfer 1973, 150ff., 180 (das Zitat entstammt S. 151).

[8] Hempfer 1973, 148, 226.

[9] Hempfer 1973, 151; vgl. 148.

[10] Gülich/Raible 1977a, 133f.; Gülich 1976, 225 und bes. 241f.; vgl. Assmann 1977, 3ff.

[11] Vgl. Gülich 1970.

[12] Gülich/Raible 1977a, 137, 140.

prinzipiellen Darstellung der Gliederungsmerkmale im Rahmen ihres Kommunikationsmodells werden allerdings lediglich zwei Gruppen oder Arten von Delimitationskriterien erwähnt: „Merkmale, die auf den Faktor 'Sprachsystem' bezogen sind, nennen wir '*textinterne* Merkmale'; Merkmale, die auf die Funktion 'Sprecher', 'Hörer', 'Kommunikationssituation', 'Bereich der Gegenstände und Sachverhalte' bezogen sind, nennen wir '*textexterne* Merkmale'"[13]. Daraus geht hervor, daß Gülich/Raible den Referenzaspekt ihrer Untergliederung zugrundelegen, wenn sie nicht explizit zwischen pragmatischen und semantischen Aspekten unterscheiden, sondern die pragmatischen oder kommunikationsorientierten Faktoren mit den semantischen oder referenziellen unter den Begriff „textextern" subsumieren[14].

Eine Differenzierung dürfte z. T. deshalb unterblieben sein, weil Gülich/Raible in ihrer sonst vorzüglichen Darstellung linguistischer Textmodelle auf die Behandlung pragmatischer Textmodelle verzichtet haben[15], z. T. weil sie in der semantischen Metatheorie von einem „methodologischen Voraussetzungsmodell" anstatt von einem „kommunikationsspezifischen Eingrenzungsmodell" ausgegangen zu sein scheinen[16].

Daß sich auf jeden Fall Überschneidungen zwischen Pragmatik und Semantik ergeben, und somit einer vollständigen Grenzziehung „vor allem bei denjenigen Langue-Zeichen, die direkt auf den *Sender,* den *Empfänger* oder die *Kommunikationssituation* verweisen" unmöglich macht, betont E. U. Große[17] zurecht, was sich bei der Darstellung der einzelnen Gliederungsmerkmale bestätigen wird. Grundsätzlich gilt aber, daß pragmatisch-semantische Gliederungsmerkmale vor den rein semantischen und diese wiederum vor den semantisch–syntaktischen bzw. rein syntaktischen Vorrang haben[18].

Durch diese Hierarchisierung der Delimitationsmerkmale, die narrative Texte in Teiltexte verschiedenen Grades gliedern, wird dreierlei erzielt: (1) die Vermeidung einer beliebigen und unkontrollierbaren Verwendung verschiedenartigster Merkmale und damit eine Texteinteilung nach Gutdünken jedes einzelnen Exegeten; (2) die Erfüllung der Forderung Hempfers, an Stelle von rein klassifikatorischen, voneinander isolierten Merkmalen, eine Reihe hierarchisch und in spez. Relation zueinander gestellter Merk-

---

13 Gülich/Raible 1977a, 134 (Hervorhebung von mir); s. auch 1977, 46f., 55; 1975a, 145 und 151; 1975b, 3–5; 1977c, Xf. und vgl. S. J. Schmidt 1978, 55.

14 Vgl. auch unten Amn. 22 und oben § 1.2.3.3.3. Anm. 207.

15 Gülich/Raible 1977, 12.

16 Vgl. oben § 1.2.2.

17 Große 1976, 14.

18 Nicht nur pragmatische und semantische Aspekte (s. zusätzlich zur Frage der Deixis § 1.2.3.3.3.) sondern auch semantische und syntaktische Aspekte fallen zuweilen zusammen, (s. oben zum Problem der Verweisung § 1.2.3.2.3.).

male zu setzen[19]; (3) die Beantwortung einer alten Streitfrage in der Formgeschichte für zumindest diese Textsortenklasse; die Frage nämlich nach dem Vorrang der konstitutiven Elemente 'Form', 'Inhalt' und 'Sitz im Leben'[20].

2.2.2.2. *Gliederungsmerkmale auf Metaebene*

2.2.2.2.1. *Metakommunikative Sätze* [1][21]. An erster Stelle der Hierarchie der Gliederungsmerkmale stehen die metakommunikativen Sätze (so Gülich/Raible), Metakommunikativa (so Henne), Hypersätze (so Heger; alternativ auch Gülich/Raible) oder etwa Präsignale (so Große). Das Analogon dieses textinternen Merkmals im textexternen Bereich ist die *Kommunikationssituation* (pragmatischer Aspekt[22]) zwischen Autor und Adressaten auf der ersten Kommunikationsebene bzw. zwischen anderen (zuweilen nur teilweise anderen) Kommunikationspartnern auf der zweiten und folgenden Kommunikationsebenen. Der metakommunikative Satz oder sein Surrogat funktioniert als Signal für den Beginn bzw. – allerdings seltener – das Ende eines Kommunikationsaktes, d. h. er thematisiert eine Kommunikationssituation[23]. Neben metakommunikativen Verben können auch metakommunikative Nomina als (Bestandsteile) metakommunikative(r) Sätze vorkommen[24].

Die metakommunikativen Verben, die eine *sprachliche* Kommunikationssituation thematisieren, sind grundsätzlich in zwei Gruppen zu zerlegen, was mit der „Kundgabe und Kundnahme"[25] innerhalb eines Kommunikationsaktes zusammenhängt[26]. Diese Gruppen wiederum sind in zwei Unter-

---

[19] Hempfer 1973, 136ff., 178, 190; vgl. auch S. J. Schmidt 1978, 51, 53; Wellek/Warren 1972, 146; so jetzt auch Gülich/Raible 1979, VIII.

[20] S. die Diskussion oben in § 1.4.2.

[21] Gülich/Raible 1975a, 156, 170; 1977, 27f.; 1977a, 138f., 140, 149–151; Gülich 1976, 234ff., 242 Anm. 35; Henne 1975, 50ff.; Heger 1976, 326; 1977, 275ff.; zu dem umfassenderen Begriff „metapropositionale Basis" s. Große 1976, s. v. und ebenda s. v. „Präsignale".

[22] Bei der Verwendung textinterner Merkmale mit textexternem Analogon nimmt der *pragmatische* Aspekt, wie oben dargelegt, die erste Stelle ein. Gülich/Raible, die nicht explizit zwischen pragmatischem und semantischem Aspekt unterscheiden (vgl. 1977, 12), nennen die Kommunikationssituation „ein Sonderfall des Bereichs der Gegenstände und Sachverhalte" (1977, 38f.; vgl. 1977 a, 139). Dressler u. a. führt sie hingegen eindeutig zur Pragmatik, wenn er definiert: „Die Pragmatik behandelt die Beziehung eines sprachlichen Elements zu seinen Erzeugern, Verwendern und Empfängern in der Kommunikationssituation" (1973, 92; vgl. auch das Zitat oben § 1.2.2. aus Bühler 1934, 30f.; ferner Große 1976, 14f., 59, vor allem aber Hempfer 1977, 9ff., der von textinterner und textexterner Pragmatik spricht.

[23] Gülich/Raible 1977a, 138f.

[24] Ibid., 150f.

[25] Vgl. oben § 1.2.2. zu Bühler; Henne 1975 spricht von „Sprechakt- *und* Hör(verstehens)akttheorie" (S. 70).

[26] Gülich/Raible 1977, 27; 1977a, 138; vgl. Kallmeyer et alii 1977, 241; Als „elementare Metakommunikativa" nennt Henne 1975, 50: „*Sprechen* und *Schreiben, Zuhören* und *Lesen*".

gruppen zu unterteilen je nachdem, ob sie geschriebene oder gesprochene Kommunikationsakte thematisieren[27]:

I. Verben, die eine Kommunikationssituation erzeugen, bzw. dazu auffordern (Textenkodierung):
   A. gesprochene Kommunikation: ,,sagen", ,,fragen", ,,antworten" etc.
   B. geschriebene Kommunikation: ,,schreiben", ,,verfassen" etc.

II. Verben, die eine Kommunikationssituation wahrnehmen, bzw. dazu auffordern (Textdekodierung):
   A. gesprochene Kommunikation: ,,(zu)hören", ,,horchen", ,,belauschen" etc.
   B. geschriebene Kommunikation: ,,lesen", ,,entziffern" etc.

Ein Falldiagramm soll unter Angabe der wichtigsten im Visionenbuch vorhandenen metakommunikativen Verben diese Differenzierung veranschaulichen:

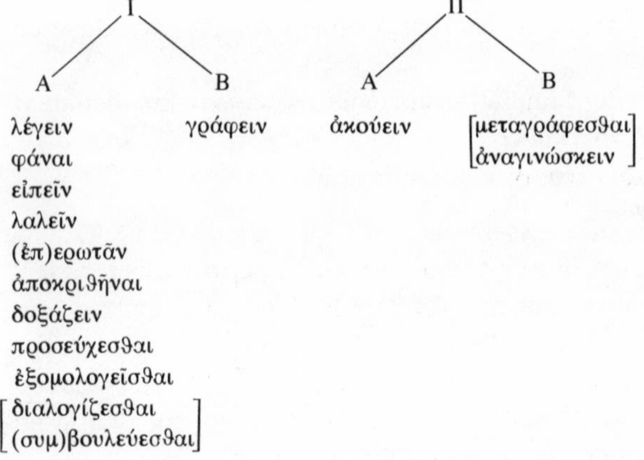

Es gibt natürlich auch metakommunikative Verben, bei denen nicht, oder erst nach zusätzlicher Spezifizierung, zwischen textenkodierender und textdekodierender Funktion einerseits bzw. zwischen gesprochener und geschriebener Funktion andererseits unterschieden werden kann[28]. Zu jener Gruppe zählen Verben wie ,,korrespondieren", ,,sich unterhalten" usw.; zu dieser Gruppe gehören Verben wie ,,verstehen", ,,erfahren" usw. Im Visionenbuch begegnen aus dieser Gruppe u.a. νουθετεῖν, γνωρίζειν, ἀποκαλύπτειν, ἐπαγγέλλεσθαι. Dazu kommt noch ,,jene Metakommunikativa, die hybride Mischformen gesprochener und geschriebener Kommunikation benennen: Für eine gesprochene Simulation geschriebener Sprache soll *vorlesen* stehen ... für eine geschriebene Simulation gesprochener

---

27 Henne 1975, 50f. Zur Unterscheidung zwischen Schreibakt und Sprechakt s. ebenda, s.v.

28 Henne 1975, 51.

Sprache soll *diktieren* stehen"[29]. Im Visionenbuch findet sich ein signifikatives Beispiel der erstgenannten Simulationsform: ἀναγινώσκειν (3,3). Aus kommunikativer Sicht besonders instruktiv ist ferner das im Visionenbuch vorhandene metakommunikative Verb: μεταγράφεσθαι. Einige besonders aufschlußreiche Beispiele aus dem Visionenbuch seien zur Verdeutlichung angeführt:

I. A. ἐπηρώτησα αὐτήν (11,5; 12,3 und passim)
   B. ἦν δὲ γεγραμμένα ταῦτα (6,1; vgl. auch 7,4; 8,2 f.)
II. A. γενοῦ ἀκουατὴς καὶ ἄκουε ... (3,3 et passim)
   B. Nur vertreten in der Simulationsform: ἀναγινώσκειν (4,1 und s. unten zu IV.)
III. Kombination von Verben mit textenkodierender (I.) und textdekodierender (II.) Funktion:
   ἀλλὰ ἄκουσον τὰ ῥήματα ἅ σοι μέλλω λέγειν (1,6)
   ἐντέλλομαι δέ σοι πρῶτον, Ἑρμᾶ, τὰ ῥήματα ταῦτα ἅ σοι μέλλω λέγειν, λαλῆσαι αὐτὰ πάντα εἰς τὰ ὦτα τῶν ἁγίων, ἵνα ἀκούσαντες αὐτὰ ... (16,11; vgl. auch, allerdings ohne explizites textdekodierendes Verb, 6,4)
IV. Kombination von der Simulationsform ἀναγινώσκειν und dem textdekodierenden Verb ἀκούειν:
   θέλεις ἀκοῦσαί μου ἀναγινωσκούσης; (3,3)

Zu diesen metakommunikativen Sätzen gehören auch diejenigen Sätze, die Große ,,metapropositionale Basen" und Austin ,,performative Sätze" nennen[30]. Näheres dazu aber s. oben § 1.3. Die Funktion des metakommunikativen Satzes, der die erste Stelle in der Hierarchie der Gliederungsmerkmale innehat, ist demnach also die Unterscheidung verschiedener Kommunikationsebenen[31] einerseits und die ,,Instruktion an den Empfänger, wie er die Proposition verstehen soll"[32] andererseits.

---

[29] Henne, ibid. Ein schönes Beispiel für die zweite Mischform findet sich in PGM XIII, 91 f.: ἔχε δὲ πινακίδα, εἰς ἣν μέλ⟨λ⟩εις γρ⟨ά⟩φ⟨ε⟩ιν, ὅσα σοι λέγει, ...; s. auch PGM VIII, 89 f. et passim in den *Papyri Graecae Magicae* (Die PGM werden zitiert nach Preisendanz 1973 und 1974). Aus dem Pastor Hermae bes. instruktiv ist 25,5: πρῶτον πάντων τὰς ἐντολάς μου γράψον καὶ τὰς παραβολάς· τὰ δὲ ἕτερα καθώς σοι δείξω οὕτως γράψεις· διὰ τοῦτο, φησίν, ἐντέλλομαί σοι πρῶτον γράψαι τὰς ἐντολὰς καὶ παραβολάς, ἵνα ὑπὸ χεῖρα ἀναγινώσκης αὐτὰς καὶ δυνηθῇς φυλάξαι αὐτάς. ἔγραψα οὖν τὰς ἐντολὰς καὶ παραβολάς, καθὼς ἐνετείλατό μοι. Vgl. auch aus einer anderen Schrift derselben Gattung: καὶ ἤκουσα ὀπίσω μου φωνὴν μεγάλην ὡς σάλπιγγος λεγούσης· ὃ βλέπεις γράψον εἰς βιβλίον καὶ πέμψον ταῖς ἑπτὰ ἐκκλησίαις ... (Apk 1,10 f.; ferner 1,19; 2,1.8.12.18; 3,1.7.14).

[30] Große 1975, 15 f., 44–58, 75–94; Austin 1972, 27 f. [=1975, 6 f.]; Gülich 1976, 230–233, 234 Anm. 22; weiterhin Gülich/Raible 1977, 28, die auch auf E. Koschmieder 1965, 26–34: ,,Der Koinzidenzfall" hinweisen. S. ausführlicher § 1.3.

[31] Vgl. Gülich 1976, 236.

[32] Große 1976, 15 (Hervorgehoben im Original); ferner S. 20 f.

Ein Sonderfall mit spez. Funktion ist der *metasprachliche* Satz, der gegebenenfalls innerhalb der jeweiligen Kommunikationsebene vorzufinden ist. Meistens steht ein textdekodierendes Verb im Imperativ, zuweilen aber auch in Kombination mit einem textenkodierenden Verb verschiedener Tempora (vgl. die Beispiele II.A. und III. oben aus dem Visionenbuch); manchmal genügt aber ein alleinstehendes textenkodierendes Verb (vgl. 17,7: λέγω). Solch einen metasprachlichen Satz, der nicht zur Unterscheidung verschiedener Kommunikationsebenen dient, nennen wir, gemäß seiner Funktion, zur Wahrnehmung einer Kommunikationssituation aufzufordern, ,,*Aufmerksamkeitsappell*"[33].

Es bedarf, hinsichtlich der metakommunikativen Sätze, die die Kommunikationssituation thematisieren, noch einer fundamentalen Unterscheidung, u. zw. der ,,von textexterner und textinterner Kommunikationssituation", worauf K. Hempfer aufmerksam gemacht hat[34]. Die Bedeutung dieser Unterscheidung liegt darin, daß sie mit der Unterscheidung zwischen der ersten Kommunikationsebene auf der einen Seite und den restlichen Kommunikationsebenen auf der anderen Seite zusammenfällt. Diese Differenzierung soll etwas näher beleuchtet werden:

(1) Am Anfang eines Kommunikationsaktes auf der ersten (*textexternen*) Kommunikationsebene kann der metakommunikative Satz fehlen oder, wie im Visionenbuch, einfach durch ein undeterminiertes Surrogat (ἀδελφοί) bzw. durch deiktische Ausdrücke ersetzt werden. Dies ist in doppelter Hinsicht bedeutungsvoll: *positiv* ist dadurch mit der Möglichkeit zu rechnen, daß ein Autor den Adressatenkreis möglichst offen halten will; es kann sich z.B. um ein ,,Rundschreiben" handeln. Diese Undeterminiertheit kommt im Visionenbuch nicht nur durch die Surrogate ἀδελφοί (durch Hermas), τέκνα (durch die Presbyterin auf der 2a Ebene!; 17,1.9) oder οἱ ἅγιοι o.ä. (bei den Verallgemeinerungen), sondern auch in dem Auftrag zur weiteren Verbreitung des Buches (8,3; dazu die Analyse unten) zutage; *negativ* dadurch, daß es bei der Interpretation schriftlicher bes. antiker Texte zu großen Schwierigkeiten bzw. Unsicherheitsurteilen führen kann, weil die Bezugspunkte der personalen, lokalen und temporalen Deixis nur mit Mühe herauszufinden sind, und noch schwieriger sind die Fälle, wo gar keine Hypersätze vorhanden sind[35]. Hinzu kommt noch ein weiteres Problem: die Kommunikationssituation zwischen Autor und Adressaten muß durch den

---

[33] Zur Sache und Terminologie Koch 1974, 251, 255f., 260f.; zu einer ähnlichen Unterscheidung vgl. Gülich 1976, 234ff. bes. 236.

[34] Hempfer 1977, 9–21; das Zitat findet sich auf S. 10; Hempfer 1973, 173ff. S. auch Fillmore 1976, 93; Raible 1972, 227ff., bes. 230ff. Gülich/Raible 1977, 26ff. mit Anm. 4. Gülich 1976, 229, 239 und vgl. oben § 1.2.3.3.

[35] Vgl. die thesenartige Zusammenfassung des Vortrags von Gülich/Raible durch W. Hinck im Vorwort zu Hinck (Hrsg.) 1977, bes. die Thesen III und IV auf S. X–XI; s. auch S. J. Schmidt 1978, 53.

jetzigen Interpreten aufgrund des vorliegenden Textes und der Heranziehung relevanten Vergleichsmaterials rekonstruiert werden[36].

(2) Am Anfang bzw. am Ende eines Kommunikationsaktes auf den folgenden (*textinternen*) Kommunikationsebenen kann der metakommunikative Satz jedoch nicht fehlen[37]. Innerhalb eines Dialogs bzw. einer Dialogfolge indessen kann er, wie die Dialoge im Visionenbuch zeigen, gelegentlich ausgelassen werden. Ein einziger metakommunikativer Satz auf der ersten Kommunikationsebene weist also in den meisten Fällen den von ihm abhängigen Text der zweiten Ebene der Kommunikation zu usw. Dies bedeutet aber auch, daß ein Erzähltext auf der ersten Kommunikationsebene im Verhältnis zu einem eingebetteten Text auf der zweiten Kommunikationsebene als auf einer Metaebene stehend aufzufassen ist, d. h. solch ein Erzähltext ist ein *metanarrativer* Text im Verhältnis zu – wie z. B. öfters im Visionenbuch – einem Dialogtext[38].

2.2.2.2.2. *Substitution auf Metaebene* [2][39]. Das zweite Gliederungsmerkmal in der Hierarchie ist die Substitution auf Metaebene (so Gülich/Raible) oder etwa das Präsignal (so Große). R. Harweg, der Begründer der substitutionalen Textlinguistik[40], definiert Substitution als ,,die Ersetzung eines sprachlichen Ausdrucks durch einen bestimmten anderen sprachlichen Ausdruck. Der erstere dieser beiden Ausdrücke, der ersetzte oder zu ersetzende, heißt *Substituendum,* der letztere, der ersetzende, *Substituens*"[41]. Dabei geht es hinsichtlich der Textlinguistik in erster Linie um die *syntagmatische Substitution auf Textebene*[42]. Harwegs substitutionale Textlinguistik interessiert sich hauptsächlich für die Verkettung von Sätzen, bzw. der Mikro-

---

[36] Vgl. die Auseinandersetzung Hempfers in 1973, 94 und 251 Anm. 387 mit Hirsch 1972; Bellert 1974, 222 und 244: ,,Die Menge der Propositionen, die die Kenntnis des Autors von der Welt ausmachen, ist im Fall alter Texte sicherlich verschieden von der Menge der Propositionen, die die Kenntnis der Welt des heutigen Interpretierenden bildet, und zwar selbst dann, wenn er Fachmann in dieser Epoche ist"; Plett 1975b, 80. Aus exegetischer Sicht vgl. bes. Bultmann 1964, 4–8 und Theißen 1975, der zur Rekonstruktion drei Verfahrensweisen erwähnt: (1) ein konstruktives Verfahren: auf direkte Aussagen bauend; (2) ein analytisches Verfahren: durch Rückschlüsse aus indirekten Aussagen; (3) ein vergleichendes Verfahren: durch Analogieschlüsse, wobei die vergleichenden Texte wiederum mit Hilfe von (1) und (2) ausgewertet werden müssen.

[37] Gülich/Raible 1977a, 138 und 141.

[38] S. Gülich 1976, 236–241.

[39] Gülich/Raible 1977, 44, 54; 1977a, 141f., 151f.; Gülich 1976, 244f.; Große 1976, 20–22 et passim.

[40] S. oben § 1.2.3.1.3. Anm. 68.

[41] Harweg 1968a, 20.

[42] Mit *syntagmatischer* Substitution ist die Ersetzung eines sprachlichen Ausdrucks durch einen anderen an Textstellen, die aufeinander folgen, gemeint, mit *paradigmatischer* Substitution hingegen der Austausch an einer bestimmten Textstelle; vgl. Harweg, ibid., 20ff.; außerdem noch Harweg 1978, ferner Lewandowski 1976c, s. v. syntagmatische Substitution, S. 781; Kallmeyer et alii 1977, 194; Brekle 1974, 81–84.

struktur von Texten, weniger für die Konstitution der Makrostruktur der Texte[43].

In Bezug auf die makrostrukturelle Textkonstitution haben Gülich/Raible den Begriff Substitution aufgegriffen und ihre Bedeutung für die Gliederung der Makrostruktur zu zeigen gewußt, indem sie das Phänomen der *Substitution auf Metaebene* erkannt haben. Darunter verstehen sie den Ersatz eines *Textes* oder eines *Teiltextes* durch einen Satzteil. ,,Gerade der Typ von Substitution, bei dem ein Teiltext durch einen Satzteil ersetzt wird . . ., kann bei Übergängen zwischen größeren Sinneinheiten in einem Textganzen eine sehr wichtige Rolle spielen“[44]. Die nahe Verbindung mit dem ersten Gliederungsmerkmal kommt dadurch zutage, daß solche Substitutionen aus ,,metakommunikative(n) Nomina gegebenenfalls in Verbindung mit metakommunikativen Verben“ bestehen[45].

Als Beispiele solcher Präsignale bzw. Substitutionen auf Metaebene seien Titel oder Gattungsbezeichnungen wie Roman, Novelle, Erzählung oder Evangelium, Apokalypse, Didache genannt[46]. Solche Substitutionen können entweder Manifestationen einer Schreibweise bzw. Textsortenklasse, z.B. Erzählung oder eine bestimmte Gattung bzw. Textsorte wie Roman, Apokalypse, Gleichnis etc. sein, aber auch Paragraph, Absatz etc. angeben[47]. Im Visionenbuch begegnen als Substitutionen auf Metaebene sowohl metakommunikative Nomina: ὅρασις β΄, γ΄, δ΄ als auch metakommunikative Verben bzw. Verbalnomina: ἀπεκαλύφθη δέ μοι, ἀδελφοί, ... (8,1); ἦν δὲ γεγραμμένα ταῦτα (6,1). Zum Unterschied von den metakommunikativen Sätzen *brauchen* die Substitutionen auf Metaebene ,,keinen Bezugspunkt für personale, lokale und temporale Deixis zu bilden“[48], und damit auch keine Thematisierung eines Kommunikationsaktes zu implizieren. Das Analogon dieses textinternen Merkmals im textexternen Bereich kann demzufolge sowohl pragmatischer als auch semantischer Art sein.

Da in der Hierarchie die Gliederungsmerkmale auf Metaebene einen höheren Rang als andere einnehmen, muß die Substitution auf Metaebene der zweiten Stelle in dieser Hierarchie zugewiesen werden. Diese Einstufung hat auch zur Folge, daß ,,ein Text – gleich welcher Textsorte – zusammen mit der Rede über diesen als ein einziges Textganzes konzipiert werden“ kann[49].

Die Substitution auf Metaebene kann sowohl anaphorische (... ἀνεμνήσθην τῆς περυσινῆς ὁράσεως [5,1]; μνημονεύετε τὰ προγεγραμμένα [24,6]) als auch kataphorische (ὅρασις β΄ [5,1]; ὅρασις γ΄ [9,1]; ὅρασις δ΄

---

43 Vgl. dazu z.B. Gülich/Raible 1977, 115–127, bes. 126f.

44 Gülich/Raible 1977, 44; vgl. Raible 1972, 150f.

45 Gülich/Raible 1977a, 141.

46 Raible 1972, 211; Gülich 1976, 236–243.

47 S. bes. Raible 1972, 10–13; vgl. Gülich 1976, 244; Große 1976, 20.

48 Gülich/Raible 1977a, 141.

49 Gülich/Raible, ibid.

[22,1]) Wirkung haben und folglich nicht nur am Anfang, sondern auch innerhalb bzw. am Ende eines Textganzen, u. zw. vorwiegend am Anfang eines Teiltextes, stehen[50].

Da, wie wir sahen, die Substitutionen auf Metaebene aus metakommunikativen Nomina bzw. Verben bestehen, ist es nicht immer möglich, zwischen einem metakommunikativen Satz und Substitution auf Metaebene zu unterscheiden. In solchen Fällen können sie unter eine Gruppe metakommunikativer Ausdrücke subsumiert werden[51].

Die Funktion der Substitution auf Metaebene bzw. des Präsignals ist die Delimitierung von Textganzem in Teiltexte ersten und gegebenenfalls zweiten Grades einerseits[52], und die Information an die Adressaten über die Funktion des Textes, u. zw. in den meisten Fällen mittels Angabe der Schreibweise/Textsortenklasse, Gattung/Textsorte bzw. Subgattung/Subtextsorte andererseits. Letzterer Aspekt wird vor allem von Große hervorgehoben, der betont, daß „das Präsignal für die Bestimmung der Textfunktion ausschlaggebend" ist[53].

Von der Substitution auf Metaebene zu unterscheiden ist, wie bes. W. Raible gezeigt hat, die *Substitution auf Abstraktionsebene*[54]. Damit ist ein Typ von Wiederaufnahme gemeint, „bei welcher das Substituens einen größeren Bedeutungsumfang hat als das Substituendum" allerdings ohne auf einer Metaebene im Verhältnis zum ersetzten Textabschnitt zu stehen[55]; diese Ebene der Abstraktion stellt nämlich „eine – stets relative – *Zwischenstufe* zwischen den beiden Polen Text und Metatext bzw. Metasprache dar"[56]. Es handelt sich hierbei um eine Reduktion von Texten, Teiltexten bzw. Sätzen durch ein Abstractum[57] mitunter in Verbindung mit einem „Verb des Aufhörens"[58] (**ἐτέλεσεν οὖν** *τὴν ἐξήγησιν τοῦ πύργου* [15,4]; **τῇ πρώτῃ** (**ἑτέρᾳ** oder **δευτέρᾳ, τρίτῃ**) *ὁράσει* [19,3 ff.]), durch „Substituentia für den vorhergehenden Satz bzw. dessen Verb" des öfteren in Verbindung mit einem Verb des Aufhörens und/oder einem gleichwertigen Präpositionsausdruck bzw. temporalen Nebensatz[59] (**μετὰ τὸ λαλῆσαι αὐτὴν** *τὰ ῥήματα ταῦτα* [2,1]; **μετὰ τὸ παῆναι αὐτῆς** *τὰ ῥήματα ταῦτα* [3,3]), durch Substituentia in Form von Pronomina bzw. pronominalen Formen für einen

---

50 Vgl. Gülich/Raible 1977a, 141, 151; Gülich 1976, 245; Große 1976, 21.

51 Vgl. Gülich 1976, 242 Anm. 35; Großes „Präsignal" gehört beiden Kategorien an (1976, s. v.).

52 S. z. B. Gülich/Raible 1977a, 151.

53 Große 1976, 20 f., 59, 72; das Zitat findet sich auf S. 21; Gülich 1976, 236 und 239.

54 S. Raible 1971, 307 f.; bes. aber Raible 1972, 150 f., 194–203; Porzig 1942: „Namen für Satzinhalte"; Zur Unterscheidung der drei Substitutionsebenen s. Raible 1972, 194.

55 Gülich/Raible 1977a, 142; Raible 1972, 150.

56 Raible, 1972, 13 (meine Hervorhebung); vgl. den ganzen Abschnitt ibid., 13–21.

57 Wo nichts anderes angegeben wird, entstammen die Zitate Raible 1972, 195–203.

58 Porzig 1942, 46–55.

59 Vgl. „diese Rede", „diese Nachricht", „diese Deutung" etc. Raible 1972, 196 f.; Große 1976, 63 mit Anm. 39; Kallmeyer et alii 1977, 232 f.

vorhergehenden Teiltext oder Satz zuweilen in Verbindung mit Verben des Berichtens[60], die öfters in Vergangenheitstempora o. ä. stehen, um die Abgeschlossenheit der Substituenda hervorzuheben (*ταῦτα* εἴπασα... [10,3]; δείξασά μοι *ταῦτα* ... [11,1]; ὅτε οὖν ἐπαυσάμην ἐρωτῶν αὐτὴν *περὶ πάντων τούτων* [16,1]; *ταῦτα* εἴπασα ἀπῆλθεν [24,7]), durch gewisse Adverbien bzw. Konjunktionen wie ,,dadurch", ,,darin", ,,daraus", ,,deswegen" etc.[61] (ἀλλ' οὐχ *ἕνεκα τούτου* [3,1]; *διὰ τοῦτο* [3,1; 23,4]; *περὶ τούτων* [18,6]) und schließlich durch ein Verb auf Abstraktionsebene vom Typ engl. *to do,* deutsch *tun,* das ein anderes Verb ersetzt (vgl. *τοῦτο ποίει* καὶ ζήσῃ [Lk 10,28])[62]; Im Visionenbuch nur vertreten durch andere, weniger abstrakte Verben auf Abstraktionsebene in Verbindung mit Verben des Aufhörens in einem temporalen Nebensatz (ὅτε οὖν ἐτέλεσεν *ἀναγινώσκουσα* ... [4,1]; ὅτε οὖν ἐπαύσατο μετ' ἐμοῦ *λαλοῦσα,* ...[18,1]). Auch diese Substitutionsart kann gliedernde Funktion haben, jedoch nicht an zweiter Stelle der Hierarchie der Gliederungsmerkmale[63]. Zur delimitierenden Funktion dieses Merkmals im Visionenbuch s. die Analyse unten § III.2.2.

2.2.2.3. *Gliederungsmerkmale mit textexternem Analogon außerhalb der Metaebene*

2.2.2.3.1. *Veränderung in der Weltstruktur* [3][64]. Bei Texten, deren Denotatum von einem Übergang von einer Welt in eine andere Welt gekennzeichnet ist, folgt auf der dritten Hierarchiestufe die Weltstrukturveränderung. Diese Feststellung hat zur Folge, daß unter den Gliederungsmerkmalen mit textexternem Analogon außerhalb der Metaebene die Veränderung in der Weltstruktur in solchen Texten die erste Stellung einnimmt, zumal ,,mögliche Welt" kein ausschließlich semantischer, sondern auch ein pragmatisch-kommunikativer Begriff ist[65].

Die Bedeutung der Weltstrukturveränderung in textlinguistischen Analysemodellen wird u. a. von C. J. Fillmore hervorgehoben, wenn er schreibt: ,,It seems to me that the discourse grammarian's most important task is that of characterizing, on the basis of the linguistic material contained in the discourse under examination, the set of worlds in which the discourse could play a role, together with the set of possible worlds compatible with the message content of the discourse"[66]. In seiner Liste von Koordinaten des

---

60 Porzig 1942, 66–68.

61 Raible 1972, 199 ff., bes. 202 f.; Kallmeyer et alii 1977, 225 f.

62 Vgl. Raible 1972, 14 f., 197 f.

63 Gülich/Raible 1977a, 142.

64 Vgl. die Diskussion oben § 1.2.3.2.

65 Siehe S. J. Schmidt 1973, 238; Schnelle 1973, 237 f.

66 Fillmore 1976, 88.

Bezugspunktes setzt D. Lewis gleichfalls die „*possible world coordinate*" an erste Stelle ein[67].

Zwar erhebt Kl. Heger in seinem Analysemodell das „Prinzip der Neutralität gegenüber jeglichen ontologischen Implikationen" bei textlinguistischen Analysen, aber er sieht auch wie u.a. Fillmore, Lewis und van Dijk, „daß Einheiten, die sich durch die Bezugsetzung auf bestimmte Denotata-Bereiche auszeichnen, nicht ohne eine ausdrückliche Berücksichtigung dieser Bezugsetzung angemessen erfaßt werden können"[68]. Dennoch bewahrt Heger gegenüber vielen Linguisten und Sprachphilosophen die auch von uns erforderte ontologische Neutralität, indem er ausdrücklich daran festhält: „'mögliche' Denotata-Bereiche sind nicht nur irgendwelche 'realen', 'vorstellbaren' oder logisch möglichen Bereiche, sondern umfassen die im Zweifelsfall um einiges größere Menge der Bereiche aller Denotata, über die in natürlichen Sprachen gesprochen werden kann"[69]. Um Mißverständnissen vorzubeugen sei ausdrücklich vermerkt, daß die ontologische Neutralität eines Analysemodells auf keinen Fall die ontologische Neutralität des zu analysierenden Textes oder etwa die Neutralisierung einer vorhandenen impliziten oder bisweilen expliziten Ontologie impliziert. Ganz im Gegenteil! Ausgerechnet die im Text vorhandene Ontologie gilt es, durch die ontologisch neutrale Analysemethode herauszuarbeiten. Dieses Merkmal, das wir „Weltstrukturveränderung" nennen, wird von Heger als „Spezifizierung von Präsuppositionsgefügen" des Ranges 13 in der Version von 1971 und 1974 (=1977), innerhalb des Ranges 10 indessen in der Version von 1976, gekennzeichnet[70].

Wie dieses Merkmal in der praktischen Textanalyse zum Zuge kommt, hat Heger bei der Analyse der Fabel „The Lover and His Lass" von J. Thurber sehr überzeugend zeigen können[71]. Die Weltstrukturveränderung trennt nämlich die Fabelerzählung von ihrem Kommentar, d.h. der „Moral", indem jene der „fiktiven Welt" zugeordnet ist, während diese, die sich explizit an die jeweiligen Leser wendet, der „realen Welt" angehört.

Nun haben allerdings Gülich/Raible gegenüber der Verwendung der text-

---

[67] Lewis 1972, 175 und 213ff.; die anderen Koordinaten in Lewis' Liste sollten hier wenigstens erwähnt werden, weil einige davon auch in unserem System – allerdings unter z. T. anderen Bezeichnungen – an angemessenen Stellen Eingang finden: an zweiter Stelle nennt Lewis „several *contextual coordinates*", die folgende Koordinaten subsumieren: „*time coordinate*", „*place coordinate*", „*speaker coordinate*", „*audience coordinate*", „*indicated-objects coordinate*" und „*previous discourse coordinate*". An dritter Stelle tritt bei Lewis eine „*assignment coordinate*". Vgl. auch Schnelle 1973, 218ff. und bes. 238; ferner Ballmer 1975, 188ff.; Wunderlich 1974, 255–261.

[68] Heger 1976, 317ff.; die Zitate finden sich auf S. 317; vgl. auch S. 35.

[69] Heger 1976, 317f.; vgl. auch oben § 1.2.2. mit Anm. 37 und § 1.2.3.2. mit Anm. 95 und 104.

[70] Vgl. außer den Arbeiten von Heger selber die Diskussion bei Gülich/Raible 1977, bes. die Tabelle S. 145.

[71] Heger 1977, 278.

externen Weltstruktur[72] als Gliederungsmerkmal bei Textanalysen zwei beachtliche Einwände erhoben. Mit dem ersten Einwand, der ,,Gefahr eines Verstoßes gegen das von Heger aufgestellte 'Prinzip der Neutralität gegenüber jeglicher ontologischer Implikation'"[73], haben wir uns oben im § 1.2.3.2. und soeben in diesem § auseinandergesetzt.

Der zweite Einwand richtet sich gegen die unendliche Anzahl möglicher Denotata-Bereiche: ,,wieviele Denotata-Bereiche, soviele Spezifizierungen"[74]. Dies ist jedoch, wie Gülich/Raible selber betonen, eher ein praktisches als ein theoretisches Problem. Dieser Einwand sollte deshalb nicht die Erkenntnis der prinzipiellen Bedeutung des Gliederungsmerkmals Weltstrukturveränderung für die Textlinguistik verschleiern, vor allem nicht in den Fällen, wo diese Veränderung der Weltstruktur im Text selbst explizit durch textinterne Angaben kenntlich gemacht wird (s. u.).

Unter Rücksichtnahme auf den Text des Visionenbuches nehmen wir eine *Reduktion* in der Anzahl möglicher Welten vor, die nicht nur für dieses Textexemplar, sondern für eine ganze Reihe von Texten gleicher Gattung von grundlegender Beschaffenheit ist:

Reduktion von ,,möglichen Welten"	*van Dijks Typen ,,möglicher Welten"*[75]
(1) diesseitige Welt	
(a) faktische Welt	(1) ,,our actual world";
(b) fiktive Welt	(2) ,,a situation where the facts are different from the real or actual facts, but compatible with the postulates (laws, principles, etc.) of the actual world";
(2) jenseitige Welt	(3) ,,worlds with partly or fully different laws of nature, *ie* worlds which are increasingly *dissimilar* to our 'own' world".

Diese Reduktion der Anzahl ,,möglicher Welten" ermöglicht uns, ein handhabbares Kriterium bei der makrostrukturellen Analyse in die Hand zu bekommen, ohne dadurch ins Unendliche zu führen; sie ist außerdem mit der oben zitierten Typenbeschreibung möglicher Welten durch van Dijk durchaus kompatibel[76]; mit Recht stellt van Dijk auch fest, daß ,,our actual world is just one element of a set of possible worlds"[77].

Dieses textexterne Gliederungsmerkmal tritt aber in den meisten Fällen,

---

[72] S. Gülich/Raible 1977, 40 und 56ff., bes. das Falldiagramm S. 56.

[73] Gülich/Raible 1977, 150.

[74] Ibid.

[75] van Dijk 1977, 29f.; vgl. auch das Verfahren der ,,Typologisierung von Sprechsituationen" bei Hempfer 1977, 14–21; s. auch die Darstellung oben im § 1.2.3.2.

[76] Für Texte wie die des Visionenbuches liegt die Weltstrukturveränderung zwischen (1) diesseitiger Welt einerseits und (2) jenseitiger Welt andererseits. Vgl. auch die beispielhafte Kategorisierung möglicher Welten bei Gülich/Raible 1977, 146: ,,'Welt der griechischen Mythologie', 'reale Welt', 'fiktive Welt' etc."

[77] van Dijk 1977, 29.

namentlich bei Texten, die durch einen Übergang von einer Welt in eine andere Welt gekennzeichnet sind, in Kombination mit anderen, textinternen Merkmalen auf Metaebene (so z.B. ὅρασις; ἀποκαλυφθῆναι) und/oder mit Merkmalen mit textexternem Analogon außerhalb der Metaebene (vor allem lokale Merkmale; Personenkonstellationen) auf bzw. zeichnet diese textinternen Merkmale aus, d.h. diese werden durch ihre jeweilige Weltzugehörigkeit qualifiziert.

Die Unterscheidung verschiedener Welten in einem Text kann für ganze Textgattungen konstitutiv sein[78]. Ein instruktives Beispiel für das Zusammenwirken von *Substitution auf Metaebene* und *Weltstrukturveränderung* in einem Text ist die oben erwähnte Fabel von Thurber und ihre Analyse durch Gülich/Raible einerseits und Heger andererseits. Ausgerechnet an der Stelle, wo Gülich/Raible den Gesamttext durch das Lexem 'Moral' in seiner Funktion als Substitution auf Metaebene in zwei Teiltexte ersten Grades delimitieren[79], gliedert Heger denselben Text mit Hilfe desselben Lexems in seiner Funktion als Spezifizierung von Präsuppositionsgefügen[80]. In Hegers Terminologie umfaßt der durch die 'mögliche Welt' spezifizierte Teiltext die Einheit Σ_3^6 bis Σ_{25}^6 und der durch die 'reale Welt' spezifizierte Teiltext die Einheit Σ_{27}^6. Genau derselben Ausdehnung hinsichtlich der beiden Teiltexte ersten Grades ist das Resultat der Analyse von Gülich/Raible. Durch zwei verschiedene Gliederungsmerkmale, die miteinander verschränkt sind, wird derselbe Text gerade an der Stelle delimitiert, wo das gattungsspezifische Element vorliegt. Daß das Merkmal Weltstrukturveränderung dadurch seine Bedeutung in keiner Weise einbüßt, wird einfach durch die Überlegung, daß zuweilen metakommunikative Äußerungen fehlen können, nahegelegt und durch das Fehlen am Anfang der ersten Vision im Visionenbuch des Hermas bestätigt[81]. Sowohl Heger wie Gülich/Raible weisen auf die ,,literarische Konvention der Fabel" bei der Delimitierung hin[82]. ,,An dieser Stelle wird deutlich, daß in einer Textgrammatik auch Texttradition und Gattungstradition berücksichtigt werden müssen", heißt es bei Gülich/Raible, die auch in diesem Zusammenhang Hegers Merkmal 'mögliche Welt' contra 'reale Welt' notieren[83].

Eine andere Verschränkung der Weltstrukturveränderung, diesmal mit einem Gliederungsmerkmal mit textexternem Analogon außerhalb der Metaebene, hat Ballmer beobachtet, wenn er auf ,,einige möglichen *Interrela-*

---

[78] Vgl. Hempfer 1977, 19: ,,Sie (sc. die berichtende Sprechsituation) ist jedoch auch Grundlage spezifischer Textarten wie z.B. des Romans, der Novelle usw."; S. J. Schmidt 1978, 54: ,,It is one of the basic assumptions of communicative text theories ... that texts in social communication always appear as manifestations of a socially recognizable *text-type*."

[79] Gülich/Raible 1977a, 151f.; vgl. auch Raible 1971, 310f.

[80] Heger 1977, 278; vgl. aber auch Heger 1976, 317.

[81] Zur Erklärung dafür s. unten § III.3.2.

[82] Heger 1977, 278.

[83] Gülich/Raible 1977a, 151f.

tionen zwischen Welten und Individuen" aufmerksam macht[84]. Sehr zutreffend formuliert Ballmer das allgemeingültige Prinzip[85] dieser Verschränkung, wenn er schreibt: ,,Es gibt verschiedene *Arten* von Individuen entsprechend solcher *Beziehungen* zu Welten, in denen die Individuen auftreten können, nicht auftreten können oder auftreten müssen"[86]. Weiterhin bemerkt er, ebenso zutreffend, daß ,,Wirkungen und Einflüsse" verschiedener Arten bzw. Gruppierungen von Individuen durch ihre Handlungen mit ihrer jeweiligen Weltstrukturzugehörigkeit aufs engste zusammenhängen[87]. Diese Interrelation von verschiedenen Weltstrukturen und Individuenkonstellationen, in unserem Zusammenhang vorwiegend Personenkonstellationen, ist für die ganze Gattung Apokalypse, wie unten im Kommentar zur Analyse des Visionenbuches zu zeigen ist, von maßgeblicher Signifikanz[88] und spielt auch in den Analysen von Thurber's Fabel bei Heger und Gülich/Raible eine erhebliche Rolle[89].

Wie oben schon erwähnt, ist die *Erreichbarkeits-Relation* zwischen verschiedenen Welten erforderlich, damit Verständigung erzielt werden kann[90]. Diese *Erreichbarkeits-Relation* aber kann formal als reflexiv/irreflexiv, symmetrisch/asymmetrisch oder transitiv/intransitiv bestimmt werden[91]. Die *Erreichbarkeits-Relation* zwischen der jenseitigen und der diesseitigen Welt im Visionenbuch ist als asymmetrische Relation zu bestimmen, die für alle Textexemplare der Gattung Apokalypse ihre Gültigkeit besitzt[92]. Diese Asymmetrie in der Relation der verschiedenen Welten spielt für Texte apokalyptischer Gattung eine durchaus konstitutive Rolle[93]

2.2.2.3.2. *Episoden-, Iterations- und Nachfolgemerkmale* [4][94]. Bei Texten, deren Denotatum innerhalb des Rahmens von Zeit und Raum gekennzeichnet ist, folgen auf der vierten Hierarchiestufe die Episoden-, Iterations- bzw. Nachfolgemerkmale. Damit ergibt sich für solche Texte, daß unter den Gliederungsmerkmalen mit textexternem Analogon außerhalb der Metaebene, die Episoden-, Iterations- und Nachfolgemerkmale die zweite

---

[84] Ballmer 1975, 190 (Hervorhebung von mir); vgl. aber auch Stalnaker 1974, 151 und van Dijk 1977, 31 f.

[85] Die Allgemeingültigkeit dieses Prinzips zeigen Ballmers Beispiele deutlich.

[86] Ibid.

[87] Ballmer 1975, 191.

[88] S. unten § III.3.2.

[89] Heger 1977, 278, 302; Gülich/Raible 1977a, 152.

[90] van Dijk 1977, 30 f., 94; Allwood et alii 1977, 113.

[91] Menne 1973, 115 f.; Allwood et alii 1977, 88 ff.

[92] Selbst in Bezug auf das Verhältnis zwischen Autor und Leser eines Einzeltextes gilt – allerdings weniger ausgeprägt – die Asymmetrie; vgl. Gülich 1976, 227.

[93] Zum Verhältnis von ,,Präsuppositionen" und ,,mögliche Welten" s. oben § 1.2.3.3.3.

[94] Gülich/Raible 1977 a, 143 f., 152 ff.; 1975 a, 156 f., 168 ff.; Raible 1971, 305–310; Genette 1972, 145 ff.; Gülich 1976, 242 ff.; vgl. auch die Behandlung der temporalen und lokalen Deixis oben in § 1.2.3.3.3.

Stelle einnehmen. Die Einordnung dieser Merkmale an dieser Stelle ist auch in Übereinstimmung mit der Koordinatenliste bei Lewis, in welcher ,,time coordinate" und ,,place coordinate" nach dem ,,possible world coordinate" erscheinen[95]. Diese Koordinate, die bei Unveränderlichkeit kohärenzbildende Faktoren sind, zeichnen sich bei Veränderung dagegen als Delimitationsmerkmale aus [96]. Nun können solche Merkmale Einmaligkeit oder Mehrmaligkeit anzeigen: jene werden Episodenmerkmale genannt, da sie abgegrenzte Episoden gliedern; diese werden Iterationsmerkmale genannt, da sie Wiederholung angeben[97]. Beide Merkmale sind sowohl temporaler als auch lokaler Art und ,,die Signale, welche die Ortsbefindlichkeit thematisieren, sind denjenigen Signalen, welche die Zeitbefindlichkeit bezeichnen nicht etwa untergeordnet, sondern grundsätzlich gleichwertig", korrigieren Gülich/Raible jetzt ihren früheren Standpunkt[98]. Diese Stellungnahme bestätigt sich durch die Ergebnisse unserer eigenen Untersuchung.

Beispiele temporaler Episodenmerkmale im Visionenbuch sind etwa μετὰ πολλὰ ἔτη (1,1); μετὰ χρόνον τινὰ (1,2); κατὰ τὸν καιρὸν ὃν καὶ πέρυσι (5,1); αὐτῇ τῇ νυκτί (9,2); μετὰ ἡμέρας εἴκοσι τῆς προτέρας ὁράσεως τῆς γενομένης (22,1); lokale Episodenmerkmale sind u. a. εἰς Ῥώμην (1,1); εἰς τὸν ποταμὸν τὸν Τίβεριν (1,2); εἰς Κούμας (5,1); ἐν τῷ οἴκῳ μου (8,2); εἰς τὸν ἀγρόν (9,4); εἰς ἀγρὸν τῇ ὁδῷ τῇ Καμπανῇ (22,2)[99].

Diese absoluten Merkmale delimitieren Texte bis sie ausdrücklich aufgehoben werden. Ein bedeutsames Merkmal der Episodenmerkmale in narrativen Texten ist, daß sie meistens unpräzise sind; d. h. sie lokalisieren die Geschehnisse in irgend einer Zeit, ,,die nicht identisch ist mit der aktuellen Kommunikationssituation. Die wichtigste Funktion einleitender Episodenmerkmale besteht also darin, eine Distanzierung zur aktuellen . . . Kommunikationssituation zu bewirken"[100].

Es kommen aber nicht nur absolute sondern auch relative Episoden- bzw. Iterationsmerkmale vor, die eigentlich Nachfolgemerkmale sind vom Typ: 'darauf', 'danach', 'plötzlich'[101]. Diese Nachfolgemerkmale gliedern Teiltexte, die durch Episodenmerkmale delimitiert sind, in weitere Teiltexte. Oft finden sich die zeitlichen Nachfolgemerkmale in Kombination mit örtlichen. Örtliche Nachfolgemerkmale sind solche, die lediglich eine Veränderung innerhalb der absoluten Ortsbefindlichkeit anzeigen. Als Gliederungsmerkmal auf einer höheren Stufe als das der ,,Handlungsträger" dient

---

[95] Lewis 1972, 175; s. ferner oben Anm. 67; vgl. v. Dijk 1972, 290.

[96] S. oben § 1.2.3.2.3. mit Anm. 137.

[97] Gülich/Raible 1977, 143 geben als Beispiel die Unterscheidung zwischen ,,als er kam" und ,,wenn er kam" an.

[98] Gülich/Raible1979, VIII; vgl. aber schon 1977a, 143.

[99] Mehrere von diesen Merkmalen, bes. die Präpositionsausdrücke sind nur in ihrem Zusammenhang als absolute Episodenmerkmale aufzufassen; vgl. Gülich/Raible 1977a, 143 Anm. 25.

[100] Gülich 1976, 247.

[101] Gülich/Raible 1977a, 143f.; Gülich 1976, 243, 250.

jenes allerdings nur in Verbindung mit diesem. Ansonsten ist es ihm untergeordnet.

Zeitliche Nachfolgemerkmale sind außer den oben genannten u. a. 'dann', 'sofort', 'während'. Im Hermastext ist ein Nachfolgemerkmal außerdem oft durch ein temporal zu deutendes *participium coniunctum* bzw. *genitivus absolutus* gekennzeichnet: διαβὰς οὖν τὸν ποταμὸν ἐκεῖνον (1,3); ἐλθὼν οὖν εἰς τὸν τόπον (5,2); προσευχομένου δέ μου ... (1,4); ταῦτά μου συμβουλευομένου καὶ διακρίνοντος ... (2,2). Lokale Nachfolgemerkmale sind in den meisten Fällen von den temporalen abhängig und treten als Nachfolgemerkmale nur in Verbindung mit diesen in Erscheinung; formal sind sie den lokalen Episodenmerkmalen gleich: ἦλθον εἰς τὰ ὁμαλά (1,3); zu 5,2 siehe gleich oben; in seinem Kontext bes. instruktiv ist 9,4: ἐγενόμην οὖν, ..., εἰς τὸν ἀγρόν, καὶ συνώψισα τὰς ὥρας, καὶ ἦλθον εἰς τὸν τόπον und καὶ εἴς τινα τόπον τοῦ ἀγροῦ ἀναχωρήσας (5,4).

2.2.2.3.3. *Veränderung im Auftreten und in der Gruppierung von Handlungsträgern* [5][102]. In solchen Texten, die sich auf Personen bzw. Personenkonstellationen beziehen und dazu gehören Erzähltexte, folgt auf der fünften Stufe die Veränderung im Auftreten und in der Gruppierung der Handlungsträger. Dies hat zur Folge, daß unter den Gliederungsmerkmalen mit textexternem Analogon die Veränderung der Handlungsträger an dritter Stelle erscheint. Auch bei Lewis folgen auf die Zeit- und Ortskoordinaten die „speaker coordinate" und die „audience coordinate"[103]. Hinsichtlich des Status der Handlungsträger soll gelten:

(1) Unabhängig davon, ob es sich bei den Handlungsträgern um diesseitige oder jenseitige Gestalten handelt, wollen wir von Personen sprechen[104].

(2) Unabhängig davon, welche Handlungsrolle eine Person innehat, ob handelnde (Agens) oder von der Handlung betroffene (Patiens) soll von Handlungsträgern die Rede sein.

(3) Rein passive Personen, die in der Handlung, die sich zwischen Autor und Offenbarungsträgern ausspielt, auftreten (z.B. 9,6), werden durch HT(P) gekennzeichnet und bei der Textdelimitation nicht berücksichtigt.

Eine Veränderung in der Gruppierung der Handlungsträger ist immer dann vorhanden, wenn gewisse Personen in der Erzählung neu bzw. wieder auftauchen oder aus der Erzählung zum ersten Mal bzw. erneut verschwinden.

Im Zusammenhang mit der Veränderung in der Gruppierung der Handlungsträger ist es von Bedeutung, daß oft verschiedene Personen zu einer

---

102 Gülich/Raible 1977 a, 144, 155; 1975 a, 172; Gülich 1976, 225. Vgl. auch das oben § 1.2.3.3.3. zur personalen Deixis Ausgeführte.

103 S. oben Anm. 95.

104 Vgl. das ähnliche Verfahren bei Gülich/Raible im Hinblick auf Menschen und Tiere als Handlungsträger in der Fabel von Thurber.

Gruppe oder 'Partei' zusammengefaßt werden können. Dabei ist zu bemerken, daß beim Wechsel in der Konstellation der Handlungsträger, der Wechsel zwischen den Gruppen oder 'Parteien' primärer Bedeutung, die Veränderung innerhalb der einzelnen Gruppen erst sekundärer Bedeutung zukommt. Z.B. fassen wir diesseitige Personen wie der Ziehvater, Hermas und Rhode einerseits, Hermas, seine Frau, seine Kinder und alle Heiligen andererseits, und jenseitige Personen, wie die erhöhte Rhode, die Presbyterin, der Jüngling, die Anrede im Himmelsbrief und die Himmelsstimme (Audition) jeweils zu einer Gruppe zusammen. Die Begründung dafür ist in § 2.2.2.3.1. gegeben worden.

2.2.2.4. *Gliederungsmerkmale ohne direktes textexternes Analogon*

2.2.2.4.1. *Renominalisierung* [6][105]. Auf die Gliederungsmerkmale mit textexternem Analogon folgen diejenigen Merkmale, die kein direktes Analogon im textexternen Bereich besitzen[106]. Von diesen Merkmalen tritt die Renominalisierung an erste Stelle und ordnet sich als sechstes Merkmal der Hierarchiereihe ein. Dies ergibt sich aus dem Umstand, (1) „daß ein außereinzelsprachlich relevanter Zusammenhang zwischen einer Veränderung in der Konstellation der Handlungsträger und der Renominalisierung zu bestehen scheint"[107] und (2) daß Pronominalisierungen, Substitutionalisierungen und Renominalisierungen im Gegensatz zu Merkmalen der siebenten Stufe, die explizit textintern sind, eine „vermittelnde Referenz", ein mittelbares Analogon im textexternen Bereich haben[108]. Innerhalb von einem Handlungsablauf werden Personen durch verschiedene sprachliche Zeichen im Text kenntlich gemacht. Dabei muß allerdings unterschieden werden „zwischen solchen sprachlichen Bezeichnungen, mit denen eine Person in den Text eingeführt wird und solchen, die zur Wiederaufnahme einer bereits eingeführten Person dienen"[109].

Die Einführung einer Person in den Text geschieht gemeinhin durch Verwendung des unbestimmten Artikels[110], im Griechischen auch durch Null-Artikel, d.h. durch Abwesenheit des Artikels[111]. Bei der Wiederaufnahme

---

[105] Gülich/Raible 1977a, 144–146. Zur Substitutionalisierung s. vor allem Harweg 1968a; Raible 1972, 160ff.; vgl. auch Heger 1977, 287 und ferner § 1.2.3.1.3. mit Anm. 68.

[106] Gülich/Raible 1977a, 137.

[107] Ibid. 146.

[108] S. dazu oben § 1.2.3.2.3.

[109] Gülich/Raible 1977a, 145.

[110] S. dazu oben § 1.2.3.1.3. mit Anm. 66.

[111] Vgl. Apollonios Dyskolos, ΠΕΡΙ ΣΥΝΤΑΞΕΩΣ 11,19ff. [= Grammatici Graeci II: 2,17]. Im Zusammenhang der „Ordnung der Redeteile" wird die Bedeutung vom Wegfall des bestimmten Artikels folgendermaßen erläutert: Denn der Satz ἄνθρωπος ἔπεσεν verlangt keine Rückbeziehung (auf ein vorhergehendes), sondern führt 'den Menschen' zuerst in die Er-

von bereits eingeführten Personen gibt es eine Reihe von Möglichkeiten, mitunter der bestimmte Artikel.

Im Visionenbuch wird die Presbyterin mit Null-Artikel eingeführt: ἦλθεν γυνὴ πρεσβῦτις (2,2); bei der Wiederaufnahme aber wird der bestimmte Artikel gebraucht: ἡ πρεσβυτέρα (5,3; 8,2; 9,1 usw.). Die Wiederaufnahme kann aber auch durch Pronominalisierung z. B. αὐτήν (1,1b et passim), durch Flexionsformen des Verbs z. B λουομένην (1,2a) oder durch Substituentia erfolgen. Ein Beispiel des letzteren ist die Einführung der Frau, an die Hermas verkauft wurde mit Ῥόδῃ τινὶ[112] und die Wiederaufnahme durch τὴν γυναῖκα ἐκείνην in 1,4.

Umgekehrt versteht man unter Renominalisierung die Wiederaufnahme eines Nomens oder Eigennamens im Text, nachdem vorher im Textverlauf eine pronominale Bezeichnung der Person verwendet worden ist, wie z. B. ἡ πρεσβυτέρα in 5,3; 8,2b; 9,2a; 18,6.

Als selbständiges Gliederungsmerkmal tritt die Renominalisierung allerdings nur zusammen mit höherstehenden Gliederungsmerkmalen auf, wie ihre Verwendung im Visionenbuch bestätigt[113].

2.2.2.4.2. *Satz- und Textkonnektoren: Adverbien und Konjunktionen* [7][114]. Das siebente Gliederungsmerkmal in der Hierarchie der Gliederungsmerkmale setzt sich aus Satz- und Textadverbien bzw. Satz- und Textkonjunktionen zusammen. Bei diesen Konnektoren, die auf keine textexterne Analoga referieren, sondern hauptsächlich textintern sind, handelt es sich um Merkmale mit satz- bzw. teiltextverknüpfender Funktion.

Sie delimitieren ausschließlich Sätze bzw. Teiltexte höheren Grades, kommen aber oft zusammen mit Gliederungsmerkmalen niedrigerer Stufe vor. Einige Beispiele aus dem Visionenbuch sind: οὖν, δέ, καί, ἀλλά und γάρ.

Wie Dressler zurecht hervorhebt, leisten solche Konnektoren für die Textdelimitierung auf der einen Seite, aber auch für die Kohärenzherstellung auf der anderen Seite, viel weniger als die pragmatisch-kommunikativen und semantisch-referenziellen Merkmale[115]. Diesem Tatbestand wurde, in Übereinstimmung mit den metatheoretischen Überlegungen oben in § 1.2., insofern Rechnung getragen, als dieses Gliederungsmerkmal zusammen mit dem ersten Merkmal ohne textexternes Analogon, nämlich die Renominalisierung, nach denen mit textexternen Analoga innerhalb oder außerhalb der Metaebene in die Hierarchie der Gliederungsmerkmale eingeordnet wurde.

---

zählung ein" (Übersetzung nach Buttmann 1877, 9). S. die weiteren Beispiele bei Raible 1972, 62 Anm. 83. Zum Terminus Null-Artikel. s. Weinrich 1974, 269, 283, 285; Kallmeyer et alii 1977, 236 f.

[112] Vgl. Dibelius 1923, 426: „Die Frau ist nicht als bekannt vorausgesetzt s. τινι".

[113] Für eine eingehendere Diskussion s. die in Anm. 105 angegebene Literatur.

[114] Gülich/Raible 1977 a, 147, 156 f.; Dressler 1973, 66–71.

[115] Dressler, ibid., 71.

III. MAKROSTRUKTURELLE TEXTANALYSE DES VISIONENBUCHES

In diesem dritten Teil sollen nun die Ergebnisse der theoretischen Vorüberlegungen an einem konkreten Text teils als Exemplifizierung einer historischen Gattung Apokalypse auf der *Langage*- bzw. *Langue*-Ebene teils als Textexemplar *per se* auf der *Parole*-Ebene erprobt werden, um dem Erfordernis einer Dialektik von deduktivem und induktivem Vorgehen gerecht zu werden.

1. Der Text des Visionenbuches (1,1–24,7=Vis. I–IV)

1.1. Textwahl

Der der Textanalyse vorangestellte Text des Visionenbuches ist *keine Neuedition*[1], sondern soll lediglich der texttheoretischen Analyse dienen, oder adäquater: er ist selbst ein Teil dieser Analyse. Als solcher ist er nach Kommunikationsebenen geordnet und in Teiltexte verschiedenen Grades gegliedert[2].

Dabei haben wir, freilich nicht mechanisch, unserer Textwahl die Ausgabe von Whittaker 1967 zugrunde gelegt. An einigen Stellen weichen wir von Whittaker ab und in manchen dieser Fälle wählen wir Lesarten, die von Joly und/oder schon von Hilgenfeld in ihren Ausgaben aufgenommen worden sind[3]; sämtliche Abweichungen vom Whittakerschen Text werden

---

[1] Zur Überlieferung des Hermastextes verweisen wir auf die Einleitungen in den Ausgaben von Gebhardt/Harnack 1877, V–LXXXIV; Hilgenfeld 1881, I–XXXI; Lake 1913, 2–5; Whittaker 1967, IX–XXVI; Joly 1968, 55–68. Vgl. außerdem den methodisch wichtigen Aufsatz von Musurillo 1951, 382–387 und die kanongeschichtlich instruktive Besprechung der Ausgabe von Whittaker durch H. Chadwick 1957, 274–280. S. ferner Dibelius 1923, 416–419; Giet 1963, 47–80; Coleborne 1965, 21–32 und Hilhorst 1976, 15–18.

[2] S. § II.2.2.1. oben und § 3.1. usw. unten.

[3] Joly 1968 hat auf S. 401–405 dankenswerterweise eine Tabelle der Unterschiede zwischen seiner und Whittakers Ausgabe beigegeben. S. ferner das vergleichende Urteil über diese beiden Neueditionen bei Hilhorst 1976, 18; gegenüber dem unvorbehaltlosen Bekenntnis Hilhorsts zum Prinzip der *lectio difficilior* s. unten in den Anmerkungen zum Text; sein Urteil

in den Anmerkungen zum Text ausführlich diskutiert. An einigen wenigen Stellen, wo es bes. nötig erschien, haben wir den Text mit Anmerkungen versehen, obschon wir dem Text von Whittaker folgen; dies gilt bes. für die sog. metakommunikativen Äußerungen (Substitutionen auf Metaebene) bzw. Präsignale[4].

über Jolys 1968, 56 modeste Feststellung ,,il faut reconnaître à Hermas un minimum de talent littéraire" als ,,un cercle vicieux" (ibid.) kann angesichts der unnuancierten Bevorzugung der *lectio difficilior* bei Hilhorst freilich auch umgekehrt werden: Hermas hat kein Talent, also muß dem härtesten Text der Vorzug gegeben werden! Im Blick auf die makrostrukturelle Komposition des Visionenbuches wird man solchen Vorurteilen immer skeptischer gegenüberstehen. Die Frage der literarischen Fähigkeit des Hermas soll in Band II ausführlich diskutiert werden.

[4] S. oben § II.2.2.2.2.2.

1.2. Der Text geordnet nach Kommunikationsebenen und gegliedert in Teiltexte verschiedenen Grades

Zeichenerklärung: TT Ø°, TT 1°, TT 2° usw.: Gliederung in Teiltexte verschiedenen Grades;
Ø.: Nullte Kommunikationsebene und zugleich Metaebene für die erste Kommunikationsebene;
1.: Erste Kommunikationsebene (zwischen Autor und Adressaten) und zugleich Metaebene für die zweite Kommunikationsebene;
2.: Zweite Kommunikationsebene (zwischen im Text dargestellten Offenbarungsträgern und dem Autor) und zugleich Metaebene für die dritte Kommunikationsebene;
2a.: Zweite-(a) Kommunikationsebene (zwischen im Text dargestellten Offenbarungsträgern und den Adressaten);
3.: Dritte Kommunikationsebene (zwischen im Text zitierten Buchoffenbarungen und dem Autor) und zugleich Metaebene für die vierte Kommunikationsebene;
3a.: Dritte-(a) Kommunikationsebene (zwischen im Text zitierten Buchoffenbarungen und den Adressaten);
4.: Vierte Kommunikationsebene (zwischen in der Buchoffenbarung zitierten Aussagen Gottes bzw. eines [apokryphen] Prophetenbuches und den Adressaten) und zugleich Metaebene für eine mögliche fünfte Kommunikationsebene.

Findet sich ein Abschnitt zwischen zwei Spalten, handelt es sich um einen Abschnitt, der nicht eindeutig einer der sieben Kommunikationsebenen zugeordnet werden kann: Indirekte Rede z.B. gehört teils zur ersten, teils zur zweiten Kommunikationsebene usw; Anrede an den Autor in zweiter Person Plural gehört teils zur zweiten, teils zur zweiten-(a) Kommunikationsebene. Steht ein Passus in einer Kommunikationsebene eingerückt, handelt es sich um ein Selbstgespräch (= einen inneren Monolog) bzw. um Anrede an Personen, die auf den verschiedenen Kommunikationsebenen nicht thematisiert sind.
S p e r r u n g zeigt Verallgemeinerung der Adressaten bzw. Vereinzelung des Autors an.
* gibt semantische Präsupposition an.

TT Ø° TT 1° TT 2° TT 3° TT 4° TT 5° TT 6°	Ø.	1.	2.	2a.	3.	3a.	4.
0	[ΠΟΙΜΗΝ][1]						
		[...][2]					
1, 1.1		(1,1) ῾Ο θρέψας με πέπρακέν με ῾Ρόδῃ τινὶ εἰς ῾Ρώμην·					
1.2		μετὰ πολλὰ ἔτη ταύτην ἀνεγνωρισάμην καὶ ἠρξάμην αὐτὴν ἀγαπᾶν ὡς ἀδελφήν.					
1.3, 1.3.1		(2) μετὰ χρόνον τινὰ λουομένην εἰς τὸν ποταμὸν τὸν Τίβεριν εἶδον καὶ ἐπέδωκα αὐτῇ τὴν χεῖρα καὶ ἐξήγαγον αὐτὴν ἐκ τοῦ ποταμοῦ.					
1.3.2		ταύτης οὖν ἰδὼν τὸ κάλλος διελογιζόμην ἐν τῇ καρδίᾳ μου λέγων· Μακάριος ἤμην, εἰ τοιαύτην γυναῖκα εἶχον καὶ τῷ κάλλει καὶ τῷ τρόπῳ. μόνον τοῦτο ἐβουλευσάμην, ἕτερον δὲ					

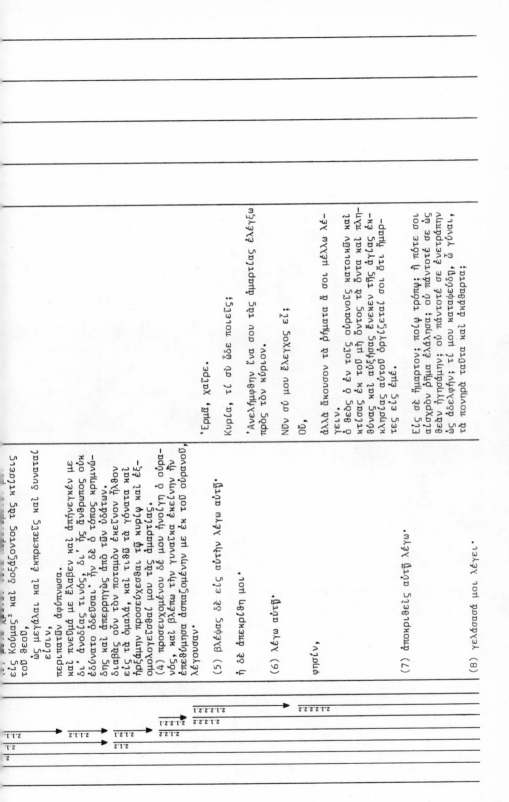

2.1.1.1	εἰς Κούμας[3] καὶ δοξάζοντος τὰς κτίσεις τοῦ θεοῦ, ὡς μεγάλαι καὶ ἐκπρεπεῖς καὶ δυναταί εἰσιν, περιπατῶν ἀφύπνωσα.	
2.1.1.2	καὶ πνεῦμά με ἔλαβεν καὶ ἀπήνεγκέν με δι' ἀνοδίας τινός, δι' ἧς ἄνθρωπος οὐκ ἐδύνατο ὁδεῦσαι· ἦν δὲ ὁ τόπος κρημνώδης καὶ ἀπερρηγὼς ἀπὸ τῶν ὑδάτων.	
2.1.2 / 2.1.2.1	διαβὰς οὖν τὸν ποταμὸν ἐκεῖνον ἦλθον εἰς τὰ ὁμαλά, καὶ τιθῶ τὰ γόνατα καὶ ἠρξάμην προσεύχεσθαι τῷ κυρίῳ καὶ ἐξομολογεῖσθαί μου τὰς ἁμαρτίας.	
2.1.2.2 / 2.1.2.2.1	(4) προσευχομένου δέ μου ἠνοίγη ὁ οὐρανός, καὶ βλέπω τὴν γυναῖκα ἐκείνην ἣν ἐπεθύμησα ἀσπαζομένην με ἐκ τοῦ οὐρανοῦ, λέγουσαν·	Ἑρμᾶ, χαῖρε.
2.1.2.2.2 / 2.1.2.2.2.1	(5) βλέψας δὲ εἰς αὐτὴν λέγω αὐτῇ·	Κυρία, τί σὺ ὧδε ποιεῖς;
	ἡ δὲ ἀπεκρίθη μοι·	Ἀνελήμφθην ἵνα σου τὰς ἁμαρτίας ἐλέγξω πρὸς τὸν κύριον.
	(6) λέγω αὐτῇ·	Νῦν σύ μου ἔλεγχος εἶ;
2.1.2.2.2.2	φησίν,	Οὔ, ἀλλὰ ἄκουσον τὰ ῥήματα ἅ σοι μέλλω λέγειν. ὁ θεὸς ὁ ἐν τοῖς οὐρανοῖς κατοικῶν καὶ κτίσας ἐκ τοῦ μὴ ὄντος τὰ ὄντα καὶ πληθύνας καὶ αὐξήσας ἕνεκεν τῆς ἁγίας ἐκκλησίας αὐτοῦ ὀργίζεταί σοι ὅτι ἥμαρτες εἰς ἐμέ.
	(7) ἀποκριθεὶς αὐτῇ λέγω·	Εἰς σὲ ἥμαρτον; ποίῳ τρόπῳ; ἢ πότε σοι αἰσχρὸν ῥῆμα ἐλάλησα; οὐ πάντοτέ σε ὡς θεὰν ἡγησάμην; οὐ πάντοτέ σε ἐνετράπην ὡς ἀδελφήν; τί μου καταψεύδῃ, ὦ γύναι, τὰ πονηρὰ ταῦτα καὶ ἀκάθαρτα;
	(8) γελάσασά μοι λέγει·	

TT Ø° TT 1° TT 2° TT 3° TT 4° TT 5° TT 6°	Ø.	1.	2.	2a.	3.	3a.	4.
		φησίν.	'Επὶ τὴν καρδίαν σου ἀνέβη ἡ ἐπιθυμία τῆς πονηρίας. ἢ οὐ δοκεῖ σοι ἀνδρὶ δικαίῳ πονηρὸν πρᾶγμα εἶναι ἐὰν ἀναβῇ αὐτοῦ ἐπὶ τὴν καρδίαν ἡ πονηρὰ ἐπιθυ- μία; ἁμαρτία γέ ἐστιν καὶ μεγάλη,				
			ὁ γὰρ δίκαιος ἀνὴρ δίκαια βουλεύεται. ἐν τῷ οὖν δίκαια βουλεύεσθαι αὐτὸν κατορθοῦται ἡ δόξα αὐτοῦ ἐν τοῖς οὐρα- νοῖς καὶ εὐκατάλλακτον ἔχει τὸν κύριον ἐν παντὶ πράγματι αὐτοῦ. οἱ δὲ πονηρὰ βουλευόμενοι ἐν ταῖς καρδίαις αὐτῶν θάνατον καὶ αἰχμαλωτισμὸν ἑαυτοῖς ἐπι- σπῶνται, μάλιστα οἱ τὸν αἰῶνα τοῦτον περιποιούμενοι καὶ γαυριῶντες ἐν τῷ πλούτῳ αὐτῶν καὶ μὴ ἀντεχόμενοι τῶν ἀγαθῶν τῶν μελλόντων. (9) μετανοήσου- σιν[4] αἱ ψυχαὶ αὐτῶν, οἵτινες οὐκ ἔχου- σιν ἐλπίδα, ἀλλὰ ἑαυτοὺς ἀπεγνώκασιν καὶ τὴν ζωὴν αὐτῶν. ἀλλὰ σὺ προσεύχου πρὸς τὸν θεόν, καὶ ἰάσεται τὰ ἁμαρτή- ματά σου καὶ ὅλου τοῦ οἴκου σου κ α ὶ π ά ν τ ω ν τ ῶ ν ἁ γ ί ω ν.				
2.1.2.2.3		(2,1) Μετὰ τὸ λαλῆσαι αὐτὴν τὰ ῥήματα ταῦτα ἐκλείσθησαν οἱ οὐρανοί· κἀγὼ ὅλος ἤμην πεφρικὼς καὶ λυπούμενος.					
2.1.3 2.1.3.1		ἔλεγον δὲ ἐν ἐμαυτῷ· Εἰ αὕτη μοι ἡ ἁμαρτία ἀναγράφεται, πῶς δυνήσομαι σωθῆναι; ἢ πῶς ἐξιλάσομαι τὸν θεὸν περὶ τῶν ἁμαρτιῶν μου τῶν τελείων; ἢ ποίοις ῥήμασιν ἐρωτήσω τὸν κύριον ἵνα ἱλατεύσηταί μοι;					
2.1.3.2 2.1.3.2.1		(2) ταῦτά μου συμβουλευομένου καὶ δια- κρίνοντος ἐν τῇ καρδίᾳ μου βλέπω κατ- έναντί μου καθέδραν λευκὴν ἐξ ἐρίων χιονίνων γεγονυῖαν μεγάλην· καὶ ἦλθεν γυνὴ πρεσβῦτις ἐν ἱματισμῷ λαμπροτάτῳ, ἔχουσα βιβλίον εἰς τὰς					

ἀσπάζεταί με	
κἀγὼ λυπούμενος καὶ κλαίων εἶπον·	Ἑρμᾶ, χαῖρε.
	Κυρία, χαῖρε.
(3) καὶ εἶπέν μοι·	Τί στυγνός, Ἑρμᾶ; ὁ μακρόθυμος, ὁ ἀστομάχητος, ὁ πάντοτε γελῶν, τί οὕτως κατηφὴς τῇ ἰδέᾳ καὶ οὐχ ἱλαρός;
κἀγὼ εἶπον αὐτῇ·	Ὑπὸ γυναικὸς ἀγαθωτάτης λεγούσης μοι ὅτι ἥμαρτον εἰς αὐτήν.
(4) ἡ δὲ ἔφη·	Μηδαμῶς ἐπὶ τὸν δοῦλον τοῦ θεοῦ τὸ πρᾶγμα τοῦτο. ἀλλὰ πάντως ἐπὶ τὴν καρδίαν σου ἀνέβη περὶ αὐτῆς. ἔστιν μὲν τοῖς δούλοις τοῦ θεοῦ ἡ τοιαύτη βουλὴ ἁμαρτίαν ἐπιφέρουσα· πονηρὰ γὰρ βουλὴ καὶ ἔκπληκτος εἰς πάνσεμνον πνεῦμα καὶ ἤδη δεδοκιμασμένον, ἐὰν ἐπιθυμήσῃ πονηρὸν ἔργον, καὶ μάλιστα Ἑρμᾶς ὁ ἐγκρατής, ὁ ἀπεχόμενος πάσης ἐπιθυμίας πονηρᾶς καὶ πλήρης πάσης ἁπλότητος καὶ ἀκακίας μεγάλης.
	(3,1) Ἀλλ' οὐχ ἕνεκα τούτου σοι ὀργίζεται ὁ θεός, ἀλλ' ἵνα τὸν οἶκόν σου τὸν ἀνομήσαντα εἰς τὸν κύριον καὶ εἰς ὑμᾶς τοὺς γονεῖς αὐτῶν ἐπιστρέψῃς. ἀλλὰ φιλότεκνος ὢν οὐκ ἐνουθέτεις σου τὸν οἶκον, ἀλλὰ ἀφῆκες αὐτὸν καταφθαρῆναι· διὰ τοῦτο ὀργίζεταί σοι ὁ κύριος· ἀλλὰ ἰάσεταί σου πάντα τὰ προγεγονότα πονηρὰ ἐν τῷ οἴκῳ σου· διὰ γὰρ τὰς ἐκείνων ἁμαρτίας καὶ ἀνομήματα σὺ κατεφθάρης ἀπὸ τῶν βιωτικῶν πράξεων. (2) ἀλλ' ἡ πολυσπλαγχνία τοῦ κυρίου ἠλέησέν σε καὶ τὸν οἶκόν σου καὶ ἰσχυροποιήσει σε καὶ θεμελιώσει σε ἐν τῇ δόξῃ αὐτοῦ. σὺ μόνον μὴ ῥαθυμήσῃς[5], ἀλλὰ εὐψύχει καὶ ἰσχυροποίει σου τὸν οἶκον. ὡς γὰρ ὁ χαλκεὺς σφυροκοπῶν τὸ ἔργον αὐτοῦ περιγίνεται τοῦ πράγματος οὗ θέλει, οὕτω καὶ ὁ

2.1.3.2.2 2.1.3.2.1 2.1.3.2.

TT Ø° – TT 6°	Ø.	1.	2.	2a.	3.	3a.	4.
			λόγος ὁ καθημερινὸς ὁ δίκαιος περιγίνεται πάσης πονηρίας. μὴ διαλίπῃς οὖν νουθετῶν σου τὰ τέκνα· οἶδα γὰρ ὅτι ἐὰν μετανοήσουσιν ἐξ ὅλης καρδίας αὐτῶν, ἐνγραφήσονται εἰς τὰς βίβλους τῆς ζωῆς μετὰ τῶν ἁγίων.				
2.1.3.2.3 / 2.1.3.2.3.1		(3) μετὰ τὸ παῆναι αὐτῆς τὰ ῥήματα ταῦτα λέγει μοι·					
			Θέλεις ἀκοῦσαί μου ἀναγινωσκούσης;				
		λέγω κἀγώ·					
			Θέλω, κυρία.				
		λέγει μοι·					
			Γενοῦ ἀκροατὴς καὶ ἄκουε τὰς δόξας τοῦ θεοῦ.				
2.1.3.2.3.2		ἤκουσα μεγάλων καὶ θαυμαστῶν, ὧν[6] οὐκ ἴσχυσα μνημονεῦσαι· πάντα γὰρ τὰ ῥήματα ἔκφρικτα, ἃ οὐ δύναται ἄνθρωπος βαστάσαι. τὰ οὖν ἔσχατα ῥήματα ἐμνημόνευσα· ἦν γὰρ ἡμῖν σύμφορα καὶ ἥμερα·					
					(4) 'Ιδοὺ ὁ θεὸς τῶν δυνάμεων, ὁ ἀοράτῳ δυνάμει καὶ κραταιᾷ καὶ τῇ μεγάλῃ συνέσει αὐτοῦ κτίσας τὸν κόσμον καὶ τῇ ἐνδόξῳ βουλῇ περιθεὶς τὴν εὐπρέπειαν τῇ κτίσει αὐτοῦ, καὶ τῷ ἰσχυρῷ ῥήματι πήξας τὸν οὐρανὸν καὶ θεμελιώσας τὴν γῆν ἐπὶ ὑδάτων καὶ τῇ ἰδίᾳ σοφίᾳ καὶ προνοίᾳ κτίσας τὴν ἁγίαν ἐκκλησίαν αὐτοῦ, ἣν καὶ ηὐλόγησεν, ἰδοὺ μεθιστάνει τοὺς οὐρανοὺς καὶ τὰ ὄρη καὶ τοὺς βουνοὺς καὶ τὰς θαλάσσας, καὶ πάντα ὁμαλὰ γίνεται τοῖς ἐκλεκτοῖς αὐτοῦ, ἵνα ἀποδοῖ αὐτοῖς τὴν ἐπαγγελίαν, ἣν ἐπηγγείλατο, μετὰ πολλῆς δόξης καὶ χαρᾶς, ἐὰν τηρήσωσιν τὰ νόμιμα τοῦ θεοῦ ἃ παρέλα-		

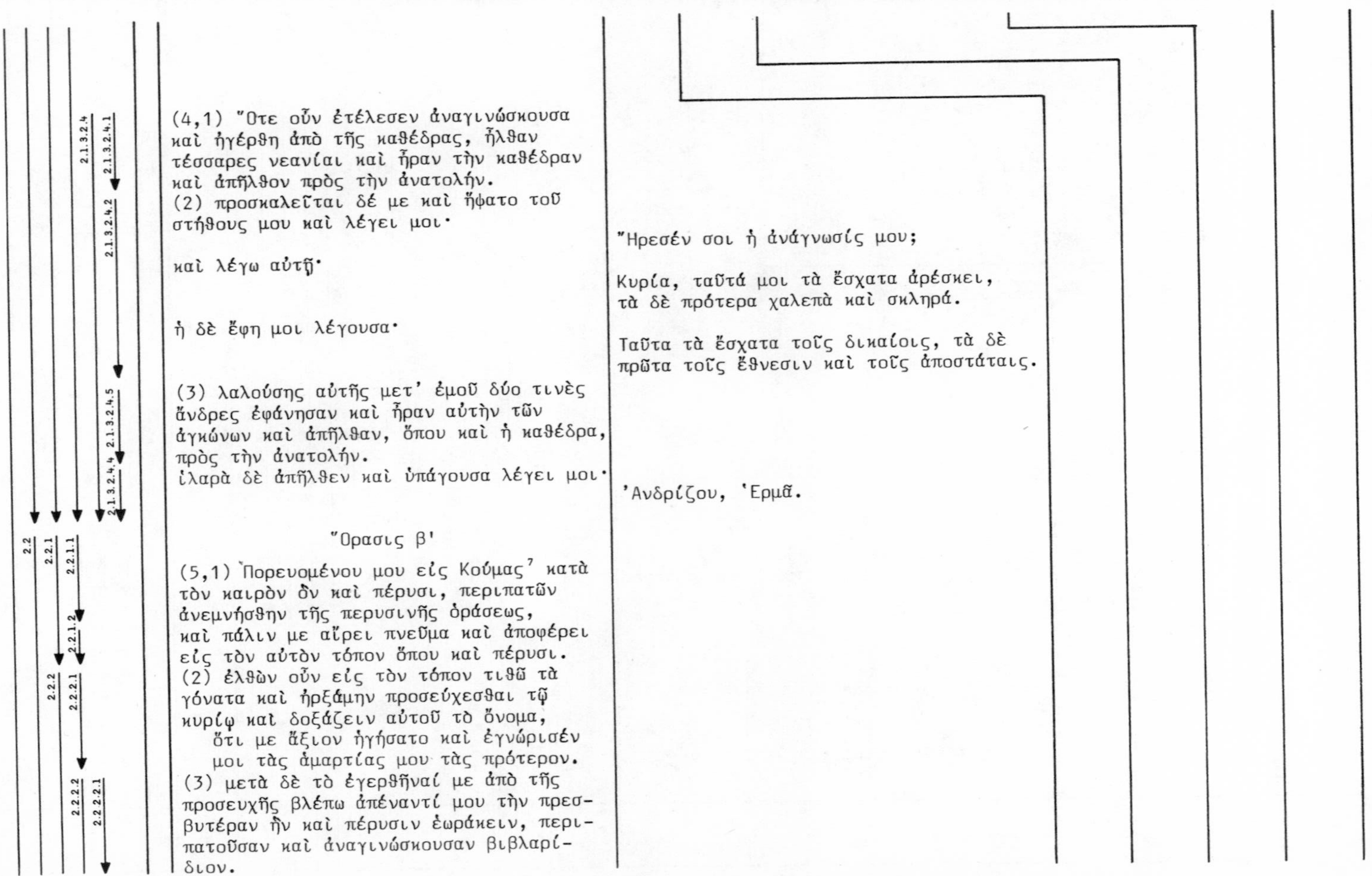

(4,1) Ὅτε οὖν ἐτέλεσεν ἀναγινώσκουσα
καὶ ἠγέρθη ἀπὸ τῆς καθέδρας, ἦλθαν
τέσσαρες νεανίαι καὶ ἦραν τὴν καθέδραν
καὶ ἀπῆλθον πρὸς τὴν ἀνατολήν.
(2) προσκαλεῖται δέ με καὶ ἥψατο τοῦ
στήθους μου καὶ λέγει μοι·

Ἤρεσέν σοι ἡ ἀνάγνωσίς μου;

καὶ λέγω αὐτῇ·

Κυρία, ταῦτά μοι τὰ ἔσχατα ἀρέσκει,
τὰ δὲ πρότερα χαλεπὰ καὶ σκληρά.

ἡ δὲ ἔφη μοι λέγουσα·

Ταῦτα τὰ ἔσχατα τοῖς δικαίοις, τὰ δὲ
πρῶτα τοῖς ἔθνεσιν καὶ τοῖς ἀποστάταις.

(3) λαλούσης αὐτῆς μετ' ἐμοῦ δύο τινὲς
ἄνδρες ἐφάνησαν καὶ ἦραν αὐτὴν τῶν
ἀγκώνων καὶ ἀπῆλθαν, ὅπου καὶ ἡ καθέδρα,
πρὸς τὴν ἀνατολήν.
ἱλαρὰ δὲ ἀπῆλθεν καὶ ὑπάγουσα λέγει μοι·

Ἀνδρίζου, Ἑρμᾶ.

Ὅρασις β'

(5,1) Πορευομένου μου εἰς Κούμας[7] κατὰ
τὸν καιρὸν ὃν καὶ πέρυσι, περιπατῶν
ἀνεμνήσθην τῆς περυσινῆς ὁράσεως,
καὶ πάλιν με αἴρει πνεῦμα καὶ ἀποφέρει
εἰς τὸν αὐτὸν τόπον ὅπου καὶ πέρυσι.
(2) ἐλθὼν οὖν εἰς τὸν τόπον τιθῶ τὰ
γόνατα καὶ ἠρξάμην προσεύχεσθαι τῷ
κυρίῳ καὶ δοξάζειν αὐτοῦ τὸ ὄνομα,
ὅτι με ἄξιον ἡγήσατο καὶ ἐγνώρισέν
μοι τὰς ἁμαρτίας μου τὰς πρότερον.
(3) μετὰ δὲ τὸ ἐγερθῆναί με ἀπὸ τῆς
προσευχῆς βλέπω ἀπέναντί μου τὴν πρεσβυτέραν ἣν καὶ πέρυσιν ἑωράκειν, περι-
πατοῦσαν καὶ ἀναγινώσκουσαν βιβλαρί-
διον.

TT 0° – TT 6°	Ø.	1.	2.	2a.	3.	3a.	4.
2.2.2.2.2		καὶ λέγει μοι·	Δύνῃ ταῦτα τοῖς ἐκλεκτοῖς τοῦ θεοῦ ἀναγγεῖλαι;				
		λέγω αὐτῇ·	Κυρία, τοσαῦτα μνημονεῦσαι οὐ δύναμαι· δὸς δέ μοι τὸ βιβλίδιον ἵνα μεταγράφωμαι αὐτό.				
2.2.2.2.3		φησίν,	Λάβε, καὶ ἀποδώσεις μοι.				
2.2.3		(4) ἔλαβον ἐγώ, καὶ εἴς τινα τόπον τοῦ ἀγροῦ ἀναχωρήσας μετεγραψάμην πάντα πρὸς γράμμα· οὐχ ηὕρισκον γὰρ τὰς συλλαβάς. τελέσαντος οὖν τὰ γράμματα τοῦ βιβλιδίου ἐξαίφνης ἡρπάγη μου ἐκ τῆς χειρὸς τὸ βιβλίδιον· ὑπὸ τίνος δὲ οὐκ εἶδον.					
2.2.4 2.2.4.1		(6,1) Μετὰ δὲ δέκα καὶ πέντε ἡμέρας νηστεύσαντός μου καὶ πολλὰ ἐρωτήσαντος τὸν κύριον ἀπεκαλύφθη μοι ἡ γνῶσις τῆς γραφῆς.					
2.2.4.2 2.2.4.2.1		ἦν δὲ γεγραμμένα ταῦτα·					
2.2.4.2.2 2.2.4.2.2.1					(2) Τὸ σπέρμα σου, Ἑρμᾶ, ἠθέτησαν εἰς τὸν θεὸν καὶ ἐβλασφήμησαν εἰς τὸν κύριον καὶ προέδωκαν τοὺς γονεῖς αὐτῶν ἐν πονηρίᾳ μεγάλῃ καὶ ἤκουσαν προδόται γονέων καὶ προδόντες [8] ὠφελήθησαν, ἀλλὰ ἔτι προσέθηκαν ταῖς ἁμαρτίαις αὐτῶν τὰς ἀσελγείας καὶ συμφυρμοὺς πονηρίας, καὶ οὕτως ἐπλήσθησαν αἱ ἀνομίαι αὐτῶν. (3) ἀλλὰ γνώρισον ταῦτα τὰ ῥήματα τοῖς τέκνοις σου πᾶσιν καὶ τῇ συμβίῳ σου τῇ μελλούσῃ σου ἀδελφῇ· καὶ γὰρ αὕτη οὐκ ἀπέχεται τῆς γλώσσης, ἐν ᾗ πονηρεύεται· ἀλλὰ ἀκούσασα τὰ ῥήματα ταῦτα ἀφέξεται·		

καὶ ἕξει ἔλεος.
(4) μετὰ τὸ γνωρίσαι σε ταῦτα τὰ ῥήματα
αὐτοῖς
ἃ ἐνετείλατό μοι ὁ δεσπότης ἵνα σοι
ἀποκαλυφθῇ,
τότε ἀφίενται αὐτοῖς αἱ ἁμαρτίαι πᾶσαι
ἃς πρότερον ἥμαρτον, κ α ὶ π ᾶ σ ι ν
τ ο ῖ ς ἁ γ ί ο ι ς τ ο ῖ ς ἁ μ α ρ -
τ ή σ α σ ι μέχρι ταύτης τῆς ἡμέρας,
ἐὰν ἐξ ὅλης τῆς καρδίας μετανοήσουσιν
καὶ ἄρωσιν ἀπὸ τῆς καρδίας αὐτῶν τὰς
διψυχίας.
(5) ὤμοσεν γὰρ ὁ δεσπότης κατὰ τῆς
δόξης αὐτοῦ ἐπὶ τοὺς ἐκλεκτοὺς αὐτοῦ·

ἐὰν ὡρισμένης τῆς ἡμέρας ταύτης ἔτι
ἁμάρτησις γένηται, μὴ ἔχειν αὐτοὺς
σωτηρίαν· ἡ γὰρ μετάνοια τοῖς δικαίοις ἔχει τέλος· πεπλήρωνται αἱ ἡμέραι
μετανοίας πᾶσιν τοῖς ἁγίοις·
καὶ τοῖς δὲ ἔθνεσιν μετάνοιά ἐστιν
ἕως ἐσχάτης ἡμέρας.

(6) ἐρεῖς οὖν τοῖς προηγουμένοις τῆς
ἐκκλησίας ἵνα κατορθώσωνται τὰς ὁδοὺς
αὐτῶν ἐν δικαιοσύνῃ, ⁹ ἵνα ἀπολάβωσιν
ἐκ πλήρους τὰς ἐπαγγελίας μετὰ πολλῆς
δόξης·

(7) ἐμμείνατε οὖν οἱ ἐργαζόμενοι τὴν
δικαιοσύνην καὶ μὴ διψυχήσητε, ἵνα
γένηται ὑμῶν ἡ πάροδος μετὰ τῶν ἀγγέλων τῶν ἁγίων.
μακάριοι ὑμεῖς ὅσοι ὑπομένετε τὴν
θλίψιν τὴν ἐρχομένην τὴν μεγάλην καὶ
ὅσοι οὐκ ἀρνήσονται τὴν ζωὴν αὐτῶν.

TT Ø° TT 1° TT 2° TT 3° TT 4° TT 5° TT 6°	Ø.	1.	2.	2a.	3.	3a.	4.
					(8) ὤμοσεν γὰρ κύριος κατὰ τοῦ υἱοῦ αὐτοῦ,		
						τοὺς ἀρνησαμένους τὸν κύριον αὐτῶν ἀπεγνωρίσθαι ἀπὸ τῆς ζωῆς αὐτῶν, τοὺς νῦν μέλλοντας ἀρνεῖσθαι ταῖς ἐρχομέναις ἡμέραις· τοῖς δὲ πρότερον ἀρνησαμένοις, διὰ τὴν πολυσπλαγχνίαν ἵλεως ἐγένετο αὐτοῖς.	
2.2.4.2.2.2					(7,1) Σὺ δέ, Ἑρμᾶ, μηκέτι μνησικακήσῃς τοῖς τέκνοις σου, μηδὲ τὴν ἀδελφήν σου ἐάσῃς, ἵνα καθαρισθῶσιν ἀπὸ τῶν προτέρων ἁμαρτιῶν αὐτῶν. παιδευθήσονται γὰρ παιδείᾳ δικαίᾳ, ἐὰν σὺ μὴ μνησικακήσῃς αὐτοῖς. μνησικακία θάνατον κατεργάζεται. σὺ δέ, Ἑρμᾶ, μεγάλας θλίψεις ἔσχες ἰδιωτικὰς διὰ τὰς παραβάσεις τοῦ οἴκου σου, ὅτι οὐκ ἐμέλησέν σοι περὶ αὐτῶν. ἀλλὰ παρενεθυμήθης καὶ ταῖς πραγματείαις σου συνανεφύρης ταῖς πονηραῖς· (2) ἀλλὰ σώζει σε τὸ μὴ ἀποστῆναί σε ἀπὸ θεοῦ ζῶντος, καὶ ἡ ἁπλότης σου καὶ ἡ πολλὴ ἐγκράτεια· ταῦτα σέσωκέν σε, ἐὰν ἐμμείνῃς, καὶ πάντας σώζει τοὺς τὰ τοιαῦτα ἐργαζομένους καὶ πορευομένους ἐν ἀκακίᾳ καὶ ἁπλότητι. οὗτοι κατισχύσουσιν πάσης πονηρίας καὶ παραμενοῦσιν εἰς ζωὴν αἰώνιον. (3) μακάριοι πάντες οἱ ἐργαζόμενοι τὴν δικαιοσύνην. οὐ διαφθαρήσονται ἕως		

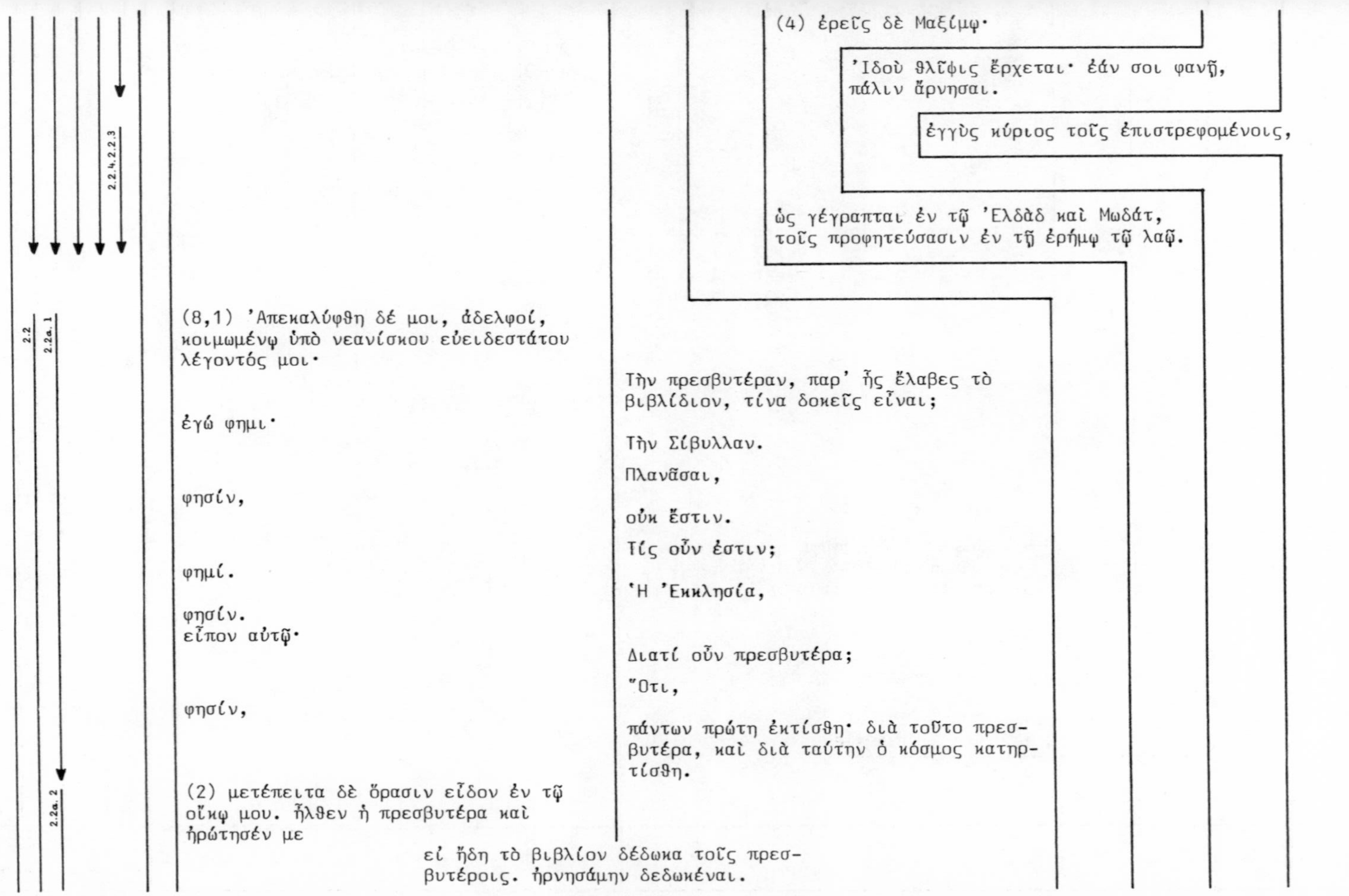

(4) ἐρεῖς δὲ Μαξίμῳ·

'Ιδοὺ θλῖψις ἔρχεται· ἐάν σοι φανῇ, πάλιν ἄρνησαι.

ἐγγὺς κύριος τοῖς ἐπιστρεφομένοις,

ὡς γέγραπται ἐν τῷ 'Ελδὰδ καὶ Μωδάτ, τοῖς προφητεύσασιν ἐν τῇ ἐρήμῳ τῷ λαῷ.

(8,1) 'Απεκαλύφθη δέ μοι, ἀδελφοί, κοιμωμένῳ ὑπὸ νεανίσκου εὐειδεστάτου λέγοντός μοι·

Τὴν πρεσβυτέραν, παρ' ἧς ἔλαβες τὸ βιβλίδιον, τίνα δοκεῖς εἶναι;

ἐγώ φημι·

Τὴν Σίβυλλαν.

Πλανᾶσαι,

φησίν,

οὐκ ἔστιν.

Τίς οὖν ἐστιν;

φημί.

'Η 'Εκκλησία,

φησίν.

εἶπον αὐτῷ·

Διατί οὖν πρεσβυτέρα;

"Οτι,

φησίν,

πάντων πρώτη ἐκτίσθη· διὰ τοῦτο πρεσβυτέρα, καὶ διὰ ταύτην ὁ κόσμος κατηρτίσθη.

(2) μετέπειτα δὲ ὅρασιν εἶδον ἐν τῷ οἴκῳ μου. ἦλθεν ἡ πρεσβυτέρα καὶ ἠρώτησέν με

εἰ ἤδη τὸ βιβλίον δέδωκα τοῖς πρεσβυτέροις. ἠρνησάμην δεδωκέναι.

TT Ø° TT 1° TT 2° TT 3° TT 4° TT 5° TT 6°	Ø.	1.	2.	2a.	3.	3a.	4.
			Καλῶς,				
		φησίν,					
			πεποίηκας· ἔχω γὰρ ῥήματα προσθεῖναι. ὅταν οὖν ἀποτελέσω τὰ ῥήματα πάντα, διὰ σοῦ γνωρισθήσεται τοῖς ἐκλεκτοῖς πᾶσιν. (3) γράφεις οὖν δύο βιβλαρίδια καὶ πέμψεις ἓν Κλήμεντι καὶ ἓν Γραπτῇ. πέμψει οὖν Κλήμης εἰς τὰς ἔξω πόλεις, ἐκείνῳ γὰρ ἐπιτέτραπται. Γραπτὴ δὲ νουθετήσει τὰς χήρας καὶ τοὺς ὀρφανούς. σὺ δὲ ἀναγνώσῃ εἰς ταύτην τὴν πόλιν μετὰ τῶν πρεσβυτέρων τῶν προϊσταμένων τῆς ἐκκλησίας.				
2.3 2.3.1 2.3.1.1		Ὅρασις γ' (9,1) ἣν εἶδον, ἀδελφοί, τοιαύτη.[10] (2) νηστεύσας πολλάκις καὶ δεηθεὶς τοῦ κυρίου ἵνα μοι φανερώσῃ τὴν ἀποκάλυψιν ἥν μοι ἐπηγγείλατο δεῖξαι διὰ τῆς πρεσβυτέρας [ἐκείνης],					
2.3.1.2		αὐτῇ τῇ νυκτί μοι ὦπται ἡ πρεσβυτέρα καὶ εἶπέν μοι·					
			Ἐπεὶ οὕτως ἐνδεὴς εἶ καὶ σπουδαῖος εἰς τὸ γνῶναι πάντα, ἐλθὲ εἰς τὸν ἀγρὸν ὅπου χονδρίζεις, καὶ περὶ ὥραν πέμπτην ἐμφανισθήσομαί σοι καὶ δείξω σοι ἃ δεῖ σε ἰδεῖν.				
		(3) ἠρώτησα αὐτὴν λέγων·					
			Κυρία, εἰς ποῖον τόπον τοῦ ἀγροῦ;				
			Ὅπου,				
		φησίν,					
			θέλεις.				
		ἐξελεξάμην τόπον καλὸν ἀνακεχωρηκότα. πρὶν δὲ λαλῆσαι αὐτῇ καὶ εἰπεῖν τὸν τόπον, λέγει μοι·					
			Ἧξω ἐκεῖ ὅπου θέλεις.				

2.3.2

2.3.2.1

2.3.2.1.1 — 2.3.2.1.2 — 2.3.2.1.3 — 2.3.2.1.4

2.3.2.2

2.3.2.2.1 — 2.3.2.2.2 — 2.3.2.2.2.1

(4) ἐγενόμην οὖν, ἀδελφοί, εἰς τὸν ἀγρόν, καὶ συνώψισα τὰς ὥρας, καὶ ἦλθον εἰς τὸν τόπον ὅπου διεταξάμην αὐτῇ ἐλθεῖν, καὶ βλέπω συμψέλλιον κείμενον ἐλεφάντινον, καὶ ἐπὶ τοῦ συμψελλίου ἔκειτο κερβικάριον λινοῦν, καὶ ἐπάνω λέντιον ἐξηπλωμένον λινοῦν καρπάσινον. (5) ἰδὼν ταῦτα κείμενα καὶ μηδένα ὄντα ἐν τῷ τόπῳ ἔκθαμβος ἐγενόμην, καὶ ὡσεὶ τρόμος με ἔλαβεν, καὶ αἱ τρίχες μου ὀρθαί· καὶ ὡσεὶ φρίκη μοι προσῆλθεν, μόνου μου ὄντος· ἐν ἐμαυτῷ οὖν γενόμενος καὶ μνησθεὶς τῆς δόξης τοῦ θεοῦ καὶ λαβὼν θάρσος, θεὶς τὰ γόνατα ἐξωμολογούμην τῷ κυρίῳ πάλιν τὰς ἁμαρτίας μου ὡς καὶ πρότερον. (6) ἡ δὲ ἦλθεν μετὰ νεανίσκων ἕξ, οὓς καὶ πρότερον ἑωράκειν, καὶ ἐπεστάθη μοι καὶ κατηκροᾶτο προσευχομένου καὶ ἐξομολογουμένου τῷ κυρίῳ τὰς ἁμαρτίας μου. καὶ ἁψαμένη μου λέγει·	Ἑρμᾶ, παῦσαι περὶ τῶν ἁμαρτιῶν σου πάντα ἐρωτῶν· ἐρώτα καὶ περὶ δικαιοσύνης ἵνα λάβῃς μέρος τι ἐξ αὐτῆς εἰς τὸν οἶκόν σου.
(7) καὶ ἐξεγείρει με τῆς χειρὸς καὶ ἄγει με πρὸς τὸ συμψέλλιον, καὶ λέγει τοῖς νεανίσκοις· Ὑπάγετε καὶ οἰκοδομεῖτε. (8) καὶ μετὰ τὸ ἀναχωρῆσαι τοὺς νεανίσκους καὶ μόνων ἡμῶν γεγονότων λέγει μοι·	Κάθισον ὧδε.
λέγω αὐτῇ·	Κυρία, ἄφες τοὺς πρεσβυτέρους πρῶτον καθίσαι.
φησίν,	Ὃ σοι λέγω, Κάθισον.

TT Ø° TT 1° TT 2° TT 3° TT 4° TT 5° TT 6°	Ø.	1.	2.	2a.	3.	3a.	4.
2.3.2.2.2.2		(9) θέλοντος οὖν μου καθίσαι εἰς τὰ δεξιὰ μέρη οὐκ εἴασέν με, ἀλλ' ἐννεύει μοι τῇ χειρὶ ἵνα εἰς τὰ ἀριστερὰ μέρη καθίσω.					
2.3.2.2.2.3		διαλογιζομένου μου οὖν καὶ λυπουμένου ὅτι οὐκ εἴασέν με εἰς τὰ δεξιὰ μέρη καθίσαι,					
		λέγει μοι·					
			Λυπῇ, Ἑρμᾶ; ὁ εἰς τὰ δεξιὰ μέρη τόπος ἄλλων ἐστίν, τῶν ἤδη εὐαρεστηκότων τῷ θεῷ καὶ παθόντων εἵνεκα τοῦ ὀνόματος· σοὶ δὲ πολλὰ λείπει ἵνα μετ' αὐτῶν καθίσῃς· ἀλλὰ ὡς ἐμμένεις τῇ ἁπλότητί σου, μεῖνον, καὶ καθιῇ μετ' αὐτῶν καὶ ὅσοι ἐὰν ἐργάσωνται τὰ ἐκείνων ἔργα καὶ ὑπενέγκωσιν ἃ καὶ ἐκεῖνοι ὑπήνεγκαν.				
			(10,1) Τί,				
		φημί,					
			ὑπήνεγκαν;				
			Ἄκουε,				
		φησίν·					
			μαστίγας, φυλακάς, θλίψεις μεγάλας, σταυρούς, θηρία εἵνεκεν τοῦ ὀνόματος· διὰ τοῦτο ἐκείνων ἐστὶν τὰ δεξιὰ μέρη τοῦ ἁγιάσματος, καὶ ὃς ἐὰν πάθῃ διὰ τὸ ὄνομα· τῶν δὲ λοιπῶν τὰ ἀριστερὰ μέρη ἐστίν. ἀλλὰ ἀμφοτέρων, καὶ τῶν ἐκ δεξιῶν καὶ τῶν ἀριστερῶν καθημένων, τὰ αὐτὰ δῶρα καὶ αἱ αὐταὶ ἐπαγγελίαι· μόνον ἐκεῖνοι ἐκ δεξιῶν κάθηνται καὶ ἔχουσιν δόξαν τινά.				
			(2) σὺ δὲ κατεπιθυμεῖς καθίσαι ἐκ δεξιῶν μετ' αὐτῶν, ἀλλὰ τὰ ὑστερήματά σου πολλά· καθαρισθήσῃ δὲ ἀπὸ τῶν ὑστερημάτων σου· καὶ πάντες δὲ οἱ μὴ διψυχοῦντες καθαρισθήσονται ἀπὸ πάντων τῶν ἁμαρτημάτων εἰς ταύτην τὴν ἡμέραν.				

2.3.2.2.3 2.3.2.2.3.1	(3) ταῦτα εἴπασα ἤθελεν ἀπελθεῖν· πεσὼν δὲ αὐτῆς πρὸς τοὺς πόδας ἠρώτησα αὐτὴν κατὰ τοῦ κυρίου ἵνα μοι ἐπιδείξῃ ὃ ἐπηγγείλατο ὅραμα.	
	(4) ἡ δὲ πάλιν ἐπελάβετό μου τῆς χειρὸς καὶ ἐγείρει με καὶ καθίζει ἐπὶ τὸ συμψέλιον ἐξ εὐωνύμων· ἐκαθέζετο δὲ καὶ αὐτὴ ἐκ δεξιῶν. καὶ ἐπάρασα ῥάβδον τινὰ λαμπρὰν λέγει μοι·	Βλέπεις μέγα πρᾶγμα;
	λέγω αὐτῇ·	Κυρία, οὐδὲν βλέπω.
	λέγει μοι·	Σύ, ἰδοὺ οὐχ ὁρᾷς κατέναντί σου πύργον μέγαν οἰκοδομούμενον ἐπὶ ὑδάτων λίθοις τετραγώνοις λαμπροῖς;
2.3.2.2.3.2	(5) ἐν τετραγώνῳ δὲ ᾠκοδομεῖτο ὁ πύργος ὑπὸ τῶν ἓξ νεανίσκων τῶν ἐληλυθότων μετ' αὐτῆς· ἄλλαι δὲ μυριάδες ἀνδρῶν παρέφερον λίθους, οἱ μὲν ἐκ τοῦ βυθοῦ, οἱ δὲ ἐκ τῆς γῆς, καὶ ἐπεδίδουν τοῖς ἓξ νεανίσκοις. ἐκεῖνοι δὲ ἐλάμβανον καὶ ᾠκοδόμουν· (6) τοὺς μὲν ἐκ τοῦ βυθοῦ λίθους ἑλκομένους πάντας οὕτως ἐτίθεσαν εἰς τὴν οἰκοδομήν· ἡρμοσμένοι γὰρ ἦσαν καὶ συνεφώνουν τῇ ἁρμογῇ μετὰ τῶν ἑτέρων λίθων· καὶ οὕτως ἐκολλῶντο ἀλλήλοις, ὥστε τὴν ἁρμογὴν αὐτῶν μὴ φαίνεσθαι· ἐφαίνετο δὲ ἡ οἰκοδομὴ τοῦ πύργου ὡς ἐξ ἑνὸς λίθου ᾠκοδομημένη. (7) τοὺς δὲ ἑτέρους λίθους τοὺς φερομένους ἀπὸ τῆς ξηρᾶς τοὺς μὲν ἀπέβαλλον, τοὺς δὲ ἐτίθουν εἰς τὴν οἰκοδομήν· ἄλλους δὲ κατέκοπτον καὶ ἔρριπτον μακρὰν ἀπὸ τοῦ πύργου. (8) ἄλλοι δὲ λίθοι πολλοὶ κύκλῳ τοῦ πύργου ἔκειντο καὶ οὐκ ἐχρῶντο αὐτοῖς εἰς τὴν οἰκοδομήν· ἦσαν γάρ τινες ἐξ αὐτῶν ἐφωριακότες, ἕτεροι δὲ σχισμὰς	

TT 0°	TT 1°	TT 2°	TT 3°	TT 4°	TT 5°	TT 6°	Ø.	1.	2.	2a.	3.	3a.	4.
					2.3.2.2.4	2.3.2.2.4.1		ἔχοντες, ἄλλοι δὲ κεκολοβωμένοι, ἄλλοι δὲ λευκοὶ καὶ στρογγύλοι, μὴ ἁρμόζον- τες εἰς τὴν οἰκοδομήν. (9) ἔβλεπον δὲ ἑτέρους λίθους ῥιπτο- μένους μακρὰν ἀπὸ τοῦ πύργου καὶ ἐρχο- μένους εἰς τὴν ὁδὸν καὶ μὴ μένοντας ἐν τῇ ὁδῷ, ἀλλὰ κυλιομένους ἐκ τῆς ὁδοῦ εἰς τὴν ἀνοδίαν· ἑτέρους δὲ ἐπὶ πῦρ ἐμπίπτοντας καὶ καιομένους· ἑτέρους δὲ πίπτοντας ἐγγὺς ὑδάτων καὶ μὴ δυναμέ- νους κυλισθῆναι εἰς τὸ ὕδωρ, καίπερ θελόντων κυλισθῆναι καὶ ἐλθεῖν εἰς τὸ ὕδωρ. (11,1) Δείξασά μοι ταῦτα ἤθελεν ἀπο- τρέχειν.					
								λέγω αὐτῇ·	Κυρία, τί μοι ὄφελος ταῦτα ἑωρακότι καὶ μὴ γινώσκοντι τί ἐστιν τὰ πράγματα;				
								ἀποκριθεῖσά μοι λέγει·	Πανοῦργος εἶ, ἄνθρωπε, θέλων γινώσκειν τὰ περὶ τὸν πύργον.				
									Ναί,				
								φημί,	κυρία, ἵνα τοῖς ἀδελφοῖς ἀναγγείλω, καὶ ἱλαρώτεροι γένωνται, καὶ ταῦτα ἀκού- σαντες γινώσκωσιν τὸν κύριον ἐν πολλῇ δόξῃ.				
								(2) ἡ δὲ ἔφη·	Ἀκούσονται μὲν πολλοί· ἀκούσαντες δέ τινες ἐξ αὐτῶν χαρήσονται, τινὲς δὲ κλαύσονται· ἀλλὰ καὶ οὗτοι, ἐὰν ἀκού- σωσιν καὶ μετανοήσωσιν, καὶ αὐτοὶ χα- ρήσονται. ἄκουε οὖν τὰς παραβολὰς τοῦ πύργου· ἀποκαλύψω γάρ σοι πάντα. καὶ μηκέτι μοι κόπους πάρεχε περὶ ἀποκαλύψεως· αἱ γὰρ ἀποκαλύψεις αὗται τέλος ἔχουσιν·				

	πεπληρωμέναι γάρ εἰσιν. ἀλλ' οὐ παύσῃ αἰτούμενος ἀποκαλύψεις· ἀναιδὴς γὰρ εἶ. (3) ὁ μὲν πύργος, ὃν βλέπεις οἰκοδομούμενον, ἐγώ εἰμι ἡ 'Εκκλησία, ἡ ὀφθεῖσά σοι καὶ νῦν καὶ τὸ πρότερον· ὃ ἂν οὖν θελήσῃς ἐπερώτα περὶ τοῦ πύργου, καὶ ἀποκαλύψω σοι, ἵνα χαρῇς μετὰ τῶν ἁγίων.
(4) λέγω αὐτῇ·	Κυρία, ἐπεὶ ἅπαξ ἄξιόν με ἡγήσω τοῦ πάντα μοι ἀποκαλύψαι, ἀποκάλυψον.
ἡ δὲ λέγει μοι·	Ὃ ἐὰν ἐνδέχηταί σοι ἀποκαλυφθῆναι, ἀποκαλυφθήσεται. μόνον ἡ καρδία σου πρὸς τὸν θεὸν ἤτω καὶ μὴ διψυχήσεις ὃ ἂν ἴδῃς.
(5) ἐπηρώτησα αὐτήν·	Διατί ὁ πύργος ἐπὶ ὑδάτων ᾠκοδόμηται, κυρία;
	Εἶπά σοι,
φησίν,	καὶ τὸ πρότερον, πανοῦργος εἶ περὶ τὰς [ἐκζητήσεις] καὶ ἐκζητεῖς ἐπιμελῶς·[11] ἐκζητῶν οὖν εὑρίσκεις τὴν ἀλήθειαν. διατί οὖν ἐπὶ ὑδάτων ᾠκοδόμηται ὁ πύργος, ἄκουε· ὅτι ἡ ζωὴ ὑμῶν διὰ ὕδατος ἐσώθη καὶ σωθήσεται. τεθεμελίωται δὲ ὁ πύργος τῷ ῥήματι τοῦ παντοκράτορος καὶ ἐνδόξου ὀνόματος, κρατεῖται δὲ ὑπὸ τῆς ἀοράτου δυνάμεως τοῦ δεσπότου.
(12,1) 'Αποκριθεὶς λέγω αὐτῇ·	Κυρία, μεγάλως καὶ θαυμαστῶς ἔχει τὸ πρᾶγμα τοῦτο. οἱ δὲ νεανίσκοι οἱ ἓξ οἱ οἰκοδομοῦντες τίνες εἰσίν, κυρία;
[Presbyterin:]	Οὗτοί εἰσιν οἱ ἅγιοι ἄγγελοι τοῦ θεοῦ οἱ πρῶτοι κτισθέντες, οἷς παρέδωκεν ὁ κύριος πᾶσαν τὴν κτίσιν αὐτοῦ, αὔξειν καὶ οἰκοδομεῖν καὶ δεσπόζειν τῆς κτίσεως πάσης. διὰ τούτων οὖν τελεσθήσεται

2.3.2.2.4.2

TT Ø° TT 1° TT 2° TT 3° TT 4° TT 5° TT 6°	Ø.	1.	2.	2a.	3.	3a.	4.
---			ἡ οἰκοδομὴ τοῦ πύργου.				
		[Hermas:]	(2) Οἱ δὲ ἕτεροι οἱ παραφέροντες τοὺς λίθους τίνες εἰσίν;				
		[Presbyterin:]	Καὶ αὐτοὶ ἅγιοι ἄγγελοι τοῦ θεοῦ· οὗτοι δὲ οἱ ἓξ ὑπερέχοντες αὐτούς εἰσιν. συντελεσθήσεται οὖν ἡ οἰκοδομὴ τοῦ πύργου, καὶ πάντες ὁμοῦ εὐφρανθήσονται κύκλῳ τοῦ πύργου καὶ δοξάσουσιν τὸν θεόν, ὅτι ἐτελέσθη ἡ οἰκοδομὴ τοῦ πύργου.				
2.3.2.2.4.3		(3) ἐπηρώτησα αὐτὴν λέγων·	Κυρία, ἤθελον γνῶναι τῶν λίθων τὴν ἔξοδον καὶ τὴν δύναμιν αὐτῶν, ποταπή ἐστιν.				
		ἀποκριθεῖσά μοι λέγει·	Οὐχ ὅτι σὺ ἐκ πάντων ἀξιώτερος εἶ ἵνα σοι ἀποκαλυφθῇ· ἄλλοι γάρ σου πρότεροί εἰσιν καὶ βελτίονές σου, οἷς ἔδει ἀποκαλυφθῆναι τὰ ὁράματα ταῦτα· ἀλλ' ἵνα δοξασθῇ τὸ ὄνομα τοῦ θεοῦ, σοὶ ἀπεκαλύφθη καὶ ἀποκαλυφθήσεται διὰ τοὺς διψύχους, τοὺς διαλογιζομένους ἐν ταῖς καρδίαις αὐτῶν εἰ ἄρα ἔστιν ταῦτα ἢ οὐκ ἔστιν· λέγε αὐτοῖς				
			ὅτι ταῦτα πάντα ἐστιν ἀληθῆ, καὶ οὐθὲν ἔξωθέν ἐστιν τῆς ἀληθείας, ἀλλὰ πάντα ἰσχυρὰ καὶ βέβαια καὶ τεθεμελιωμένα ἐστίν.				
			(13,1) Ἄκουε νῦν περὶ τῶν λίθων τῶν ὑπαγόντων εἰς τὴν οἰκοδομήν. οἱ μὲν οὖν λίθοι οἱ τετράγωνοι καὶ λευκοὶ καὶ συμφωνοῦντες ταῖς ἁρμογαῖς αὐτῶν, οὗτοί εἰσιν οἱ ἀπόστολοι καὶ ἐπίσκοποι καὶ διδάσκαλοι καὶ διάκονοι οἱ πορευθέντες κατὰ τὴν σεμνότητα τοῦ θεοῦ				

καὶ ἐπισκοπήσαντες καὶ διδάξαντες καὶ διακονήσαντες ἁγνῶς καὶ σεμνῶς τοῖς ἐκλεκτοῖς τοῦ θεοῦ, οἱ μὲν κεκοιμημένοι, οἱ δὲ ἔτι ὄντες· καὶ πάντοτε ἑαυτοῖς συνεφώνησαν καὶ ἐν ἑαυτοῖς εἰρήνην ἔσχαν καὶ ἀλλήλων ἤκουον· διὰ τοῦτο ἐν τῇ οἰκοδομῇ τοῦ πύργου συμφωνοῦσιν αἱ ἁρμογαὶ αὐτῶν.

[Hermas:] (2) Οἱ δὲ ἐκ τοῦ βυθοῦ ἑλκόμενοι καὶ ἐπιτιθέμενοι εἰς τὴν οἰκοδομὴν καὶ συμφωνοῦντες ταῖς ἁρμογαῖς αὐτῶν μετὰ τῶν ἑτέρων λίθων τῶν ἤδη ᾠκοδομημένων, τίνες εἰσίν;

[Presbyterin:] Οὗτοί εἰσιν οἱ παθόντες ἕνεκεν τοῦ ὀνόματος τοῦ κυρίου.

[Hermas:] (3) Τους δὲ ἑτέρους λίθους τοὺς φερομένους ἀπὸ τῆς ξηρᾶς θέλω γνῶναι τίνες εἰσίν, κυρία.

ἔφη· Τοὺς μὲν εἰς τὴν οἰκοδομὴν ὑπάγοντας καὶ μὴ λατομουμένους, τούτους ὁ κύριος ἐδοκίμασεν, ὅτι ἐπορεύθησαν ἐν τῇ εὐθύτητι τοῦ κυρίου καὶ κατωρθώσαντο τὰς ἐντολὰς αὐτοῦ.

[Hermas:] (4) Οἱ δὲ ἀγόμενοι καὶ τιθέμενοι εἰς τὴν οἰκοδομὴν τίνες εἰσίν;

[Presbyterin:] Νέοι εἰσὶν ἐν τῇ πίστει καὶ πιστοί. νουθετοῦνται δὲ ὑπὸ τῶν ἀγγέλων εἰς τὸ ἀγαθοποιεῖν, διότι οὐχ [12] εὑρέθη ἐν αὐτοῖς πονηρία.

[Hermas:] (5) Οὓς δὲ ἀπέβαλλον καὶ ἐρίπτουν, τίνες εἰσίν;

[Presbyterin:] Οὗτοί εἰσιν ἡμαρτηκότες καὶ θέλοντες μετανοῆσαι· διὰ τοῦτο μακρὰν οὐκ ἀπερίφησαν ἔξω τοῦ πύργου, ὅτι εὔχρηστοι

TT 0°	TT 1°	TT 2°	TT 3°	TT 4°	TT 5°	TT 6°	Ø.	1.	2.	2a.	3.	3a.	4.
---									ἔσονται εἰς τὴν οἰκοδομήν, ἐὰν μετανοήσωσιν. οἱ οὖν μέλλοντες μετανοεῖν, ἐὰν μετανοήσωσιν, ἰσχυροὶ ἔσονται ἐν τῇ πίστει, ἐὰν νῦν μετανοήσωσιν ἐν ᾧ οἰκοδομεῖται ὁ πύργος. ἐὰν δὲ τελεσθῇ ἡ οἰκοδομή, οὐκέτι ἔχουσιν τόπον, ἀλλ' ἔσονται ἔκβολοι. μόνον δὲ τοῦτο ἔχουσιν, παρὰ τῷ πύργῳ κεῖσθαι.				
								[Presbyterin:]	(14,1) Τοὺς δὲ κατακοπτομένους καὶ μακρὰν ῥιπτομένους ἀπὸ τοῦ πύργου θέλεις γνῶναι;				
								[Presbyterin:]	οὗτοί εἰσιν οἱ υἱοὶ τῆς ἀνομίας· ἐπίστευσαν δὲ ἐν ὑποκρίσει, καὶ πᾶσα πονηρία οὐκ ἀπέστη ἀπ' αὐτῶν· διὰ τοῦτο οὐκ ἔχουσιν σωτηρίαν, ὅτι οὔκ εἰσιν εὔχρηστοι εἰς οἰκοδομὴν διὰ τὰς πονηρίας αὐτῶν. διὰ τοῦτο συνεκόπησαν καὶ πόρρω ἀπερίφησαν διὰ τὴν ὀργὴν τοῦ κυρίου, ὅτι παρώργισαν αὐτόν. (2) τοὺς δὲ ἑτέρους [λίθους][13] οὓς ἑώρακας πολλοὺς κειμένους, μὴ ὑπάγοντας εἰς τὴν οἰκοδομήν, οὗτοι οἱ μὲν ἐφωριακότες εἰσιν οἱ ἐγνωκότες τὴν ἀλήθειαν, μὴ ἐπιμένοντες δὲ ἐν αὐτῇ μηδὲ κολλώμενοι τοῖς ἁγίοις· διὰ τοῦτο ἄχρηστοί εἰσιν.				
								[Hermas:]	(3) Οἱ δὲ τὰς σχισμὰς ἔχοντες τίνες εἰσιν;				
								[Presbyterin:]	Οὗτοί εἰσιν οἱ κατ' ἀλλήλων ἐν ταῖς καρδίαις ἔχοντες καὶ μὴ εἰρηνεύοντες ἐν ἑαυτοῖς, ἀλλὰ πρόσωπον εἰρήνης ἔχοντες, ὅταν δὲ ἀπ' ἀλλήλων ἀποχωρήσωσιν, αἱ πονηρίαι αὐτῶν ἐν ταῖς καρδίαις ἐμμένουσιν. αὗται οὖν αἱ				

σχισμαί εἰσιν ἃς ἔχουσιν οἱ λίθοι.
(4) οἱ δὲ κεκολοβωμένοι οὗτοί εἰσιν πεπιστευκότες μὲν καὶ τὸ πλεῖον μέρος ἔχουσιν ἐν τῇ δικαιοσύνῃ, τινὰ δὲ μέρη ἔχουσιν τῆς ἀνομίας. διὰ τοῦτο κολοβοὶ καὶ οὐχ ὁλοτελεῖς εἰσιν.

[Hermas:]

(5) Οἱ δὲ λευκοὶ καὶ στρογγύλοι καὶ μὴ ἁρμόζοντες εἰς τὴν οἰκοδομὴν τίνες εἰσίν, κυρία;

ἀποκριθεῖσά μοι λέγει·

Ἕως πότε μωρὸς εἶ καὶ ἀσύνετος, καὶ πάντα ἐπερωτᾷς καὶ οὐδὲν νοεῖς; οὗτοί εἰσιν ἔχοντες μὲν πίστιν, ἔχοντες δὲ καὶ πλοῦτον [τοῦ αἰῶνος τούτου]· ὅταν [δὲ] γένηται θλῖψις, διὰ τὸν πλοῦτον αὐτῶν καὶ διὰ τὰς πραγματείας ἀπαρνοῦνται τὸν κύριον αὐτῶν.

(6) καὶ ἀποκριθεὶς αὐτῇ λέγω·

Κυρία, πότε οὖν εὔχρηστοι ἔσονται εἰς τὴν οἰκοδομήν;

Ὅταν,

φησίν,

περικοπῇ αὐτῶν ὁ πλοῦτος ὁ ψυχαγωγῶν αὐτούς, τότε εὔχρηστοι ἔσονται τῷ θεῷ. ὥσπερ γὰρ ὁ λίθος ὁ στρογγύλος ἐὰν μὴ περικοπῇ καὶ ἀποβάλῃ ἐξ αὐτοῦ τι, οὐ δύναται τετράγωνος γενέσθαι, οὕτω καὶ οἱ πλουτοῦντες ἐν τούτῳ τῷ αἰῶνι, ἐὰν μὴ περικοπῇ αὐτῶν ὁ πλοῦτος, οὐ δύνανται τῷ κυρίῳ εὔχρηστοι γενέσθαι.
(7) ἀπὸ σεαυτοῦ πρῶτον γνῶθι· ὅτε ἐπλούτεις ἄχρηστος ἦς, νῦν δὲ εὔχρηστος εἶ καὶ ὠφέλιμος τῇ ζωῇ. εὔχρηστοι γίνεσθε τῷ θεῷ· καὶ γὰρ σὺ αὐτὸς χρᾶσαι ἐκ τῶν αὐτῶν λίθων.
(15,1) Τοὺς δὲ ἑτέρους λίθους οὓς εἶδες μακρὰν ἀπὸ τοῦ πύργου ῥιπτομένους καὶ πίπτοντας εἰς τὴν ὁδὸν καὶ κυλιομένους ἐκ τῆς ὁδοῦ εἰς τὰς ἀνοδίας. οὗτοί εἰσιν οἱ πεπιστευκότες μέν, ἀπὸ

TT Ø° TT 1° TT 2° TT 3° TT 4° TT 5° TT 6°	Ø.	1.	2.	2a.	3.	3a.	4.
---			δὲ τῆς διψυχίας αὐτῶν ἀφίουσιν τὴν ὁδὸν αὐτῶν τὴν ἀληθινήν· δοκοῦντες οὖν βελτίονα ὁδὸν δύνασθαι εὑρεῖν, πλανῶνται καὶ ταλαιπωροῦσιν περιπατοῦντες ἐν ταῖς ἀνοδίαις. (2) οἱ δὲ πίπτοντες εἰς τὸ πῦρ καὶ καιόμενοι, οὗτοί εἰσιν οἱ εἰς τέλος ἀποστάντες τοῦ θεοῦ τοῦ ζῶντος, καὶ οὐκέτι αὐτοῖς ἀνέβη ἐπὶ τὴν καρδίαν τοῦ μετανοῆσαι διὰ τὰς ἐπιθυμίας τῆς ἀσελγείας αὐτῶν καὶ τῶν πονηριῶν ὧν ἠργάσαντο.				
		[Presbyterin:]	(3) τοὺς δὲ ἑτέρους τοὺς πίπτοντας ἐγγὺς τῶν ὑδάτων καὶ μὴ δυναμένους κυλισθῆναι εἰς τὸ ὕδωρ θέλεις γνῶναι τίνες εἰσίν;				
		[Presbyterin:]	οὗτοί εἰσιν οἱ τὸν λόγον ἀκούσαντες καὶ θέλοντες βαπτισθῆναι εἰς τὸ ὄνομα τοῦ κυρίου· εἶτα ὅταν αὐτοῖς ἔλθῃ εἰς μνείαν ἡ ἁγνότης τῆς ἀληθείας, μετανοοῦσιν καὶ πορεύονται πάλιν ὀπίσω τῶν ἐπιθυμιῶν αὐτῶν τῶν πονηρῶν.				
2.3.2.2.5 2.3.2.2.5.1		(4) ἐτέλεσεν οὖν τὴν ἐξήγησιν τοῦ πύργου. (5) ἀναιδευσάμενος ἔτι αὐτὴν ἐπηρώτησα.					
		εἰ ἄρα πάντες οἱ λίθοι οὗτοι οἱ ἀποβεβλημένοι καὶ μὴ ἁρμόζοντες εἰς τὴν οἰκοδομὴν τοῦ πύργου, εἰ ἔστιν αὐτοῖς μετάνοια καὶ ἔχουσιν τόπον εἰς τὸν πύργον τοῦτον.					
2.3.2.2.5.2		φησίν,	"Εχουσιν, μετάνοιαν, ἀλλὰ εἰς τοῦτον τὸν πύργον οὐ δύνανται ἁρμόσαι· (6) ἑτέρῳ δὲ τόπῳ ἁρμόσουσιν πολὺ ἐλάττονι, καὶ τοῦτο ὅταν βασανισθῶσιν καὶ ἐκπληρώσωσιν τὰς ἡμέρας τῶν ἁμαρ-				

τιῶν αὐτῶν. καὶ διὰ τοῦτο μετατεθήσονται, ὅτι μετέλαβον τοῦ ῥήματος τοῦ δικαίου. καὶ τότε αὐτοῖς συμβήσεται μετατεθῆναι ἐκ τῶν βασάνων αὐτῶν, ἐὰν ἀναβῇ ἐπὶ τὴν καρδίαν αὐτῶν τὰ ἔργα ἃ ἠργάσαντο πονηρά.[14] ἐὰν δὲ μὴ ἀναβῇ ἐπὶ τὴν καρδίαν αὐτῶν μετανοῆσαι οὐ σώζονται διὰ τὴν σκληροκαρδίαν αὐτῶν.

2.3.2.2.6

2.3.2.2.6.1

(16,1) Ὅτε οὖν ἐπαυσάμην ἐρωτῶν αὐτὴν περὶ πάντων τούτων,
λέγει μοι·

Θέλεις ἄλλο ἰδεῖν;

κατεπίθυμος ὢν τοῦ θεάσασθαι περιχαρὴς ἐγενόμην τοῦ ἰδεῖν.
(2) ἐμβλέψασά μοι ὑπεμειδίασεν καὶ λέγει μοι·

Βλέπεις ἑπτὰ γυναῖκας κύκλῳ τοῦ πύργου;

Βλέπω,

φημί,

κυρία.

2.3.2.2.6.2 *

[Presbyterin:]

Ὁ πύργος οὗτος ὑπὸ τούτων βαστάζεται κατ' ἐπιταγὴν τοῦ κυρίου.
(3) ἄκουε νῦν τὰς ἐνεργείας αὐτῶν. ἡ μὲν πρώτη αὐτῶν, ἡ κρατοῦσα τὰς χεῖρας, Πίστις καλεῖται· διὰ ταύτης σώζονται οἱ ἐκλεκτοὶ τοῦ θεοῦ.
(4) ἡ δὲ ἑτέρα, ἡ περιεζωσμένη καὶ ἀνδριζομένη, Ἐγκράτεια καλεῖται· αὕτη θυγάτηρ ἐστὶν τῆς Πίστεως. ὃς ἂν οὖν ἀκολουθήσῃ αὐτῇ, μακάριος γίνεται ἐν τῇ ζωῇ αὐτοῦ, ὅτι πάντων τῶν πονηρῶν ἔργων ἀφέξεται, πιστεύων ὅτι ἐὰν ἀφέξεται πάσης ἐπιθυμίας πονηρᾶς, κληρονομήσει ζωὴν αἰώνιον.

[Hermas:]

(5) Αἱ δὲ ἕτεραι, κυρία, τίνες εἰσίν;

[Presbyterin:]

Θυγατέρες ἀλλήλων εἰσίν· καλοῦνται δὲ ἡ μὲν Ἁπλότης, ἡ δὲ Ἐπιστήμη, ἡ δὲ

TT Ø° TT 1° TT 2° TT 3° TT 4° TT 5° TT 6°	Ø.	1.	2.	2a.	3.	3a.	4.
			'Ακακία, ἡ δὲ Σεμνότης, ἡ δὲ 'Αγάπη. ὅταν οὖν τὰ ἔργα τῆς μητρὸς αὐτῶν πάντα ποιήσῃς, δύνασαι ζῆσαι.				
			(6) "Ηθελον,				
		φημί,					
			γνῶναι, κυρία, τίς τίνα δύναμιν ἔχει αὐτῶν.				
			"Ακουε,				
		φησίν,					
			τὰς δυνάμεις ἃς ἔχουσιν. (7) κρατοῦνται δὲ ἀπ' ἀλλήλων αἱ δυνά- μεις αὐτῶν καὶ ἀκολουθοῦσιν ἀλλήλαις, καθὼς καὶ γεγεννημέναι εἰσίν. ἐκ τῆς Πίστεως γεννᾶται 'Εγκράτεια, ἐκ τῆς 'Εγκρατείας 'Απλότης, ἐκ τῆς 'Απλότητος 'Ακακία, ἐκ τῆς 'Ακακίας Σεμνότης, ἐκ τῆς Σεμνότητος 'Επιστήμη, ἐκ τῆς 'Επιστήμης 'Αγάπη. τούτων οὖν τὰ ἔργα ἁγνὰ καὶ σεμνὰ καὶ θεῖά ἐστιν. (8) ὃς ἂν οὖν δουλεύσῃ ταύταις καὶ ἰσχύσῃ κρατῆσαι τῶν ἔργων αὐτῶν, ἐν τῷ πύργῳ ἕξει τὴν κατοίκησιν μετὰ τῶν ἁγίων τοῦ θεοῦ.				
2.3.2.2.6.4		(9) ἐπηρώτων δὲ αὐτὴν περὶ τῶν καιρῶν, εἰ ἤδη συντέλειά ἐστιν.					
		ἡ δὲ ἀνέκραγε φωνῇ μεγάλῃ λέγουσα·					
			'Ασύνετε ἄνθρωπε, οὐχ ὁρᾷς τὸν πύργον ἔτι οἰκοδομούμενον; ὡς ἐὰν οὖν συντελεσθῇ ὁ πύργος οἰκοδο- μούμενος, ἔχει τέλος. ἀλλὰ ταχὺ ἐποι- κοδομηθήσεται. μηκέτι με ἐπερώτα μηδέν· ἀρκετή σοι ἡ ὑπόμνησις αὕτη καὶ τοῖς ἁγίοις, καὶ ἡ ἀνακαίνωσις τῶν πνευμάτων ὑμῶν.				

2.3.2.2.7

2.3.2.2.7.1

2.3.2.2.7.2

(10) ἀλλ' οὐ σοὶ μόνῳ ἀπεκαλύφθη, ἀλλ' ἵνα πᾶσιν δηλώσεις αὐτά.
(11) μετὰ τρεῖς ἡμέρας – νοῆσαί σε γὰρ δεῖ πρῶτον[15] – ἐντέλλομαι δέ σοι πρῶτον, Ἑρμᾶ, τὰ ῥήματα ταῦτα ἅ σοι μέλλω λέγειν, λαλῆσαι αὐτὰ πάντα εἰς τὰ ὦτα τῶν ἁγίων, ἵνα ἀκούσαντες αὐτὰ καὶ ποιήσαντες καθαρισθῶσιν ἀπὸ τῶν πονηριῶν αὐτῶν, καὶ σὺ δὲ μετ' αὐτῶν.

(17,1) Ἀκούσατέ μου τέκνα·
ἐγὼ ὑμᾶς ἐξέθρεψα ἐν πολλῇ ἁπλότητι καὶ ἀκακίᾳ καὶ σεμνότητι διὰ τὸ ἔλεος τοῦ κυρίου τοῦ ἐφ' ὑμᾶς στάξαντος τὴν δικαιοσύνην, ἵνα δικαιωθῆτε καὶ ἁγιασθῆτε ἀπὸ πάσης πονηρίας καὶ ἀπὸ πάσης σκολιότητος. ὑμεῖς δὲ οὐ θέλετε παῆναι ἀπὸ τῆς πονηρίας ὑμῶν.
(2) νῦν οὖν ἀκούσατέ μου καὶ εἰρηνεύετε ἐν ἑαυτοῖς καὶ ἐπισκέπτεσθε ἀλλήλους καὶ ἀντιλαμβάνεσθε ἀλλήλων, καὶ μὴ μόνοι τὰ κτίσματα τοῦ θεοῦ μεταλαμβάνετε, ἀλλὰ ἐκ καταχύματος[16] μεταδίδοτε καὶ τοῖς ὑστερουμένοις.
(3) οἱ μὲν γὰρ ἀπὸ τῶν πολλῶν ἐδεσμάτων ἀσθένειαν τῇ σαρκὶ αὐτῶν ἐπισπῶνται καὶ λυμαίνονται τὴν σάρκα αὐτῶν. τῶν δὲ μὴ ἐχόντων ἐδέσματα λυμαίνεται ἡ σὰρξ αὐτῶν διὰ τὸ μὴ ἔχειν τὸ ἀρκετὸν τῆς τροφῆς, καὶ διαφθείρεται τὸ σῶμα αὐτῶν. (4) αὕτη οὖν ἡ ἀσυνκρασία βλαβερὰ ὑμῖν τοῖς ἔχουσι καὶ μὴ μεταδιδοῦσιν τοῖς ὑστερουμένοις.
(5) βλέπετε τὴν κρίσιν τὴν ἐπερχομένην. οἱ ὑπερέχοντες οὖν ἐκζητεῖτε τοὺς πεινῶντας ἕως οὔπω ὁ πύργος ἐτελέσθη· μετὰ γὰρ τὸ τελεσθῆναι τὸν πύργον θελήσετε ἀγαθοποιεῖν, καὶ οὐχ ἕξετε τόπον.
(6) βλέπετε οὖν ὑμεῖς οἱ γαυρούμενοι

TT Ø° TT 1° TT 2° TT 3° TT 4° TT 5° TT 6°	Ø.	1.	2.	2a.	3.	3a.	4.
				ἐν τῷ πλούτῳ ὑμῶν, μήποτε στενάξουσιν οἱ ὑστερούμενοι, καὶ ὁ στεναγμὸς αὐτῶν ἀναβήσεται πρὸς τὸν κύριον, καὶ ἐκκλεισθήσεσθε μετὰ τῶν ἀγαθῶν ὑμῶν ἔξω τῆς θύρας τοῦ πύργου. (7) νῦν οὖν ὑμῖν λέγω τοῖς προηγουμένοις τῆς ἐκκλησίας καὶ τοῖς πρωτοκαθεδρίταις· μὴ γίνεσθε ὅμοιοι τοῖς φαρμακοῖς. οἱ φαρμακοὶ μὲν οὖν τὰ φάρμακα ἑαυτῶν εἰς τὰς πυξίδας βαστάζουσιν, ὑμεῖς δὲ τὸ φάρμακον ὑμῶν καὶ τὸν ἰὸν εἰς τὴν καρδίαν. (8) ἐνεσκιρωμένοι ἐστὲ καὶ οὐ θέλετε καθαρίσαι τὰς καρδίας ὑμῶν καὶ συγκεράσαι ὑμῶν τὴν φρόνησιν ἐπὶ τὸ αὐτὸ ἐν καθαρᾷ καρδίᾳ, ἵνα σχῆτε ἔλεος παρὰ τοῦ βασιλέως τοῦ μεγάλου. (9) βλέπετε οὖν, τέκνα, μήποτε αὗται αἱ διχοστασίαι ὑμῶν ἀποστερήσουσιν τὴν ζωὴν ὑμῶν. (10) πῶς ὑμεῖς παιδεύειν θέλετε τοὺς ἐκλεκτοὺς κυρίου, αὐτοὶ μὴ ἔχοντες παιδείαν; παιδεύετε οὖν ἀλλήλους καὶ εἰρηνεύετε ἐν αὐτοῖς, ἵνα κἀγὼ κατέναντι τοῦ πατρὸς ἱλαρὰ σταθεῖσα λόγον ἀποδῶ ὑπὲρ ὑμῶν πάντων τῷ κυρίῳ ὑμῶν.			
2.3.2.8		(18,1) Ὅτε οὖν ἐπαύσατο μετ᾽ ἐμοῦ λαλοῦσα, ἦλθον οἱ ἓξ νεανίσκοι οἱ οἰκοδομοῦντες καὶ ἀπήνεγκαν αὐτὴν πρὸς τὸν πύργον, καὶ ἄλλοι τέσσαρες ἦραν τὸ συμψέλιον καὶ ἀπήνεγκαν καὶ αὐτὸ πρὸς τὸν πύργον. τούτων τὸ πρόσωπον οὐκ εἶδον, ὅτι ἀπεστραμμένοι ἦσαν. (2) ὑπάγουσαν δὲ αὐτὴν ἠρώτων	ἵνα μοι ἀποκαλύφῃ περὶ τῶν τριῶν μορφῶν ἐν αἷς μοι ἐνεφανίσθη.				

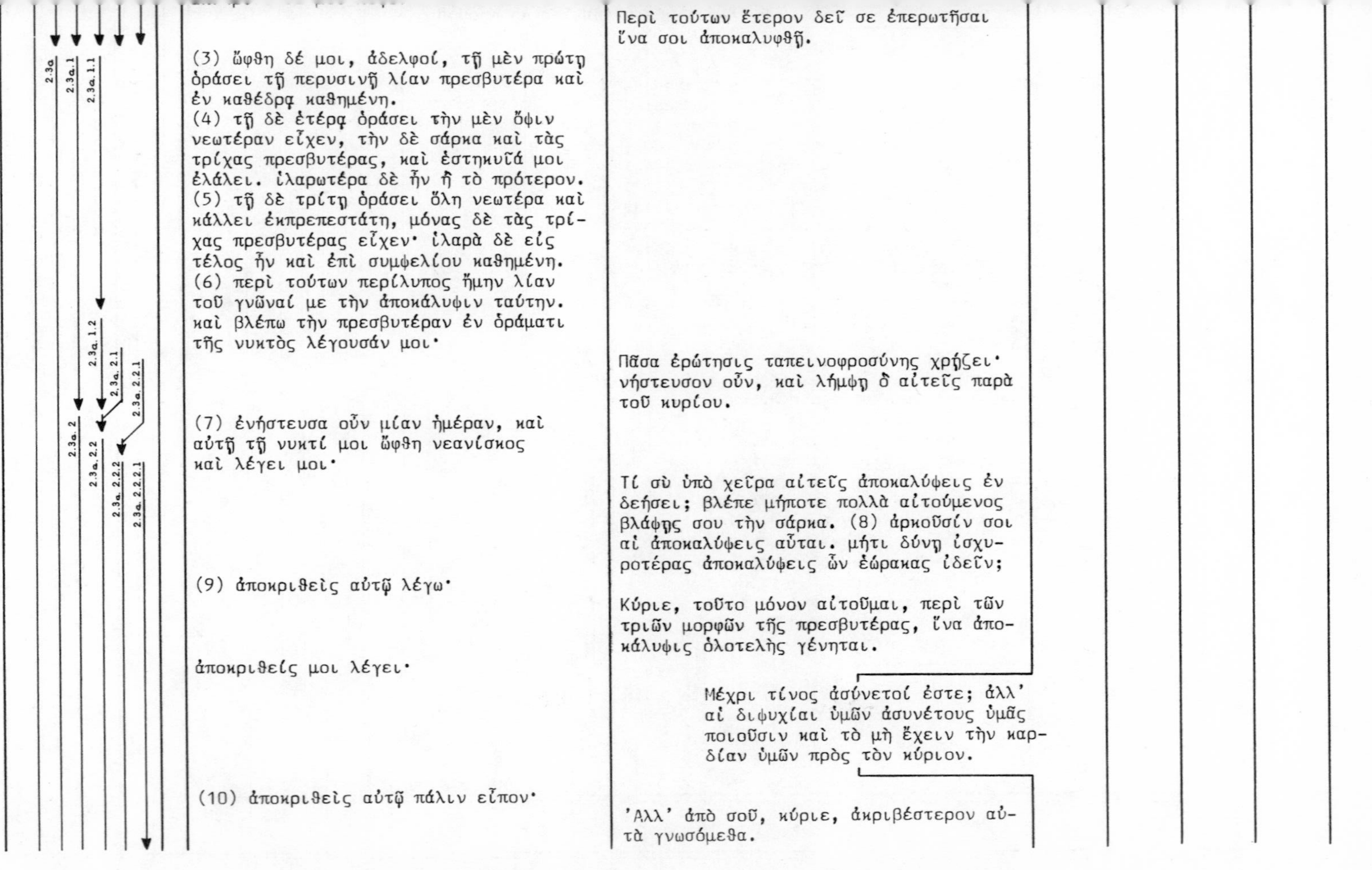

	Περὶ τούτων ἕτερον δεῖ σε ἐπερωτῆσαι ἵνα σοι ἀποκαλυφθῇ.
(3) ὤφθη δέ μοι, ἀδελφοί, τῇ μὲν πρώτῃ ὁράσει τῇ περυσινῇ λίαν πρεσβυτέρα καὶ ἐν καθέδρᾳ καθημένη. (4) τῇ δὲ ἑτέρᾳ ὁράσει τὴν μὲν ὄψιν νεωτέραν εἶχεν, τὴν δὲ σάρκα καὶ τὰς τρίχας πρεσβυτέρας, καὶ ἑστηκυῖά μοι ἐλάλει. ἱλαρωτέρα δὲ ἦν ἢ τὸ πρότερον. (5) τῇ δὲ τρίτῃ ὁράσει ὅλη νεωτέρα καὶ κάλλει ἐκπρεπεστάτη, μόνας δὲ τὰς τρίχας πρεσβυτέρας εἶχεν· ἱλαρὰ δὲ εἰς τέλος ἦν καὶ ἐπὶ συμψελίου καθημένη. (6) περὶ τούτων περίλυπος ἤμην λίαν τοῦ γνῶναί με τὴν ἀποκάλυψιν ταύτην. καὶ βλέπω τὴν πρεσβυτέραν ἐν ὁράματι τῆς νυκτὸς λέγουσάν μοι·	
	Πᾶσα ἐρώτησις ταπεινοφροσύνης χρῄζει· νήστευσον οὖν, καὶ λήμψῃ ὃ αἰτεῖς παρὰ τοῦ κυρίου.
(7) ἐνήστευσα οὖν μίαν ἡμέραν, καὶ αὐτῇ τῇ νυκτί μοι ὤφθη νεανίσκος καὶ λέγει μοι·	
	Τί σὺ ὑπὸ χεῖρα αἰτεῖς ἀποκαλύψεις ἐν δεήσει; βλέπε μήποτε πολλὰ αἰτούμενος βλάψῃς σου τὴν σάρκα. (8) ἀρκοῦσίν σοι αἱ ἀποκαλύψεις αὗται. μήτι δύνῃ ἰσχυροτέρας ἀποκαλύψεις ὧν ἑώρακας ἰδεῖν;
(9) ἀποκριθεὶς αὐτῷ λέγω·	Κύριε, τοῦτο μόνον αἰτοῦμαι, περὶ τῶν τριῶν μορφῶν τῆς πρεσβυτέρας, ἵνα ἀποκάλυψις ὁλοτελὴς γένηται.
ἀποκριθείς μοι λέγει·	Μέχρι τίνος ἀσύνετοί ἐστε; ἀλλ' αἱ διψυχίαι ὑμῶν ἀσυνέτους ὑμᾶς ποιοῦσιν καὶ τὸ μὴ ἔχειν τὴν καρδίαν ὑμῶν πρὸς τὸν κύριον.
(10) ἀποκριθεὶς αὐτῷ πάλιν εἶπον·	'Αλλ' ἀπὸ σοῦ, κύριε, ἀκριβέστερον αὐτὰ γνωσόμεθα.

TT 0°	TT 1°	TT 2°	TT 3°	TT 4°	TT 5°	TT 6°	Ø.	1.	2.	2a.	3.	3a.	4.
---						2.3a.2.2.2.2		φησίν,	(19,1) Ἄκουε, περὶ τῶν μορφῶν ὧν ἐπιζητεῖς. (2) τῇ μὲν πρώτῃ ὁράσει διατί πρεσβυ- τέρα ὤφθη σοι καὶ ἐπὶ καθέδραν καθη- μένη;				
									ὅτι τὸ πνεῦμα ὑμῶν πρεσβύτερον καὶ ἤδη μεμαραμμένον καὶ μὴ ἔχον δύναμιν ἀπὸ τῶν μαλακιῶν ὑμῶν καὶ διψυχιῶν. (3) ὥσπερ γὰρ οἱ πρεσβύτεροι, μηκέτι ἔχοντες ἐλπίδα τοῦ ἀνανεῶ- σαι, οὐδὲν ἄλλο προσδοκῶσιν εἰ μὴ τὴν κοίμησιν αὐτῶν, οὕτως καὶ ὑμεῖς μαλακισθέντες ἀπὸ τῶν βιωτικῶν πραγμάτων παρεδώκατε ἑαυτοὺς εἰς τὰς ἀκηδίας καὶ οὐκ ἐπερίψατε ἑαυ- τῶν τὰς μερίμνας ἐπὶ τὸν κύριον· ἀλλὰ ἐθραύσθη ὑμῶν ἡ διάνοια, καὶ ἐπαλαιώθητε ταῖς λύπαις ὑμῶν.				
								[Hermas:]	(4) Διατί οὖν ἐν καθέδρᾳ ἐκάθητο, ἤθελον γνῶναι, κύριε.				
								[Jüngling:]	Ὅτι πᾶς ἀσθενὴς εἰς καθέδραν καθέζε- ται διὰ τὴν ἀσθένειαν αὐτοῦ, ἵνα συν- κρατηθῇ ἡ ἀσθένεια τοῦ σώματος αὐτοῦ. ἔχεις τὸν τύπον τῆς πρώτης ὁράσεως. (20,1) Τῇ δὲ δευτέρᾳ ὁράσει εἶδες αὐ- τὴν ἑστηκυῖαν καὶ τὴν ὄψιν νεωτέραν ἔχουσαν καὶ ἱλαρωτέραν παρὰ τὸ πρότε- ρον, τὴν δὲ σάρκα καὶ τὰς τρίχας πρεσ- βυτέρας. ἄκουε,				
								φησίν,	καὶ ταύτην τὴν παραβολήν.				

ἀφηλπικὼς ἑαυτὸν διὰ τὴν ἀσθένειαν αὐτοῦ καὶ τὴν πτωχότητα,
οὐδὲν ἕτερον προσδέχεται εἰ μὴ
τὴν ἐσχάτην ἡμέραν τῆς ζωῆς αὐ-
τοῦ· εἶτα ἐξαίφνης κατελείφθη
αὐτῷ κληρονομία, ἀκούσας δὲ ἐξη-
γέρθη καὶ περιχαρὴς γενόμενος
ἐνεδύσατο τὴν ἰσχύν, καὶ οὐκέτι
ἀνάκειται, ἀλλὰ ἕστηκεν, καὶ ἀνανεοῦται αὐτοῦ τὸ πνεῦμα τὸ ἤδη
ἐφθαρμένον ἀπὸ τῶν προτέρων αὐτοῦ
πράξεων, καὶ οὐκέτι κάθηται, ἀλλὰ
ἀνδρίζεται·
οὕτως καὶ ὑμεῖς, ἀκούσαντες τὴν
ἀποκάλυψιν, ἣν ὑμῖν ὁ κύριος ἀπε-
κάλυψεν, (3) ὅτι ἐσπλαγχνίσθη ἐφ'
ὑμᾶς καὶ ἀνενεώσατο τὰ πνεύματα
ὑμῶν, καὶ ἀπέθεσθε τὰς μαλακίας
ὑμῶν, καὶ προσῆλθεν ὑμῖν ἰσχυρότης
καὶ ἐνεδυναμώθητε ἐν τῇ πίστει,
καὶ ἰδὼν ὁ κύριος τὴν ἰσχυροποίη-
σιν ὑμῶν ἐχάρη·
καὶ διὰ τοῦτο ἐδήλωσεν ὑμῖν τὴν οἰκοδομὴν τοῦ πύργου, καὶ ἕτερα δηλώ-
σει, ἐὰν ἐξ ὅλης καρδίας εἰρηνεύετε
ἐν ἑαυτοῖς.

(21,1) Τῇ δὲ τρίτῃ ὁράσει εἶδες αὐτὴν
νεωτέραν καὶ καλὴν καὶ ἱλαρὰν καὶ καλὴν τὴν μορφὴν αὐτῆς·

(2) ὡς ἐὰν γάρ τινι λυπουμένῳ ἔλθῃ
ἀγγελία ἀγαθή τις, εὐθὺς ἐπελάθετο
τῶν προτέρων λυπῶν καὶ οὐδὲν ἄλλο
προσδέχεται εἰ μὴ τὴν ἀγγελίαν ἣν
ἤκουσεν, καὶ ἰσχυροποιεῖται λοιπὸν
εἰς τὸ ἀγαθόν, καὶ ἀνανεοῦται αὐτοῦ
τὸ πνεῦμα διὰ τὴν χαρὰν ἣν ἔλαβεν·
οὕτως καὶ ὑμεῖς ἀνανέωσιν εἰλήφατε
τῶν πνευμάτων ὑμῶν ἰδόντες ταῦτα
τὰ ἀγαθά.

TT Ø° TT 1° TT 2° TT 3° TT 4° TT 5° TT 6°	Ø.	1.	2.	2a.	3.	3a.	4.
2.3a.2.2.2.3			(3) καὶ ὅτι ἐπὶ συμφελίου εἶδες καθημένην, ἰσχυρὰ ἡ θέσις· ὅτι τέσσαρας πόδας ἔχει τὸ συμφέλιον καὶ ἰσχυρῶς ἕστηκεν· καὶ γὰρ ὁ κόσμος διὰ τεσσάρων στοιχείων κρατεῖται. (4) οἱ οὖν μετανοήσαντες ὁλοτελῶς νέοι ἔσονται καὶ τεθεμελιωμένοι, οἱ ἐξ ὅλης καρδίας μετανοήσαντες. ἀπέχεις ὁλοτελῆ τὴν ἀποκάλυψιν· μηκέτι μηδὲν αἰτήσεις περὶ ἀποκαλύψεως· ἐάν τι δὲ δέῃ, ἀποκαλυφθήσεταί σοι.				
2.4 2.4.1 2.4.1.1 2.4.1.2		Ὅρασις δ' (22,1) ἣν εἶδον, ἀδελφοί,[17] μετὰ ἡμέρας εἴκοσι τῆς προτέρας ὁράσεως τῆς γενομένης, εἰς τύπον τῆς θλίψεως τῆς ἐπερχομένης.[18]					
2.4.2 2.4.2.1 2.4.2.1.1		(2) ὑπῆγον εἰς ἀγρὸν τῇ ὁδῷ τῇ Καμπανῇ. ἀπὸ τῆς ὁδοῦ τῆς δημοσίας ἐστὶν ὡσεὶ στάδια δέκα· ῥαδίως δὲ ὁδεύεται ὁ τόπος.					
2.4.2.1.2		(3) μόνος οὖν περιπατῶν ἀξιῶ τὸν κύριον ἵνα τὰς ἀποκαλύψεις καὶ τὰ ὁράματα ἅ μοι ἔδειξεν διὰ τῆς ἁγίας Ἐκκλησίας αὐτοῦ τελειώσῃ, ἵνα με ἰσχυροποιήσῃ καὶ δῷ τὴν μετάνοιαν τοῖς δούλοις αὐτοῦ τοῖς ἐσκανδαλισμένοις, ἵνα δοξασθῇ τὸ ὄνομα αὐτοῦ τὸ μέγα καὶ ἔνδοξον, ὅτι με ἄξιον ἡγήσατο τοῦ δεῖξαί μοι τὰ θαυμάσια αὐτοῦ.					
2.4.2.2 2.4.2.2.1		(4) καὶ δοξάζοντός μου καὶ εὐχαριστοῦντος αὐτῷ, ὡς ἦχος φωνῆς μοι ἀπεκρίθη·	Μὴ διψυχήσεις, Ἑρμᾶ.				
2.4.2.2.2		ἐν ἐμαυτῷ ἠρξάμην διαλογίζεσθαι καὶ λέγειν· Ἐγὼ τί ἔχω διψυχῆσαι οὕτω τεθεμελιωμένος ὑπὸ τοῦ κυρίου καὶ ἰδὼν					

2.4.3 2.4.3.1 (5) καὶ προσέβην μικρόν, ἀδελφοί, καὶ
ἰδοὺ βλέπω κονιορτὸν ὡς εἰς τὸν οὐ-
ρανόν, καὶ ἠρξάμην λέγειν ἐν ἐμαυτῷ·
Μήποτε κτήνη ἔρχονται καὶ κονιορτὸν
ἐγείρουσιν;
2.4.3.2 οὕτω δὲ ἦν ἀπ' ἐμοῦ ὡς ἀπὸ σταδίου.
2.4.3.2.1 (6) γινομένου μείζονος καὶ μείζονος
κονιορτοῦ ὑπενόησα εἶναί τι θεῖον·
2.4.3.2.2 μικρὸν ἐξέλαμψεν ὁ ἥλιος, καὶ ἰδοὺ
βλέπω θηρίον μέγιστον ὡσεὶ κῆτός τι,
καὶ ἐκ τοῦ στόματος αὐτοῦ ἀκρίδες
πύριναι ἐξεπορεύοντο. ἦν δὲ τὸ θηρίον
τῷ μήκει ὡσεὶ ποδῶν ρ' τὴν δὲ κεφαλὴν
εἶχεν ὡσεὶ κεράμου.
(7) καὶ ἠρξάμην κλαίειν καὶ ἐρωτᾶν
τὸν κύριον

ἵνα με λυτρώσηται ἐξ αὐτοῦ.

καὶ ἐπανεμνήσθην τοῦ ῥήματος οὗ
ἀκηκόειν·

Μὴ διψυχήσεις, Ἑρμᾶ.

(8) ἐνδυσάμενος οὖν, ἀδελφοί,
τὴν πίστιν τοῦ κυρίου καὶ μνησθεὶς ὧν
ἐδίδαξέν με μεγαλείων, θαρσήσας εἰς
τὸ θηρίον ἐμαυτὸν ἔδωκα.
οὕτω δὲ ἤρχετο τὸ θηρίον ῥοίζῳ, ὥστε
δύνασθαι αὐτὸ πόλιν λυμᾶναι. (9) ἔρχο-
μαι ἐγγὺς αὐτοῦ, καὶ τὸ τηλικοῦτο κῆ-
τος ἐκτείνει ἑαυτὸ χαμαὶ καὶ οὐδὲν εἰ
μὴ τὴν γλῶσσαν προέβαλλεν, καὶ ὅλως
οὐκ ἐκινήθη μέχρις ὅτε παρῆλθον αὐτό·
(10) εἶχεν δὲ τὸ θηρίον ἐπὶ τῆς κεφα-
λῆς χρώματα τέσσερα· μέλαν, εἶτα πυροειδὲς καὶ αἱματῶδες, εἶτα χρυσοῦν,
εἶτα λευκόν.
2.4.4 2.4.4.1 (23,1) Μετὰ δὲ τὸ παρελθεῖν με τὸ θηρίον καὶ προελθεῖν ὡσεὶ πόδας λ',
2.4.4.2 2.4.4.2.1 ἰδοὺ ὑπαντᾷ μοι παρθένος κεκοσμημένη
ὡς ἐκ νυμφῶνος ἐκπορευομένη, ὅλη ἐν
λευκοῖς καὶ ὑποδήμασιν λευκοῖς, κατα-
κεκαλυμμένη ἕως τοῦ μετώπου, ἐν μίτρᾳ

TT Ø° TT 1° TT 2° TT 3° TT 4° TT 5° TT 6°	Ø.	1.	2.	2a.	3.	3a.	4.
		δὲ ἦν ἡ κατακάλυψις αὐτῆς· εἶχεν δὲ τὰς τρίχας αὐτῆς λευκάς. (2) ἔγνων ἐγὼ ἐκ τῶν προτέρων ὁραμάτων ὅτι ἡ Ἐκκλησία ἐστίν, καὶ ἱλαρώτερος ἐγενόμην.					
2.4.4.2.2 2.4.4.2.2.1		ἀσπάζεταί με λέγουσα·	Χαῖρε σύ, ἄνθρωπε·				
		καὶ ἐγὼ αὐτὴν ἀντησπασάμην·	Κυρία, χαῖρε·				
		(3) ἀποκριθεῖσά μοι λέγει·	Οὐδέν σοι ἀπήντησεν;				
		λέγω αὐτῇ·	Κυρία, τηλικοῦτο θηρίον, δυνάμενον λαοὺς διαφθεῖραι· ἀλλὰ τῇ δυνάμει τοῦ κυρίου καὶ τῇ πολυσπλαγχνίᾳ αὐτοῦ ἐξέφυγον αὐτό.				
			(4) Καλῶς ἐξέφυγες,				
		φησίν,	ὅτι τὴν μέριμνάν σου ἐπὶ τὸν θεὸν ἐπέριφας καὶ τὴν καρδίαν σου ἤνοιξας πρὸς τὸν κύριον, πιστεύσας ὅτι δι' οὐδενὸς δύνῃ σωθῆναι εἰ μὴ διὰ τοῦ μεγάλου καὶ ἐνδόξου ὀνόματος. διὰ τοῦτο ὁ κύριος ἀπέστειλεν τὸν ἄγγελον αὐτοῦ τὸν ἐπὶ τῶν θηρίων ὄντα, οὗ τὸ ὄνομά ἐστιν Θεγρί, καὶ ἐνέφραξεν τὸ στόμα αὐτοῦ, ἵνα μή σε λυμάνῃ. μεγάλην θλῖψιν ἐκπέφευγας διὰ τὴν πίστιν σου, καὶ ὅτι τηλικοῦτο θηρίον ἰδὼν οὐκ ἐδιψύχησας· (5) ὕπαγε οὖν καὶ ἐξήγησαι τοῖς ἐκλεκτοῖς τοῦ κυρίου τὰ μεγαλεῖα αὐτοῦ, καὶ εἰπὲ αὐτοῖς				
				ὅτι τὸ θηρίον τοῦτο τύπος ἐστὶν θλίψεως τῆς μελλούσης τῆς μεγάλης· ἐὰν οὖν προετοιμάσησθε καὶ μετανοήσητε ἐξ ὅλης καρδίας ὑμῶν πρὸς τὸν κύριον,			

δυνήσεσθε ἐκφυγεῖν αὐτήν, ἐὰν ἡ καρδία ὑμῶν γένηται καθαρὰ καὶ ἄμωμος, καὶ τὰς λοιπὰς τῆς ζωῆς ἡμέρας ὑμῶν δουλεύσητε τῷ κυρίῳ ἀμέμπτως.
ἐπιρίψατε τὰς μερίμνας ὑμῶν ἐπὶ τὸν κύριον, καὶ αὐτὸς κατορθώσει αὐτάς.
(6) πιστεύσατε τῷ κυρίῳ, οἱ δίψυχοι, ὅτι πάντα δύναται καὶ ἀποστρέφει τὴν ὀργὴν αὐτοῦ ἀφ' ὑμῶν καὶ ἐξαποστέλλει μάστιγας ὑμῖν τοῖς διψύχοις.
οὐαὶ τοῖς ἀκούσασιν τὰ ῥήματα ταῦτα καὶ παρακούσασιν· αἱρετώτερον ἦν αὐτοῖς τὸ μὴ γεννηθῆναι.

2.4.4.2.2.2

(24,1) Ἠρώτησα αὐτὴν

περὶ τῶν τεσσάρων χρωμάτων ὧν εἶχεν τὸ θηρίον εἰς τὴν κεφαλήν.

ἡ δὲ ἀποκριθεῖσά μοι λέγει·

Πάλιν περίεργος εἶ περὶ τοιούτων πραγμάτων.

Ναί,

φημί,

κυρία· γνώρισόν μοι τί ἐστιν ταῦτα.

(2) Ἄκουε,

φησίν·

τὸ μὲν μέλαν οὗτος ὁ κόσμος ἐστίν, ἐν ᾧ κατοικεῖτε·
(3) τὸ δὲ πυροειδὲς καὶ αἱματῶδες, ὅτι δεῖ τὸν κόσμον τοῦτον δι' αἵματος καὶ πυρὸς ἀπόλλυσθαι·
(4) τὸ δὲ χρυσοῦν μέρος ὑμεῖς ἐστε οἱ ἐκφυγόντες τὸν κόσμον τοῦτον. ὥσπερ γὰρ τὸ χρυσίον δοκιμάζεται διὰ τοῦ πυρὸς καὶ εὔχρηστον γίνεται, οὕτως καὶ ὑμεῖς δοκιμάζεσθε οἱ κατοικοῦντες ἐν αὐτοῖς. οἱ οὖν μείναντες καὶ πυρωθέντες ὑπ' αὐτῶν καθαρισθήσεσθε.

TT Ø° TT 1° TT 2° TT 3° TT 4° TT 5° TT 6°	Ø.	1.	2.	2a.	3.	3a.	4.
			ὥσπερ τὸ χρυσίον ἀποβάλλει τὴν σκωρίαν αὐτοῦ, οὕτω καὶ ὑμεῖς ἀποβαλεῖτε πᾶσαν λύπην καὶ στενοχωρίαν, καὶ καθαρισθήσεσθε καὶ χρήσιμοι ἔσεσθε εἰς τὴν οἰκοδομὴν τοῦ πύργου. (5) τὸ δὲ λευκὸν μέρος ὁ αἰὼν ὁ ἐπερχόμενός ἐστιν, ἐν ᾧ κατοικήσουσιν οἱ ἐκλεκτοὶ τοῦ θεοῦ· ὅτι ἄσπιλοι καὶ καθαροὶ ἔσονται οἱ ἐκλελεγμένοι ὑπὸ τοῦ θεοῦ εἰς ζωὴν αἰώνιον.				
2.4.4.2.3			(6) σὺ οὖν μὴ διαλίπῃς λαλῶν εἰς τὰ ὦτα τῶν ἁγίων.				
			ἔχετε καὶ τὸν τύπον τῆς θλίψεως τῆς ἐρχομένης μεγάλης. ἐὰν δὲ ὑμεῖς θελήσητε, οὐδὲν ἔσται. μνημονεύετε τὰ προγεγραμμένα.				
2.4.4.2.3		(7) ταῦτα εἴπασα ἀπῆλθεν καὶ οὐκ εἶδον ποίῳ τόπῳ ἀπῆλθεν· ψόφος[19] γὰρ ἐγένετο, κἀγὼ ἐπεστράφην εἰς τὰ ὀπίσω φοβηθείς, δοκῶν ὅτι τὸ θηρίον ἔρχεται.					

[1] Für den textkritischen Befund sei ein für allemal auf die Editionen von Whittaker 1967 und Joly 1968 hingewiesen.

Alle Manuskripte mit Ausnahme von E geben an, daß **ποιμήν** entweder der vollständige Titel des Werkes oder Teil des Titels ist. Das Material: **Ποιμήν ℵ; Ἀρχὴ σὺν θεῷ βίβλου λεγουμένης Ποιμήν.** Ὅρασις α´ A; *Liber pastoris nuntii paenitentiae* L[1]; (*Incipit*) *libellus sancti Pastoris. Incipit visio prima quam vidit Herma* L[2]; *Hermae prophetae* E. (S. Giet 1963, 70f. und Coleborne 1965, 28.) Aufgrund der Ausführungen oben im § I.2. scheint es uns im Gegensatz zu Giet und Coleborne sicher zu sein, daß kes (d.h. nach der Vereinigung des Visionen- und des Hirtenbuches) geworden ist. Wie der ehemalige Titel des selbständigen Visionenbuches lautete, können wir höchstens aus E erraten. Es fehlt also im jetzigen Visionenbuch ein metakommunikativer Satz bzw. ein Präsignal für die erste Ebene der Kommunikation!

[2] Die Lesart **ὅρασις α´** A bzw. *visio prima* L[2] (s. Anm. 1) ist eine sekundäre Hinzufügung, um der im ursprünglichen Text vermißten Angabe der „Ersten Vision“ aufzuhelfen; dadurch aber wird die Intention des Verfassers verdorben, was ihr sekundärer Charakter evident macht; s. § III.3.2. unten!

1877, 4 s. Dibelius, ibid. und Hilhorst 1976, 166 mit Anm. 3. Vgl. auch Anm. 7!

[4] Wenn die bestbezeugte Lesart μετανοήσουσιν ℵ (*et debent paenitere* E) durch Dibelius 1923, 435 mit ἀπολοῦνται konjiziert oder durch Karpp 1969, 42 mit der Negation οὐ ergänzt wird mit dem Argument, daß ,,die tröstende Botschaft der Buße doch hier gerade nicht verkündet werden (soll)" (Dibelius, ibid.), ist dies ein Mißverständnis des strukturellen Aufbaus des Visionenbuches, wie die Analyse unten zeigt: Anläßlich der traditionellen Bußlehre wird im Dialog mit der erhöhten Rhode der Ernst der Gedankensünde offenbart; als geeigneter oder besser: notwendiger Abschluß dieser Anklage erfolgt die Verheißung einer Bußmöglichkeit, wie dies in den Offenbarungen der Presbyterin bezüglich der Tatsünden genauso der Fall ist.

[5] In Anlehnung an die Lesart *ne maestus sis* E schlägt Dibelius 1923, 438 die Konjektur ἀθυμήσῃς anstatt der bezeugten Lesart ῥαθυμήσῃς ℵ A vor, ,,da die Warnung vor Leichtsinn hier gar nicht am Platz ist". Auch hier hat Dibelius den strukturellen Aufbau nicht beachtet. Das Stück 3,2b-d ist, wie die Analyse unten zeigt, eine Ringkomposition: dem Satz σὺ μόνον μὴ ῥαθυμήσῃς . . . entspricht die Wiederaufnahme durch μὴ διαλίπῃς οὖν νουθετῶν σου τὰ τέκνα. Diese Korrespondenz wird klar, sobald man ῥαθυμεῖν nicht wie Dibelius mit ,,leichtsinnig sein", sondern mit ,,vernachlässigen" übersetzt; vgl. Liddell/Scott 1966, 1564: to be remiss; so auch Snyder 1968, 31; Lampe 1968, 1215: to neglect; Joly 1968, 85: ,,il te suffit de ne pas te laisser aller".

[6] Das Material: μεγάλως καὶ θαυμαστῶς ὃ ℵ; μεγάλας καὶ θαυμαστὰς ὧν A; *et revoluto libro legebat glorias magnifice et mirifice quae* L[1]; *magna et mirabilia. . .ea* L[2]; *magna et mirabilia quae* E. Whittaker 1967, 4 und Lake 1913, 14 folgen ℵ; Joly 1968, 84f., dem wir folgen, konjiziert μεγάλων θαυμαστῶν ὧν (J'entendis de grandes choses, des choses admirables . . .). Vgl. auch Dibelius 1923, 439f., der die Lesart von ℵ zurückweist unter Hinweis darauf, daß sich ,,'groß und wunderbar' entweder auf δόξαι τοῦ θεοῦ oder auf das Vorlesen, keinesfalls aber auf das Hören bezieht . . ." (Da bekam ich große und wunderbare Dinge (?) zu hören . . .).

[7] Κώμας ℵ AE; *apud regionem Cumanorum* LL. Dibelius 1923, 442: ,,Die Varianten lassen sich hier nur erklären, wenn ursprünglich εἰς Κούμας im Text stand". So auch Gebhardt/Harnack 1887, 16; Whittaker 1967, 5; Joly 3 oben!

[8] + οὐκ ℵ AEL[2]. Mit L[1] (*et prodentes profecerunt*) lesen Hilgenfeld 1881, 9 und Dibelius 1923, 444 wie oben im Text. Dibelius gibt die Begründung: ,,so bleiben die Worte im Tone des Vorwurfs, und ἀλλὰ ἔτι hat nicht gegensätzliche, sondern steigernde Bedeutung". Dibelius vermutet weiterhin, daß die Hinzufügung der Negation ,,durch die adversative Deutung von ἀλλά veranlaßt (wäre)".

[9] Man kann zögern, wie die beiden ἵνα-Sätze einander zuzuordnen sind. Dibelius 1923, 448, Joly 1968, 93 und Lake 1913, 21 z. B. lassen das erste ἵνα vom Verbum dicendi abhängig sein und verstehen das zweite final. Wenn man den Text so versteht, müßte der erste ἵνα-Satz als indirektes Zitat zwischen den Spalten 3 und 3a stehen. Eine andere Möglichkeit ist, das erste ἵνα final und das zweite konsekutiv (Blaß-Debrunner-Rehkopf 1976, § 391,5) aufzufassen. Damit ist gewonnen, daß das metakommunikative ἐρεῖς als Zitatformel für das in V. 7 wiedergegebene Zitat in direkter Redeform dienen kann. Somit gehört der ganze V. 6 zur Spalte 3.

[10] Das Material: ὅρασις γ' ἣν εἶδον, ἀδελφοί, τοιαύτην ℵ; ὅρασις τρίτη. ὅρασιν εἶδον, ἀδελφοί, τοιαύτην A; *visio tertia, visio quam vidi, fratres, talis est* L[2]; *visio quam vidi, fratres, visio talis erat* L[1]; ähnlich wie LL auch E.

Die Relativanknüpfung in ℵ hat, wie die Varianten zeigen, befremdet. Auf jeden Fall ist τοιαύτην ℵ in τοιαύτη LLE zu ändern; so Gebhardt/Harnack 1877, 28; Lake 1913, 24; Whittaker 1967, 7; Joly 1968, 98. Peterson 1959c, 285 möchte die bezifferten Überschriften tilgen und mit ALLE ,,eine lectio continua von Visionen" als ursprünglichen Text etablieren. Wenn er die Tilgung damit begründet, daß ,,die heutige Bezifferung auch sinnlos (ist), insofern in dem Visionenbuch mehr als vier Visionen enthalten sind", so ist dies ein Trugschluß, denn der Autor selbst hat die drei ersten Visionen in der Deutung der dreigestaltigen Erscheinung der Presbyterin durch den Jüngling in der Nachtvision numeriert (18,7–21,4 bes. 19,1; 20,1; 21,1 aber auch schon 18,3 ff.). Anders als Peterson versteht Dibelius 1923, 454 die Auffüllung in LLAE als Korrektur. Vgl. auch Anm. 17!

[11] Das Material: εἶπά σοι, φησίν, καὶ τὸ πρότερον, καὶ ἐκζητεῖς ἐπιμελῶς· ἐκζητῶν οὖν εὑρίσκεις τὴν ἀλήθειαν ℵ; *dixi tibi iam et primo, et tu quaeris diligenter; ergo requirens invenis veritatem* L[2] ähnlich E; εἶπόν σοι, φησίν,

καὶ τὸ πρότερον, πανοῦργος εἶ περὶ τὰς γραφάς, καὶ ἐκζητήσεις ἐπιμελῶς· ἐκζητῶν οὖν εὑρήσεις τὴν ἀλήθειαν A; *dixeram tibi et prius versutum te esse circa scripturas. deligenter inquirens igitur invenies veritatem* L[1].

Die kürzere Lesart von ℵ L[2]E ist aus zweierlei Gründen nicht zufriedenstellend: (1) weil der Vorwurf somit auf die Vergeßlichkeit des Hermas abzielt; (2) weil dadurch fälschlicherweise behauptet wird, die Antwort auf Hermas' Frage sei schon gegeben worden (vgl. Dibelius 1923, 464; Joly 1968, 108 Anm. 2). Der Vorwurf gilt wie auch sonst der Verschlagenheit des Hermas. Es handelt sich um ein echtes Scheltwort zur Hervorhebung der Bedeutung des Folgenden; vgl. 11,1.2; 12,4 usw. und die Analyse unten. Diesem Verständnis entspricht die Lesart von AL[1]. Schwierig ist darin nur γραφάς (zur irrtümlichen Lesung *structuras* anstatt *scripturas* in der Vulgatatradition in den alten Editionen s. Hilhorst 1976, 3 f.). S. die Diskussion bei Joly, ibid., der diesem Text folgt – mit der Ausnahme, daß er ἐκζητεῖς anstatt ἐκζητήσεις liest. Dibelius schlägt „une conjecture compliquée et ingénieuse" (Joly) vor. Aus A nimmt er die auffallende Verbform ἐκζητήσεις auf und faßt sie als ursprüngliche Substantivform auf; im übrigen folgt er dem Text von AL[1]; demgemäß gelangt er zu dem Text, den wir oben gegeben haben (so auch schon Hilgenfeld 1881, 17). Aus dieser konjizierten Lesart „könnten die anderen Textformen abgeleitet werden, denn das dreimalige ἐκζητ- wäre ein Anlaß zu Irrtümern" (Dibelius, ibid.). Die längere Lesart wäre somit nicht als Interpolation wegzuerklären (so Gebhardt/Harnack 1877, 36; Lake 1913, 34; Whittaker 1967, 10 f., die den Text von ℵ L[2] drucken), sondern als ursprüngliche Textform zu verstehen. Wie aber ist der Ausfall zu erklären? Unten in Anm. 14 werden wir zeigen, wie in ℵ *eine* Zeile in A *zwei* Zeilen durch *Homoioteleuton* ausgefallen sind. Der Buchstabenbestand der ausgefallenen Zeilen ist je 27; Die Kolumne der Vorlage des Hermastextes dürfte durchschnittlich etwa 28 Buchstaben umfaßt haben. Die an dieser Stelle ausgefallene Zeile umfaßt mit ἐκζητήσεις 28 mit γραφάς 24 Buchstaben. Dies scheint für eine Haplographie zu sprechen, u. zw. am wahrscheinlichsten in Form der konjizierten Lesart mit ἐκζητήσεις, auch wenn es an dieser Stelle nicht möglich ist ein *Homoioteleuton* nachzuweisen; vgl. im Visionenbuch das analoge Verhältnis im ℵ an folgenden Stellen: 5,3; 11,1; 18,8 und s. ferner die in Anm. 14 angegebenen Stellen sowie Anm. 18.

[12] Mit AL[1]E gegen ℵ L[2], die οὐχ auslassen. So auch Hilgenfeld 1881, 19; Whittaker 1967, 12; Joly 1968, 112 und Dibelius 1923, 467 mit der Begründung, daß die Anleitung von Engeln „nicht die mangelhafte Qualität der Neulinge betonen" soll; diese „(werden) ja nicht mit den Büßern, sondern mit den Rechtschaffenen auf die gleiche Stufe gestellt". Anders Gebhardt/Harnack 1877, 42; Lake 1913, 38.

[13] Das Material: τοὺς δὲ ἑτέρους ℵ L[2]E; + λίθους AL[1]. Zwar ist die Lesart ohne „Steine" nicht nur die besser bezeugte, sondern sie ist auch die schwierigere; trotzdem möchte ich nicht ganz ausschließen, daß dort, wo die erste Wiederaufnahme erfolgte, eine stärkere Markierung im Urtext vorhanden war, genauso wie bei der zweiten Wiederaufnahme in 15,1.

[14] Wegen der Kompliziertheit des textkritischen Befundes stellen wir die verschiedenen Lesarten in einer Synopse zusammen. Aus praktischen Gründen beziffern wir die Zeilen der rekonstruierten Vorlage am linken Rande von 1 bis 8.

*	ℵ *	A (wir et alii)	A (Whittaker)	L[2]	L[1]E
1. ΙΟΥΚΑΙΤΟΤΕΑΥΤΟΙΣΣΥΜΒΗΣΕΤΑΙΜ	ΙΟΥΚΑΙΤΟΤΕΑΥΤΟΙΣΣΥΜΒΗΣΕΤΑΙΜ	ΙΟΥΚΑΙΤΟΤΕΑΥΤΟΙΣΣΥΜΒΗΣΕΤΑΙΜ	ΙΟΥΚΑΙΤΟΤΕΑΥΤΟΙΣΣΥΜΒΗΣΕΤΑΙΜ	et tunc contingit eis	et tunc illis continget
2. ΕΤΑΤΕΘΗΝΑΙΕΚΤΩΝΒΑΣΑΝΩΝΑΥΤΩΝ	ΕΤΑΤΕΘΗΝΑΙΕΚΤΩΝΒΑΣΑΝΩΝΑΥΤΩΝ	ΕΤΑΤΕΘΗΝΑΙΕΚΤΩΝΒΑΣΑΝΩΝΑΥΤΩΝ	ΕΤΑΤΕΘΗΝΑΙΕΚΤΩΝΒΑΣΑΝΩΝΑΥΤΩΝ	transferri de tormentis suis	transferri de poena,
3. ΑΙΑΝΑΝΑΒΗΕΠΙΤΗΝΚΑΡΔΙΑΝΑΥΤΩΝ	ΔΙΑ	ΕΑΝΑΝΑΒΗΕΠΙΤΗΝΚΑΡΔΙΑΝΑΥΤΩΝ		propter	si ascenderint in cor ipsorum
4. ΤΑΕΡΓΑΑΕΙΡΓΑΣΑΝΤΟΠΟΝΗΡΑΑΙΑΝ	ΤΑΕΡΓΑΑΗΡΓΑΣΑΝΤΟΠΟΝΗΡΑΑΙΑΝ			opera quae operati sunt mala.	opera quae operati sunt scelesta.
5. ΔΕΜΗΑΝΑΒΗΕΠΙΤΗΝΚΑΡΔΙΑΝΑΥΤΩΝ	ΔΕΜΗΑΝΑΒΗΕΠΙΤΗΝΚΑΡΔΙΑΝΑΥΤΩΝ		ΕΑΝΑΝΑΒΗΕΠΙΤΗΝΚΑΡΔΙΑΝΑΥΤΩΝ	si autem non ascenderit in	quod si non accenderit in cor
6. ΜΕΤΑΝΟΗΣΑΙΟΥΣΩΖΟΝΤΑΙΔΙΑΤΗΝ	+ΟΥΣΩΖΟΝΤΑΙΔΙΑΤΗΝΣΚΗΡΟΚΑΡΔΙΑ	ΜΕΤΑΝΟΗΣΑΙΟΥΣΩΖΟΝΤΑΙΔΙΑΤΗΝ	ΜΕΤΑΝΟΗΣΑΙΟΥΣΩΖΟΝΤΑΙΔΙΑΤΗΝ	corde eorum, non salvabuntur	ipsorum, non erunt salvi
7. ΣΚΛΗΡΟΚΑΡΔΙΑΝΑΥΤΩΝΟΤΕΟΥΝΕΠ	ΝΑΥΤΩΝΟΤΕΟΥΝΕΠΑΥΣΑΜΗΝΕΡΩΤΩΝ	ΣΚΛΗΡΟΚΑΡΔΙΑΝΑΥΤΩΝΟΤΕΟΥΝΕΠ	ΣΚΛΗΡΟΚΑΡΔΙΑΝΑΥΤΩΝΟΤΕΟΥΝΕΠ	propter durum cor eorum.	propter duritiam cordis sui.
8. ΑΥΣΑΜΗΝ	ΑΥΤΗΝ	ΑΥΣΑΜΗΝ	ΑΥΣΑΜΗΝ		

\+ ℵ +ΜΕΤΑΝΟΗΣΑΙ

Der Text in ℵ und L[2] erfüllt zwei Bedingungen, die für seine Ursprünglichkeit sprechen könnten: er ist am besten bezeugt durch ℵ und er ist *lectio*

den *wegen* der bösen Werke, die sie getan haben, ist im wahren Sinne eine *contradictio in adjecto*. Deshalb versuchen auch diejenigen Editoren, die

leich <τῶν> διὰ τὰ ἔργα κτλ.?" Aber selbst bei solchen Schwierigkeiten der ℵL^2 Lesart steht man den Lesarten von A einerseits und L^1E andererseits skeptisch gegenüber: Lake 1913, 44 Anm. 1: „... but the other is clearly an emendation".

Vom Buchstabenbestand der ausgefallenen Zeile ausgehend können wir die Zeilen der ℵ Vorlage versuchsweise rekonstruieren; sie umfaßten im Durchschnitt etwa 28 Buchstaben. Dabei erweist es sich, daß die Zeilen 2, 3 und 5 mit ΑΥΤΩΝ enden. Aufgrund dieses Sachverhalts können wir eine Haplographie wegen *Homoioteleutons* durch gleiche Endung der Zeilen 2 und 3 annehmen. Ehe wir aber auf das ΔΙΑ eingehen, sehen wir uns die Lage in A an.

Die Lesart von A ist *lectio brevior* und könnte deswegen Anspruch auf Originalität erheben; aber schon Gebhardt/Harnack 1877, 46 und Hilgenfeld 1881, 21 haben hier Richtiges gesehen, indem sie den A Text mit „*propter homoeoteleuton*" kommentieren; Whittaker ist offenbar der Meinung, daß die Zeilen 3 und 4 fehlen, weil sie im textkritischen Apparat zu Zeile 5 schreibt: „δὲ μὴ < A"; dies ist aber mit Sicherheit ein Irrtum, denn nicht δὲ μὴ, sondern die ganze Zeile 5 fehlt; dafür ist die Zeile 3 erhalten und es fehlen vielmehr die Zeilen 4 und 5, wie auch schon Gebhardt/Harnack, Hilgenfeld und Joly 1968, 118 richtig beobachtet haben. Diese beiden Zeilen sind ebenfalls durch *Homoioteleuton* mittels ΑΥΤΩΝ am Ende der Zeilen 3 und 5 ausgefallen. Die Zeilenlänge umfaßt hier wieder 26–27 Buchstaben. Damit sind wir in der Lage, nicht nur zwei Haplographien durch *Homoioteleuta* (einmal der Zeilen 2 und 3, das andere Mal der Zeilen 3 und 5) an derselben Stelle in den beiden uns zur Verfügung stehenden griechischen Handschriften nachzuweisen, sondern wir sind außerdem noch im Stande die Vorlage und ihre Zeilenlänge zu rekonstruieren, aufgrund deren das Ausfallen aufkommen konnte. Ob diese Vorlage die direkte Vorlage sowohl für ℵ als auch für A war, kann wohl angesichts der sonstigen Unterschiede zwischen den beiden Manuskripten bezweifelt werden.

Der Grund, weshalb der Text von ℵ bis jetzt nicht durch ein *Homoioteleuton* als sekundär diskreditiert worden ist, liegt wohl an dem ΔΙΑ der Zeile 3, denn wie ist unter dieser Annahme die Präposition in den Text gelangt? Wir schlagen als Hypothese folgende Erklärung vor: In ℵ*wird in diesem Textabschnitt ΑΙΑΝ = ΕΑΝ geschrieben, was von einem Korrektor Ähnlichkeit der Buchstaben Α und Δ ΔΙΑ als letzte Buchstaben der Zeile 21 seiner Kodexkolumne schrieb, ist sein Blick wohl durch *Homoioteleuton* der Zeilen 2 und 3 der Vorlage auf den Anfang von Zeile 4 hinübergeglitten, zumal ΑΙΑΝ (> ΔΙΑ) am Anfang der vorhergehenden Zeile stand und die Zeilen aus *satzsyntaktischer* Sicht einwandfrei waren. Wenn dies zutrifft, dann steht kein Hindernis mehr im Wege den *textgrammatisch* unsinnigen Text von ℵ wegen des *Homoioteleutons* sowie des Schreibfehlers als sekundär zu erklären.

Zusammenfassend ist festzustellen: die Zeile 3, die in ℵ fehlt, ist in A bewahrt; die Zeilen 4 und 5, die in A fehlen, finden sich in ℵ; alle drei Zeilen sind tatsächlich in L^1E vorhanden, die den am bestbewahrten Text bezeugen. Aber selbst sie lassen den Infinitiv μετανοῆσαι aus. Dieser findet sich jedoch in A und wird vom Korrektor ℵ, der „noch einen anderen Text vor sich gehabt zu haben (scheint)" (Whittaker 1967, XII), ergänzt. Unter den neueren Editoren nehmen Hilgenfeld, Whittaker den Infinitiv auf, während Gebhardt/Harnack, Lake und Joly ihn tilgen.

Den kürzeren Text von ℵ* druckt Lake, den von ℵ^c Whittaker und Karpp 1969, 67; den längeren, wie er in L^1E zu finden ist, drucken Gebhardt/Harnack und Joly; den aufgrund aller Textzeugen rekonstruierten Text druckt allein Hilgenfeld. Zum selben Ergebnis wie Hilgenfeld sind auch wir aufgrund der obigen Überlegungen gekommen. Der Vorteil damit ist, daß wir auf diese Weise einen verständlichen Text erarbeiten konnten, der sich widerspruchslos in den Kontext einordnen läßt. Weitere Haplographien durch *Homoioteleuton* bzw. *Parablepsis* im Visionenbuch finden sich im ℵ an folgenden Stellen: 9,9; 10,9; 12,3; 14,1; 14,5; 16,11; 20,2; 22,1; 24,5 und 24,7; vgl. auch die Anm. 11 oben und 18 unten.

15 Eine alternative Interpunktion schlug Puech 1937, 83 f. vor: ἀλλ' ἵνα πᾶσιν δηλώσῃς αὐτὰ μετὰ τρεῖς ἡμέρας· νοῆσαί σε γὰρ δεῖ πρῶτον. Ἐντέλλομαι δέ σοι ... Sie wurde dann von Joly 1968, 122 aufgenommen und von Whittaker in der 2. Aufl. 1967, 117 als „ansprechend" bezeichnet. Aber schon 1913, 48 hatte Lake den Text ähnlich interpunktiert. Zwei Gründe sprechen allerdings entscheidend für die Beibehaltung der üblichen Interpunktion: (1) daß Hermas den Auftrag bekommt, nach drei Tagen allen kundzutun, was ihm offenbart worden ist, ist im Visionenbuch nicht nur einmalig, sondern steht auch im Widerspruch zum Anfang der Vierten Vi-

sion: ... μετὰ ἡμέρας εἴκοσι τῆς προτέρας ὁράσεως τῆς γενομένης. Für die übliche Interpunktion spricht, daß auch an einer anderen Stelle (6,1) die Notwendigkeit, zuerst zum Verständnis zu gelangen, betont wird, u. zw. wie hier um die Heiligkeit des nachfolgenden Textes hervorzuheben (s. die Analyse zu beiden Stellen); (2) Die Zeitangabe gemäß der jetzigen Interpunktion hat als Nachfolgemerkmal delimitierende Funktion. Diese Funktion wird indessen durch die alternative Interpunktion zunichte gemacht. Aus beiden Gründen behalten wir die übliche Interpunktion bei.

[16] Das Material: μεταλαμβάνετε ἐκ καταχύματος, ἀλλὰ μεταδίδοτε ... ℵ AL[2]; *nolite ... percipere. abundantius etiam imperite egentibus* L[1]; Die Entscheidung hängt vom Verständnis von κατάχυμα ab; Bauer 1963, 832 gibt als Übersetzung von ἐκ καταχύματος μεταλαμβάνειν „*aus der Brühe fischen*, d.h. alles für sich ergattern", weist aber auch auf Dibelius Vorschlag (1923, 475) hin, κατάχυμα „in der noch nicht belegten, aber ohne weiteres abzuleitenden Bedeutung 'Überfluß'" zu verstehen. Dies ist auch die einzige Deutung des Wortes, die Lampe 1968, 727 unter alleinigem Hinweis auf unsere Stelle anführt. Im Anschluß an L[1] konjiziert Dibelius deshalb den oben angeführten Text; ihm folgen Joly 1968, 122f. mit Anm. 3 und Snyder 1968, 50f.; vgl. ausführlicher Dibelius, ibid.

[17] Das Material: ὅρασις δ΄ ἣν εἶδον, ἀδελφοί, ...ℵ; ὅρασις τετάρτη. ὅρασιν ἣν εἶδον, ἀδελφοί, ... A; *visio quarta. visio quam vidi, fratres* ... L[2]E; *visionem vidi, fratres* ... L[1].

Wie in 9,1 hat auch hier die Relativanknüpfung Ergänzungen hervorgerufen. Für die Beurteilung und die Auseinandersetzung mit Peterson s. oben Anm. 10.

[18] Das Material: εἰς τύπον τῆς θλίψεως τῆς ἐπερχομένης AE; *figuram tribulationis superventurae* L[1]; *usque ad advenientem diem* L[2]; die Zeile fehlt in ℵ. Peterson 1959c, 285 plädiert für die kürzere Lesart von ℵ, weil es auffallend sei, daß am Anfang „schon die Deutung der Vision vorweggenommen wird"; vgl. auch O'Hagen 1961, 305. Peterson behauptet übrigens auch, daß A τῶν θλίψεων τῶν ἐπερχομένων läse, eine Behauptung, die durch den Text der Faksimileausgabe von Lake 1907, Plate IV desavouiert wird; vgl. auch Joly 1968, 425.

Die Frage ist nun, ob das Auslassen in ℵ erklärt werden kann? Der Endung -μενης der fehlenden Zeile entspricht die Endung -μενης im vorhergehenden Ausfallen durch *Homoicteleuton* evtl., wegen der Länge der Zeile, durch *parablepsis* von γενομένης in einer Zeile zu ἐπερχομένης in der folgenden Zeile, vorzuliegen. Dies dünkt uns, eine triftige Erklärung zu sein, nicht zuletzt im Zusammenhang mit dem in Anm. 11 und 14 Ausgeführten. Gleichzeitig werden die ansonst bekannten Haplographien durch *Homoioteleuta* in ℵ bestätigt.

Den Text von AEL[1] drucken Gebhardt/Harnack 1877, 58; Hilgenfeld 1881, 28; Lake 1913, 60; Whittaker 1967, 19; Joly 1968, 132 und 425; so auch Dibelius 1923, 482.

[19] Das Material: νέφος/*nebula* lesen ℵ L[2]; ψόφος/*strepitus* AL[1]E. Den Text von ℵ L[2] bringen Lake 1913, 66; Whittaker 1967, 22; Joly 1968, 140 und Snyder 1968, 60; den Text von AL[1]E Gebhardt/Harnack 1877, 66; Hilgenfeldt 1881, 32 und Dibelius 1923, 490.

Man kann zögern welcher Lesart man den Vorzug geben soll. Das Problem ist, wie die Sätze in V. 7 sich zueinander verhalten; die Alternative sind: (1a) mit νέφος [=νεφέλη]: denn es kam eine Wolke, gibt die Begründung des unsichtbaren Verschwindens an; νέφος könnte dann die Doppelfunktion als Vehikel und Grund des Unsichtbarwerdens haben. Die Fortsetzung zeigt dann etwas nachhinkend die Lage des Hermas nach dem Verschwinden der Jungfrau an; (1b) mit νέφος [=κονιορτός (22,5 f.)]: dann gibt der ganze folgende Vers die Begründung der Unkenntnis des Entfernungsortes an; diese Erklärung aber scheitert erstens an der Schwierigkeit νέφος mit κονιορτός zu identifizieren; zweitens an der Frage, warum Hermas sich umdreht; (2) mit ψόφος: denn es entstand ein Getöse gibt die Begründung der Unkenntnis des Entfernungssortes an, weil Hermas sich dadurch umdreht aus Furcht vor dem Ungetüm (s. die Analyse unten!). Demgemäß müßte die übliche Interpunktion mit Semikolon nach ἐγένετο im Anschluß an Hilgenfeld mit Komma ersetzt werden.

Wie ist eine Entscheidung zwischen (1a) und (2) zu treffen? Uns scheint die Lesart in AL[1]E als *lectio difficilior* den Vorzug zu verdienen, weil die Veränderung in νέφος durch hellenistische, jüdische und vor allem christliche Entrückungstraditionen (s. dazu Strecker 1962, 461ff.; Conzelmann 1972, 27 mit Lit!) leichter zu verstehen ist als umgekehrt. Als bestätigende Parallele sei auf JosAs 17,8 hingewiesen, wo der Engel verschwindet, während dessen Aseneth sich „umwandte [um] den Tisch hinwegzunehmen".

2. Textanalyse

Der im § 1.2. wiedergegebene Text soll nunmehr mittels der in § II.2.2.2. erarbeiteten Gliederungsmerkmale in Teiltexte verschiedenen Grades delimitiert werden. Um dem Leser den Vergleich zwischen Text und Analyse zu erleichtern, ist am linken Rand der Textwiedergabe das Ergebnis der Analyse in Form eines Delimitierungsschemas bis zum 6. Grad beigegeben.

Bei der Textanalyse begnügen wir uns nicht wie Gülich/Raible mit einer Bezifferung der Teiltexte bzw. einer Beschreibung der Funktion der Gliederungsmerkmale für die Textgliederung[1], sondern bedienen uns gleichzeitig der Möglichkeit, die so zerlegten Textsequenzen nach ihren jeweiligen inhaltlich-thematischen sowie funktionalen Aspekten zu benennen[2]. Diese Benennung der verschiedenen Teiltexte gewinnt je nach Niedrigkeitsgrad zwangsläufig an Abstraktion und *vice versa*[3].

Unsere Textanalyse erhebt nicht den Anspruch, erschöpfend zu sein[4], sondern will lediglich die *Makrostruktur* des Visionenbuches bloßlegen. Hierbei gehen wir vom Textganzen des Visionenbuches aus und gliedern den Text anhand eines deszendent von größeren zu kleineren Einheiten herabsteigenden Verfahrens in ranggeordnete Textsequenzen oder Teiltexte[5]. Die Delimitierung mittels ranggeordneter Merkmale kann nur bis etwa Teiltexte 6. Grades erfolgen; danach müssen wir uns nicht hierarchisch festgelegter Gliederungsmerkmale bedienen, weshalb die Analyse ab etwa Grad 6 an Unsicherheit und Intuitivität zunimmt. Dennoch war es notwendig, den Text in kleinere, gelegentlich fast mikrostrukturelle, Einheiten zu gliedern, um eine soweit möglich fundierte Basis für die thematische und funktionale Benennung zu gewinnen. Wegen der Länge des Textes und der Kompliziertheit der Analyse schien es angebracht, der eigentlichen Analyse einen Überblick über die kompositionelle Gliederung des Visionenbuches vorauszuschicken.

---

[1] Gülich/Raible 1977a; in ibid., 154 findet sich immerhin eine gedrängte inhaltliche Charakterisierung und in 1975a sind die jeweiligen Teiltexte mit durchweg sehr knappen aber präzisen z.T. funktionalen, z.T. thematischen Benennungen versehen.

[2] Textanalysen ähnlicher Art basierend auf der Dispositio der antiken Rhetorik mit Berücksichtigung formaler aber vor allem thematischer und funktionaler Aspekte, finden sich für den Galaterbrief in Betz 1979, 14–25 (vgl. auch 1974/75) und für einige Traktate aus Plutarchus Moralia in Betz (Hrsg.) 1978; entsprechende Analysen haben für CH XIII Grese 1979 und für ApkPt aus Nag Hammadi Brashler 1977 durchgeführt, allerdings ohne Diskussion des methodischen Vorgehens.

[3] S. die von Labov/Waletzky (1973,111–125) bei der *Gesamtstrukturanalyse* verwendeten abstrakten Teiltextbenennungen: Orientierung, Komplikation, Evaluation, Auflösung und Coda. Vgl. nunmehr auch Gülich 1976, 250–254 und s. die Analyse unten; die Auswertung dieser Gesamtstruktur wird erst in Band II erfolgen können.

[4] Dazu bedarf es eines aszendenten Vorgehens von Monem her aufwärts, wie dies Heger 1976 in vorbildlicher Weise entwickelt hat; s. dazu Raible in Gülich/Raible 1977a, 160ff. und Gülich/Raible 1977, 136–151.

[5] Vgl. Gülich/Raible 1977a, 160f.; vgl. auch Heger 1976, 1. Zum deszendenten Verfahren in der Tagmemik s. Gülich/Raible 1977, 103, 113, 115.

2.1. Übersicht über die Gliederung des Visionenbuches

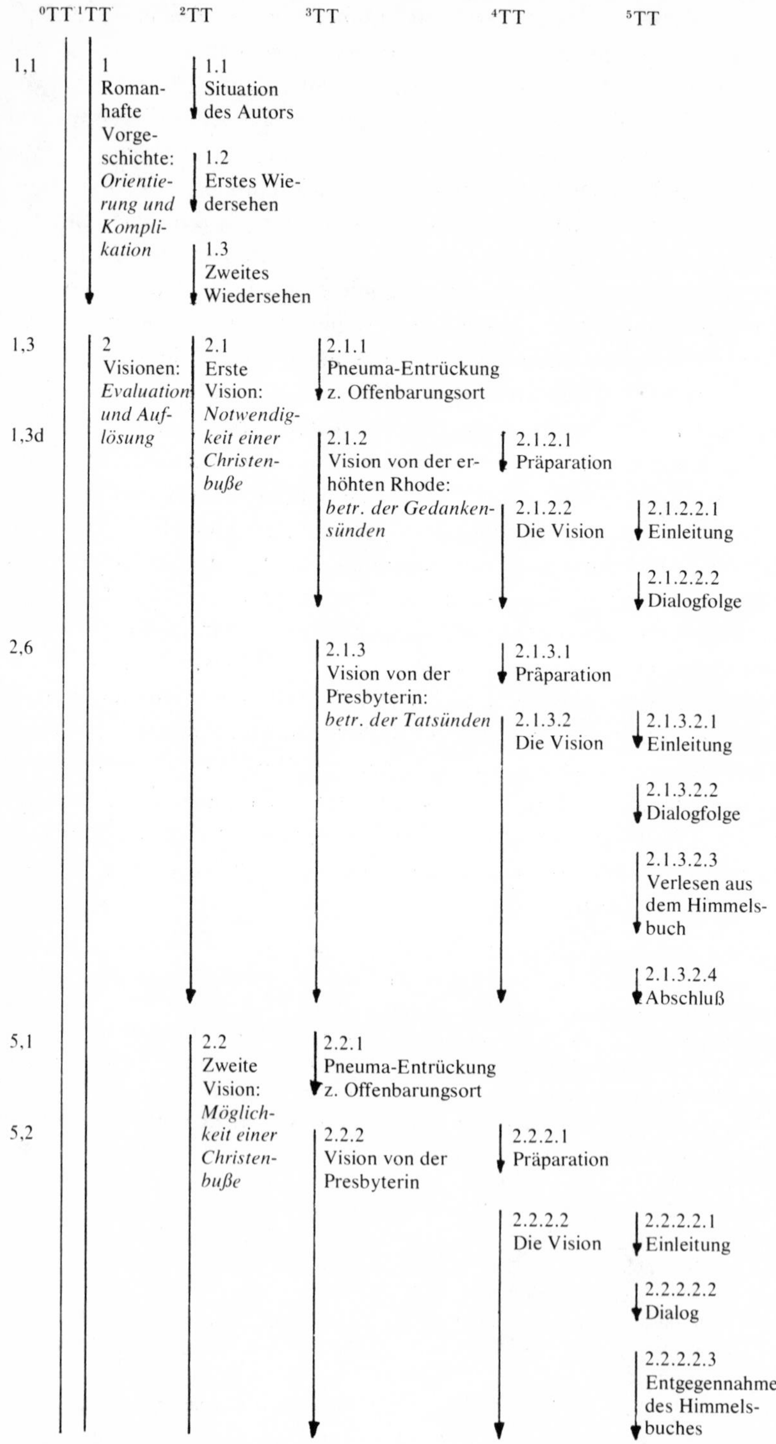

⁰TT ¹TT
²TT
³TT
⁴TT
⁵TT
1,1
1 Roman-hafte Vorge-schichte: *Orientie-rung und Kompli-kation*
1.1 Situation des Autors
1.2 Erstes Wie-dersehen
1.3 Zweites Wiedersehen
1,3
2 Visionen: *Evaluation und Auf-lösung*
2.1 Erste Vision: *Notwendig-keit einer Christen-buße*
2.1.1 Pneuma-Entrückung z. Offenbarungsort
1,3d
2.1.2 Vision von der er-höhten Rhode: *betr. der Gedanken-sünden*
2.1.2.1 Präparation
2.1.2.2 Die Vision
2.1.2.2.1 Einleitung
2.1.2.2.2 Dialogfolge
2,6
2.1.3 Vision von der Presbyterin: *betr. der Tatsünden*
2.1.3.1 Präparation
2.1.3.2 Die Vision
2.1.3.2.1 Einleitung
2.1.3.2.2 Dialogfolge
2.1.3.2.3 Verlesen aus dem Himmels-buch
2.1.3.2.4 Abschluß
5,1
2.2 Zweite Vision: *Möglich-keit einer Christen-buße*
2.2.1 Pneuma-Entrückung z. Offenbarungsort
5,2
2.2.2 Vision von der Presbyterin
2.2.2.1 Präparation
2.2.2.2 Die Vision
2.2.2.2.1 Einleitung
2.2.2.2.2 Dialog
2.2.2.2.3 Entgegennahme des Himmels-buches

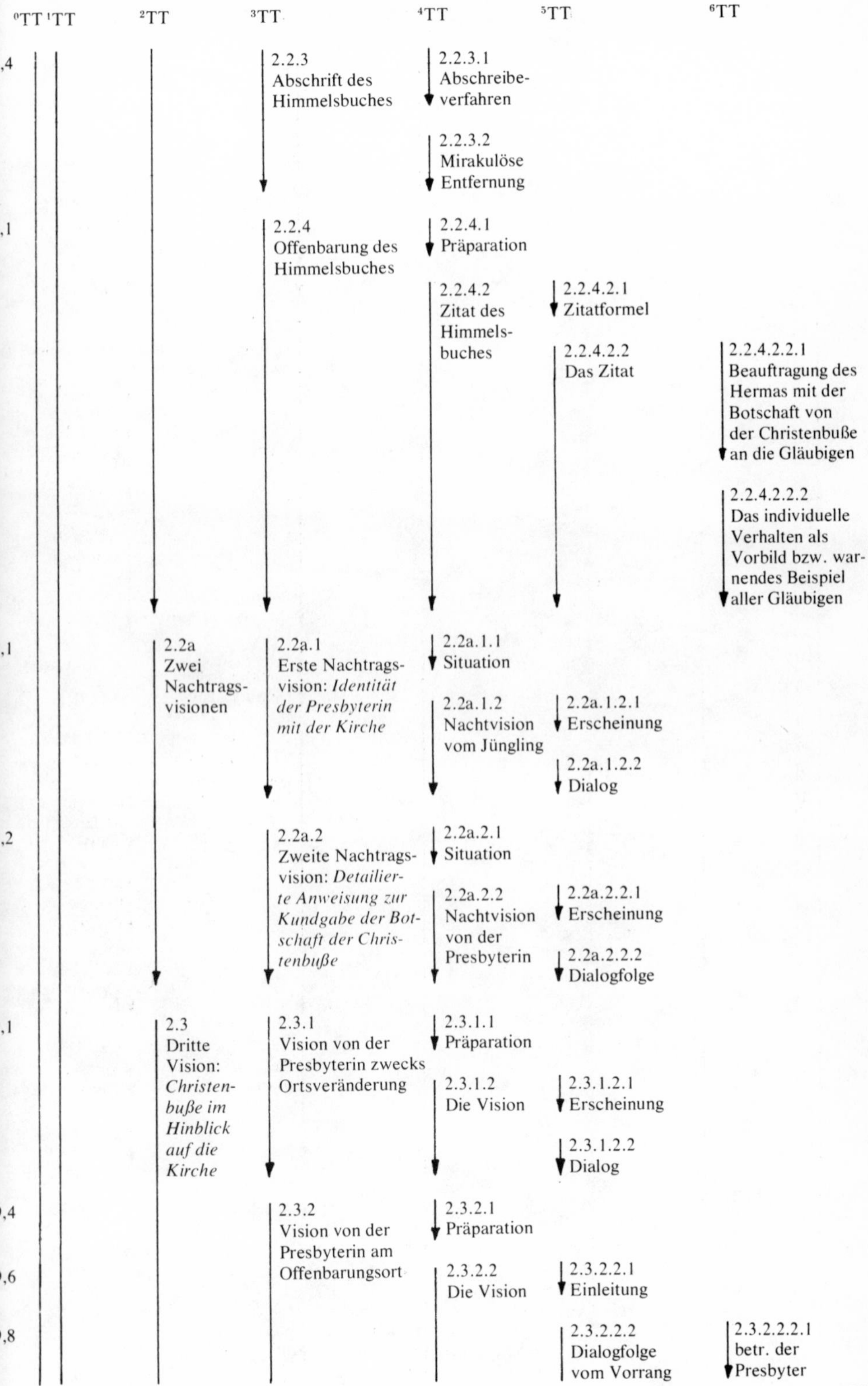

⁰TT ¹TT
²TT
³TT
⁴TT
⁵TT
⁶TT
,4
2.2.3 Abschrift des Himmelsbuches
2.2.3.1 Abschreibe-verfahren
2.2.3.2 Mirakulöse Entfernung
,1
2.2.4 Offenbarung des Himmelsbuches
2.2.4.1 Präparation
2.2.4.2 Zitat des Himmels-buches
2.2.4.2.1 Zitatformel
2.2.4.2.2 Das Zitat
2.2.4.2.2.1 Beauftragung des Hermas mit der Botschaft von der Christenbuße an die Gläubigen
2.2.4.2.2.2 Das individuelle Verhalten als Vorbild bzw. war-nendes Beispiel aller Gläubigen
,1
2.2a Zwei Nachtrags-visionen
2.2a.1 Erste Nachtrags-vision: *Identität der Presbyterin mit der Kirche*
2.2a.1.1 Situation
2.2a.1.2 Nachtvision vom Jüngling
2.2a.1.2.1 Erscheinung
2.2a.1.2.2 Dialog
,2
2.2a.2 Zweite Nachtrags-vision: *Detailier-te Anweisung zur Kundgabe der Bot-schaft der Chris-tenbuße*
2.2a.2.1 Situation
2.2a.2.2 Nachtvision von der Presbyterin
2.2a.2.2.1 Erscheinung
2.2a.2.2.2 Dialogfolge
,1
2.3 Dritte Vision: *Christen-buße im Hinblick auf die Kirche*
2.3.1 Vision von der Presbyterin zwecks Ortsveränderung
2.3.1.1 Präparation
2.3.1.2 Die Vision
2.3.1.2.1 Erscheinung
2.3.1.2.2 Dialog
,4
2.3.2 Vision von der Presbyterin am Offenbarungsort
2.3.2.1 Präparation
,6
2.3.2.2 Die Vision
2.3.2.2.1 Einleitung
,8
2.3.2.2.2 Dialogfolge vom Vorrang
2.3.2.2.2.1 betr. der Presbyter

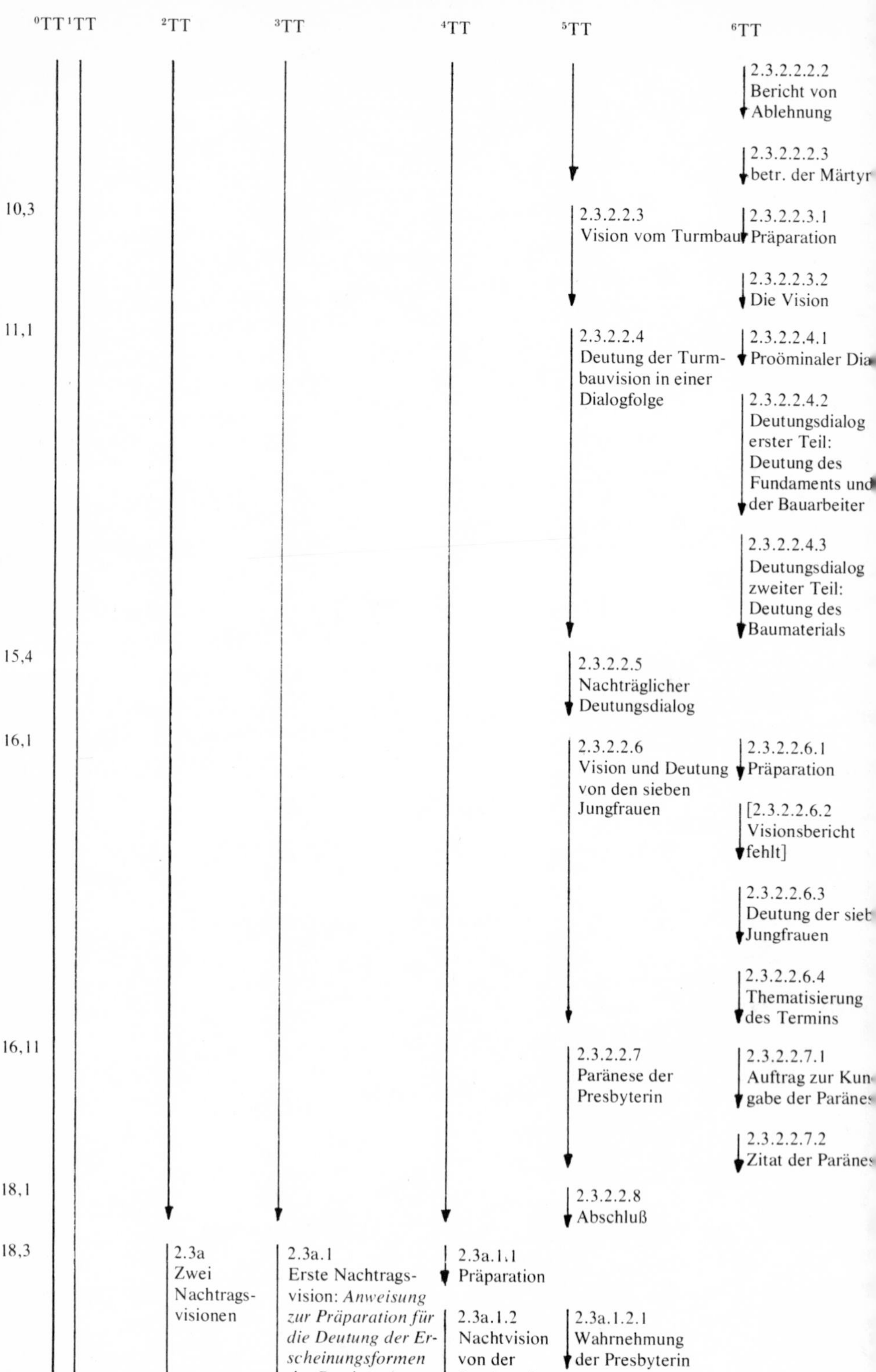

⁰TT ¹TT
²TT
³TT
⁴TT
⁵TT
⁶TT
2.3.2.2.2.2 Bericht von Ablehnung
2.3.2.2.2.3 betr. der Märtyr
10,3
2.3.2.2.3 Vision vom Turmbau
2.3.2.2.3.1 Präparation
2.3.2.2.3.2 Die Vision
11,1
2.3.2.2.4 Deutung der Turmbauvision in einer Dialogfolge
2.3.2.2.4.1 Proöminaler Dia
2.3.2.2.4.2 Deutungsdialog erster Teil: Deutung des Fundaments und der Bauarbeiter
2.3.2.2.4.3 Deutungsdialog zweiter Teil: Deutung des Baumaterials
15,4
2.3.2.2.5 Nachträglicher Deutungsdialog
16,1
2.3.2.2.6 Vision und Deutung von den sieben Jungfrauen
2.3.2.2.6.1 Präparation
[2.3.2.2.6.2 Visionsbericht fehlt]
2.3.2.2.6.3 Deutung der sieb Jungfrauen
2.3.2.2.6.4 Thematisierung des Termins
16,11
2.3.2.2.7 Paränese der Presbyterin
2.3.2.2.7.1 Auftrag zur Kun gabe der Paränes
2.3.2.2.7.2 Zitat der Parènes
18,1
2.3.2.2.8 Abschluß
18,3
2.3a Zwei Nachtrags-visionen
2.3a.1 Erste Nachtrags-vision: *Anweisung zur Präparation für die Deutung der Erscheinungsformen der Presbyterin*
2.3a.1.1 Präparation
2.3a.1.2 Nachtvision von der Presbyterin
2.3a.1.2.1 Wahrnehmung der Presbyterin

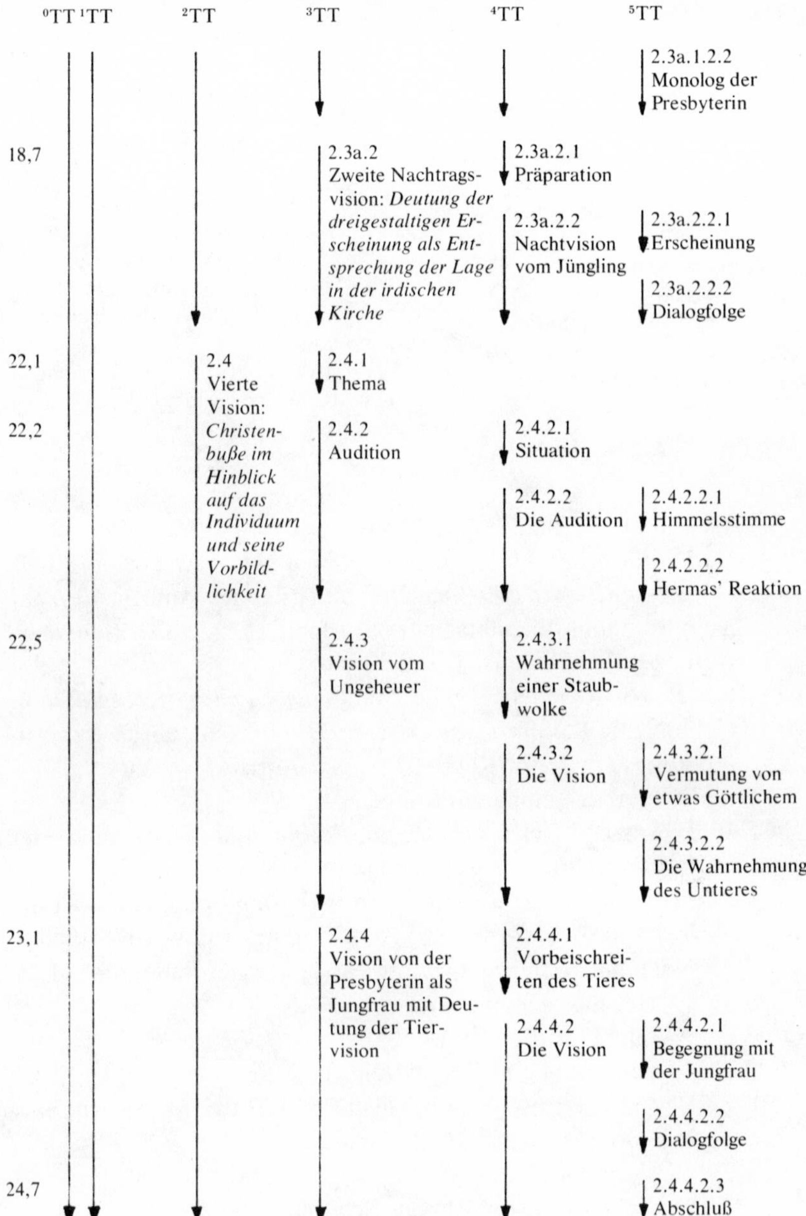

⁰TT ¹TT
²TT
³TT
⁴TT
⁵TT
2.3a.1.2.2
Monolog der Presbyterin
18,7
2.3a.2
Zweite Nachtragsvision: *Deutung der dreigestaltigen Erscheinung als Entsprechung der Lage in der irdischen Kirche*
2.3a.2.1
Präparation
2.3a.2.2
Nachtvision vom Jüngling
2.3a.2.2.1
Erscheinung
2.3a.2.2.2
Dialogfolge
22,1
2.4
Vierte Vision: *Christenbuße im Hinblick auf das Individuum und seine Vorbildlichkeit*
2.4.1
Thema
22,2
2.4.2
Audition
2.4.2.1
Situation
2.4.2.2
Die Audition
2.4.2.2.1
Himmelsstimme
2.4.2.2.2
Hermas' Reaktion
22,5
2.4.3
Vision vom Ungeheuer
2.4.3.1
Wahrnehmung einer Staubwolke
2.4.3.2
Die Vision
2.4.3.2.1
Vermutung von etwas Göttlichem
2.4.3.2.2
Die Wahrnehmung des Untieres
23,1
2.4.4
Vision von der Presbyterin als Jungfrau mit Deutung der Tiervision
2.4.4.1
Vorbeischreiten des Tieres
2.4.4.2
Die Vision
2.4.4.2.1
Begegnung mit der Jungfrau
2.4.4.2.2
Dialogfolge
24,7
2.4.4.2.3
Abschluß

2.2. Die Textanalyse des Visionenbuches

Zeichenerklärung:

AA: Aufmerksamkeitsappell
Adv.: Satz- bzw. Textadverb
EM: (*Z*) (*O*): Episodenmerkmal (mit Zeit- bzw. Ortsveränderung)
HT: Veränderung in der Konstellation der Handlungsträger
HT(*P*): Veränderung in der Konstellation passiver Handlungsträger
Konj.: Satz- bzw. Textkonjunktion
MS: Metakommunikativer Satz
MS(*Sur*): Surrugat für metakommunikativen Satz
NM: (*Z*) (*O*): Nachfolgemerkmal (mit Zeit- bzw. Ortsveränderung)
RN: Renominalisierung
SA: Substitution auf Abstraktionsebene
SM: Substitution auf Metaebene
^{1-12}TT: Teiltexte verschiedenen Grades [^{1}TT = Teiltext ersten Grades usw.]
$^{1-12}TT^{1-n}$: mehrere Teiltexte verschiedenen Grades [^{1}TT^{1} = erster Teiltext ersten Grades usw.]
WV: Weltveränderung [= Veränderung in der Weltstruktur]

^{0}TT *Das Visionenbuch* (1,1–24,7)

- ^{1}TT^{1} *Romanhafte Vorgeschichte: Orientierung und Komplikation* (1,1–2)
  - ^{2}TT$^{1.1}$ *Orientierung* über die ehemalige Situation des Autors: Verkauf nach Rom und Bekanntschaft mit Rhode (1,1 a) [*HT:* Ziehvater-Autor-Rhode; *Tempus:* Perfekt!]
  - ^{2}TT$^{1.2}$ Erste Wiedersehensangabe mit *einsetzender Komplikation* (1,1 b) [*EM:* (*Z*) μετὰ πολλὰ ἔτη; (*O*) impliziert durch ἀνεγνωρισάμην; *HT:* Autor-Rhode; *Tempus:* Aorist]
    - ^{3}TT$^{1.2.1}$ Wiederbegegnung mit Rhode
    - ^{3}TT$^{1.2.2}$ Einsetzende erotische Komplikation mit einschränkender Interpretation der Verliebtheit [*NM:* καὶ ἠρξάμην]
  - ^{2}TT$^{1.3}$ Zweiter Wiedersehensbericht mit *vertiefter Komplikation* (1,2) [*EM:* (*Z*) μετὰ χρόνον τινά; (*O*) εἰς τὸν ποταμὸν τὸν Τίβεριν]
    - ^{3}TT$^{1.3.1}$ Nochmalige Begegnung mit Rhode in einer Badeszene (1,2a)
      - ^{4}TT$^{1.3.1.1}$ Hermas sieht sie im Tiber baden
      - ^{4}TT$^{1.3.1.2}$ reicht ihr die Hand
      - ^{4}TT$^{1.3.1.3}$ zur Hilfe beim Hinaussteigen
    - ^{3}TT$^{1.3.2}$ Vertiefte erotische Komplikation (1,2b) [*NM:* ταύτης οὖν ἰδὼν τὸ κάλλος; *Konj.:* ebenda]
      - ^{4}TT$^{1.3.2.1}$ Verliebtheit des Autors
        - ^{5}TT$^{1.3.2.1.1}$ Angabe von Rhodes Schönheit
        - ^{5}TT$^{1.3.2.1.2}$ Angabe der Verliebtheit durch inneren Monolog des Autors [*MS:* διελογιζόμην ἐν τῇ καρδίᾳ μου λέγων]
          - ^{6}TT$^{1.3.2.1.2.1}$ Zitatformel
          - ^{6}TT$^{1.3.2.1.2.2}$ Zitat des inneren Monologs in Form eines weltlichen Makarismus
      - ^{4}TT$^{1.3.2.2}$ Einschränkende Interpretation der Verliebtheit
        - ^{5}TT$^{1.3.2.2.1}$ in positiver Formulierung
        - ^{5}TT$^{1.3.2.2.2}$ in negativer Formulierung

$^{1}TT^{2}$ *Visionen: Evaluation und Auflösung der Komplikation* (1,3–24,7) [*WV* in Verbindung mit *nachgestellter SM:* ἡ περυσινὴ ὅρασις (5,1) und mit Veränderung der *HT; EM:* (*Z*) μετὰ χρόνον τινά; (*O*) πορευομένου μου εἰς Κούμας]

$^{2}TT^{2.1}$ Erste Vision: Aufweis der *Notwendigkeit einer Christenbuße* (1,3–4,3)

$^{3}TT^{2.1.1}$ Pneuma-Entrückung zum Offenbarungsort (1,3a–c)

$^{4}TT^{2.1.1.1}$ Situationsschilderung in Relation zur Situation der Vorgeschichte (1,3a) [*HT:* Hermas allein]

$^{5}TT^{2.1.1.1.1}$ Peripatieangabe

$^{6}TT^{2.1.1.1.1.1}$ Relative Zeitbestimmung

$^{6}TT^{2.1.1.1.1.2}$ Ortsbestimmung

$^{5}TT^{2.1.1.1.2}$ Kultische Handlung [*NM:* καὶ δοξάζοντος; *MS:* ebenda]

$^{6}TT^{2.1.1.1.2.1}$ Zitatformel

$^{6}TT^{2.1.1.1.2.2}$ Lobpreis der Schöpfungswerke Gottes als großartig, herrlich und gewaltig in indirekter Redeform

$^{5}TT^{2.1.1.1.3}$ Eintreten der Somnolenz [*NM:* περιπατῶν]

$^{4}TT^{2.1.1.2}$ Entrückungsschilderung (1,3b–c) [*HT:* Pneuma-Hermas]

$^{5}TT^{2.1.1.2.1}$ Entrückung durch den Geist (1,3bα)

$^{5}TT^{2.1.1.2.2}$ Reisebericht (1,3bβ–c)

$^{6}TT^{2.1.1.2.2.1}$ Angabe der Unzugänglichkeit (1,3bβ)

$^{6}TT^{2.1.1.2.2.2}$ Beschreibung des Reiseweges (1,3c)

$^{3}TT^{2.1.2}$ Vision von der erhöhten Rhode am Offenbarungsort: *Evaluation* (1,3d–2,1a) [*NM:* (*Z*) διαβὰς οὖν ... (*O*) ἦλθον εἰς τὰ ὁμαλά; *Konj.:* ebenda; *HT:* Hermas allein]

$^{4}TT^{2.1.2.1}$ Präparation des Autors für die Vision (1,3d)

$^{5}TT^{2.1.2.1.1}$ Ankunft am Offenbarungsort

$^{5}TT^{2.1.2.1.2}$ Kultische Handlungen

$^{6}TT^{2.1.2.1.2.1}$ Proskynese

$^{6}TT^{2.1.2.1.2.2}$ Gebet

$^{6}TT^{2.1.2.1.2.3}$ Sündenbekenntnis

$^{4}TT^{2.1.2.2}$ Die Vision (1,4–2,1a) [*HT:* Autor-Erhöhte Rhode; *NM:* (*Z*) προσευχομένου δέ μου; *Konj.:* ebenda; *RN:* ἡ γυνὴ ἐκείνη]

$^{5}TT^{2.1.2.2.1}$ Einleitungsschilderung (1,4a)

$^{6}TT^{2.1.2.2.1.1}$ Eröffnung des Himmels

$^{6}TT^{2.1.2.2.1.2}$ Wahrnehmung des Autors von Rhode

$^{6}TT^{2.1.2.2.1.3}$ Begrüßungsgeste der Rhode vom Himmel her

$^{5}TT^{2.1.2.2.2}$ Dialogfolge mit der erhöhten Rhode (1,4b–9) [*MS:* λέγουσαν]

$^{6}TT^{2.1.2.2.2.1}$ Proöminaler Dialog über die Erscheinung der Rhode vom Himmel her (1,4b–6a)

$^{7}TT^{2.1.2.2.2.1.1}$ Begrüßungsworte der Rhode (1,4b)

$^{8}TT^{2.1.2.2.2.1.1.1}$ Zitatformel

$^{8}TT^{2.1.2.2.2.1.1.2}$ Die Begrüßung mit Anrede und erstmaliger Erwähnung des Namens des Autors: Ἑρμᾶ

$^{7}TT^{2.1.2.2.2.1.2}$ Erstaunte Reaktion des Hermas wegen Rhodes Ortswechsels (1,5a)

$^{8}TT^{2.1.2.2.2.1.2.1}$ Zitatformel

$^{8}TT^{2.1.2.2.2.1.2.2}$ Frage bezüglich des Ortswechsels mit Titulatur: κυρία

$^{7}TT^{2.1.2.2.2.1.3}$ Zweckerklärung des Ortswechsels durch Rhode (1,5b)

$^{8}TT^{2.1.2.2.2.1.3.1}$ Zitatformel

$^{8}TT^{2.1.2.2.2.1.3.2}$ Zweckangabe der Erhöhung: die Aufdekkung der Sünden des Hermas

$^{7}TT^{2.1.2.2.2.1.4}$ Konklusion des Autors in Frageform gemäß der traditionellen Lehre (1,6a)

$^{8}TT^{2.1.2.2.2.1.4.1}$ Zitatformel

$^{8}TT^{2.1.2.2.2.1.4.2}$ Die Konklusion: Die himmlische Rhode ist seine Verdammung

$^{6}TT^{2.1.2.2.2.2}$ Dialog über die Gedankensünde – und eine zweite Bußmöglichkeit (1,6b–9) [*MS:* οὔ, φησίν; *AA:* ἀλλὰ ἄκουσον τὰ ῥήματα ἅ σοι μέλλω λέγειν; *SA:* ebenda; Aposiopese! cf. 3,1]

$^{7}TT^{2.1.2.2.2.2.1}$ Zurückweisung der traditionellen Lehre und Aufforderung zum Empfang einer neuen Botschaft durch die himmlische Rhode (1,6b)

$^{8}TT^{2.1.2.2.2.2.1.1}$ Die Zurückweisung: οὔ

$^{8}TT^{2.1.2.2.2.2.1.2}$ Zitatformel

$^{8}TT^{2.1.2.2.2.2.1.3}$ Aufmerksamkeitsappell

$^{8}TT^{2.1.2.2.2.2.1.4}$ Anklage gegen Hermas wegen seiner Sünde

$^{9}TT^{2.1.2.2.2.2.1.4.1}$ Dynamische Gottesprädikationen

$^{10}TT^{2.1.2.2.2.2.1.4.1.1}$ Hoheitstitel

$^{10}TT^{2.1.2.2.2.2.1.4.1.2}$ Gottes Schöpferaktivität als Machtdemonstration

$^{11}TT^{2.1.2.2.2.2.1.4.1.2.1}$ creatio ex nihilo

$^{11}TT^{2.1.2.2.2.2.1.4.1.2.2}$ creatio continua

$^{10}TT^{2.1.2.2.2.2.1.4.1.3}$ Begründung der Schöpferaktivität: um der Kirche willen

$^{9}TT^{2.1.2.2.2.2.1.4.2}$ Die Anklage: Kundgabe des Zornes Gottes gegen Hermas wegen seiner Verschuldung gegen Rhode

$^{7}TT^{2.1.2.2.2.2.2}$ Verteidigung des Hermas in Frageform (1,7)

$^{8}TT^{2.1.2.2.2.2.2.1}$ Zitatformel

$^{8}TT^{2.1.2.2.2.2.2.2}$ Die Verteidigungsrede

$^{9}TT^{2.1.2.2.2.2.2.2.1}$ Fünf Fragen entrüsteten Unverständnisses

$^{9}TT^{2.1.2.2.2.2.2.2.2}$ Schändlicher Vorwurf gegenüber Rhode in Frageform mit schimpflicher Anrede: ὦ γύναι

$^{7}TT^{2.1.2.2.2.2.3}$ Fortführung der Anklage durch Aufdeckung der bösen Intention als Sünde – mit Verheißung einer Bußmöglichkeit (1,8–9)

$^{8}TT^{2.1.2.2.2.2.3.1}$ Entwaffnung mit Zitatformel (1,8a)

$^{8}TT^{2.1.2.2.2.2.3.2}$ Aufdeckung der bösen Intention als schwere Sünde (1,8b–g)

$^{9}TT^{2.1.2.2.2.2.3.2.1}$ Feststellung der bösen Intention des Autors

$^{9}TT^{2.1.2.2.2.2.3.2.2}$ Die Aufdeckung der bösen Begierde als Sünde in zwei Schritten

$^{10}TT^{2.1.2.2.2.2.3.2.2.1}$ Enthüllung der bösen Begierde als πονηρὸν πρᾶγμα in Frageform

$^{10}TT^{2.1.2.2.2.2.3.2.2.2}$ Feststellung der bösen Begierde als schwere Sünde gemäß der definitorischen Präsupposition: böse Tat ist Sünde

$^{10}TT^{2.1.2.2.2.2.3.2.2.3}$ Wiederholte Zitatformel

$^{9}TT^{2.1.2.2.2.2.3.2.3}$ Begründung der Aufdeckung durch allgemeine Belehrung über die Intention bzw. die Gedanken und ihre Folgen

$^{10}TT^{2.1.2.2.2.2.3.2.3.1}$ Paronomatische Definition eines Gerechten (Singular)

$^{10}TT^{2.1.2.2.2.2.3.2.3.2}$ Folge der gerechten Intention (Singular)

$^{10}TT^{2.1.2.2.2.2.3.2.3.3}$ Folge der bösen Intention besonders hinsichtlich der weltsüchtigen Reichen (Plural)

$^{8}TT^{2.1.2.2.2.2.3.3}$ Verheißung einer Bußmöglichkeit zur Sündenheilung mit Verallgemeinerung (1,9)

$^{9}TT^{2.1.2.2.2.2.3.3.1}$ Die Bußmöglichkeit für die, die keine Hoffnung hegen

$^{9}TT^{2.1.2.2.2.2.3.3.2}$ Die Sündenheilung als Folge eines Gebetes

$^{10}TT^{2.1.2.2.2.2.3.3.2.1}$ für Hermas und sein Haus

$^{10}TT^{2.1.2.2.2.2.3.3.2.2}$ Verallgemeinerung: für alle Heiligen

$^{5}TT^{2.1.2.2.3}$ Abschluß-Schilderung (2,1a) [*NM:* (*Z*) μετὰ τὸ λαλῆσαι αὐτὴν …; *SA:* τὰ ῥήματα ταῦτα]

$^{6}\mathrm{TT}^{2.1.2.2.3.1}$ Rückverweis auf Rhodes Rede

$^{6}\mathrm{TT}^{2.1.2.2.3.2}$ Angabe der Schließung des Himmels nach Beendigung der Rede

$^{3}\mathrm{TT}^{2.1.3}$ Vision von der Presbyterin am Offenbarungsort: *Bestätigung der Evaluation und Anfang der Auflösung* (2,1b–4,3) [*NM:* (*Z*) Abschlußsignal: μετὰ τὸ λαλῆσαι αὐτήν; *SA:* τὰ ῥήματα ταῦτα; *HT:* Hermas allein]

$^{4}\mathrm{TT}^{2.1.3.1}$ Präparation des Hermas für die Vision (2,1b–f)

$^{5}\mathrm{TT}^{2.1.3.1.1}$ Zustandsbeschreibung

$^{5}\mathrm{TT}^{2.1.3.1.2}$ Innerer Monolog des Hermas [*MS:* ἔλεγον δὲ ἐν ἐμαυτῷ]

$^{6}\mathrm{TT}^{2.1.3.1.2.1}$ Zitatformel

$^{6}\mathrm{TT}^{2.1.3.1.2.2}$ Zitat des inneren Monologs

$^{7}\mathrm{TT}^{2.1.3.1.2.2.1}$ Implizites Sündenbekenntnis in Form eines realen Bedingungssatzes

$^{7}\mathrm{TT}^{2.1.3.1.2.2.2}$ Drei Bekehrungsfragen

$^{8}\mathrm{TT}^{2.1.3.1.2.2.2.1}$ Grundsätzliche Frage nach der Heilsmöglichkeit

$^{8}\mathrm{TT}^{2.1.3.1.2.2.2.2}$ Frage nach der objektiven Versöhnung Gottes

$^{8}\mathrm{TT}^{2.1.3.1.2.2.2.3}$ Frage nach dem richtigen Bußgebet zum Erlangen der Gnade Gottes

$^{4}\mathrm{TT}^{2.1.3.2}$ Die Vision (2,2–4,3) [*HT:* Hermas-Presbyterin; *NM:* (*Z*) ταῦτά μου συμβουλευομένου καὶ διακρίνοντος ἐν τῇ καρδίᾳ μου; *SA:* ebenda]

$^{5}\mathrm{TT}^{2.1.3.2.1}$ Einleitungsschilderung (2,2a–b)

$^{6}\mathrm{TT}^{2.1.3.2.1.1}$ Wahrnehmung des Sessels und seine Beschreibung

$^{7}\mathrm{TT}^{2.1.3.2.1.1.1}$ Die Garnitur: Schneeweiße Tücher

$^{7}\mathrm{TT}^{2.1.3.2.1.1.2}$ Die Größe des Sessels

$^{6}\mathrm{TT}^{2.1.3.2.1.2}$ Erscheinung der Presbyterin

$^{7}\mathrm{TT}^{2.1.3.2.1.2.1}$ in strahlendem Gewand

$^{7}\mathrm{TT}^{2.1.3.2.1.2.2}$ mit einem Buch in der Hand

$^{7}\mathrm{TT}^{2.1.3.2.1.2.3}$ ihr Platznehmen auf dem Sessel

$^{5}\mathrm{TT}^{2.1.3.2.2}$ Dialogfolge mit der Presbyterin über Hermas' Gedankensünde und über die Tatsünden der Familie (2,2c–3,2) [*MS:* ἀσπάζεται]

$^{6}\mathrm{TT}^{2.1.3.2.2.1}$ Dialog über Hermas' Gedankensünde mit Bestätigung der Aufdeckung der bösen Intention als Sünde (2,2c–3)

$^{7}\mathrm{TT}^{2.1.3.2.2.1.1}$ Begrüßungsworte der Presbyterin

$^{8}\mathrm{TT}^{2.1.3.2.2.1.1.1}$ Zitatformel

$^{8}\mathrm{TT}^{2.1.3.2.2.1.1.2}$ Begrüßung mit Anrede: Ἑρμᾶ

$^{7}\mathrm{TT}^{2.1.3.2.2.1.2}$ Erwiderung der Begrüßung

$^{8}\mathrm{TT}^{2.1.3.2.2.1.2.1}$ Zustandsangabe mit Zitatformel

$^{8}\mathrm{TT}^{2.1.3.2.2.1.2.2}$ Begrüßung mit Titulatur: κυρία

$^{7}\mathrm{TT}^{2.1.3.2.2.1.3}$ Frage der Presbyterin hinsichtlich des entmutigten Zustands des Autors (2,3)

$^{8}\mathrm{TT}^{2.1.3.2.2.1.3.1}$ Zitatformel [vgl. 2,4]

$^{8}\mathrm{TT}^{2.1.3.2.2.1.3.2}$ Frage in Form einer ironischen captatio benevolentiae in hyperbolischem Enkomiumsstil; Anrede: Ἑρμᾶ

$^{7}\mathrm{TT}^{2.1.3.2.2.1.4}$ Zustandserklärung des Autors unter Hinweis auf Rhodes Anklage

$^{8}\mathrm{TT}^{2.1.3.2.2.1.4.1}$ Zitatformel

$^{8}\mathrm{TT}^{2.1.3.2.2.1.4.2}$ Die Erklärung durch ein Zitat der Anklage in indirekter Rede

$^{7}\mathrm{TT}^{2.1.3.2.2.1.5}$ Bestätigung von Rhodes Anklage durch die Presbyterin (2,4)

$^{8}\mathrm{TT}^{2.1.3.2.2.1.5.1}$ Zitatformel

$^{8}\mathrm{TT}^{2.1.3.2.2.1.5.2}$ Die Bestätigung der Aufdeckung der bösen Intention als Sünde

$^{9}\mathrm{TT}^{2.1.3.2.2.1.5.2.1}$ Beteuerung der Unvereinbarkeit solcher Taten mit der Gottesdienerschaft

$^{9}\mathrm{TT}^{2.1.3.2.2.1.5.2.2}$ Feststellung der bösen Intention des Autors

$^{9}\mathrm{TT}^{2.1.3.2.2.1.5.2.3}$ Die Bestätigung der bösen Intention als Sünde gemäß der definitorischen Implikation, daß böse Intention böse Tat ist

$^{9}\mathrm{TT}^{2.1.3.2.2.1.5.2.4}$ Begründung der Bestätigung durch allgemeine Belehrung über die böse Intention

$^{10}\mathrm{TT}^{2.1.3.2.2.1.5.2.4.1}$ Explikation der bösen Intention eines reinen und bewährten Geistes als Begierde nach bösen Taten

$^{10}\mathrm{TT}^{2.1.3.2.2.1.5.2.4.2}$ Argumentation a minore ad maius in Form einer negierten captatio benevolentiae in hyperbolischem Enkomiumsstil im Hinblick auf Hermas

$^{6}\mathrm{TT}^{2.1.3.2.2.2}$ Fortführung des Dialogs in Form eines Monologs der Presbyterin über die Tatsünden von Hermas' Familie (3,1–2) [Merkmale: Aposiopese: ἀλλ' οὐχ ἕνεκα τούτου ...; *Konj.:* ebenda; *SA:* ebenda; Ende der Evaluation und Anfang der Auflösung]

$^{7}\mathrm{TT}^{2.1.3.2.2.2.1}$ Anklage gegen Hermas wegen Nachlässigkeit gegenüber seiner frevelhaften Familie – mit Verheißung einer Bußmöglichkeit (3,1a–d)

$^{8}\mathrm{TT}^{2.1.3.2.2.2.1.1}$ Anklage in Form einer Ringkomposition (3,1a–c)

$^{9}\mathrm{TT}^{2.1.3.2.2.2.1.1.1}$ Selbstkorrektur der Presbyterin bezüglich des Grundes des Gotteszorns

$^{9}\mathrm{TT}^{2.1.3.2.2.2.1.1.2}$ Zweck des Gotteszorns: Bekehrung der frevelhaften Familie des Hermas

$^{9}\mathrm{TT}^{2.1.3.2.2.2.1.1.3}$ Die Anklage an Hermas wegen Verstoßes gegen das ethische Ideal eines Hausvaters

$^{9}\mathrm{TT}^{2.1.3.2.2.2.1.1.4}$ Wiederholung der Selbstkorrektur bezüglich des Grundes des Gotteszorns in positiver Formulierung [*SA:* διὰ τοῦτο]

$^{8}\mathrm{TT}^{2.1.3.2.2.2.1.2}$ Verheißung der Heilung bisher begangener Untaten der Familie (3,1d) [*Konj.:* ἀλλά]

$^{7}\mathrm{TT}^{2.1.3.2.2.2.2}$ Folgen der Sünden der Familie für den Autor – mit erneuter Verheißung (3,1e–2a) [Fortführendes γάϱ]

$^{8}\mathrm{TT}^{2.1.3.2.2.2.2.1}$ Folgerung der Sündhaftigkeit der Familie: Verderben der βιωτικαὶ πϱάξεις

$^{8}\mathrm{TT}^{2.1.3.2.2.2.2.2}$ Erneute Verheißung unter Hinweis auf die Barmherzigkeit Gottes [*Konj.:* ἀλλά]

$^{7}\mathrm{TT}^{2.1.3.2.2.2.3}$ Aufforderung an Hermas zur unermüdlichen Ermahnung seiner Familie – mit durch Buße bedingter Verheißung ewigen Lebens (3,2b–e) [Hervorhebung durch: σὺ μόνον]

$^{8}\mathrm{TT}^{2.1.3.2.2.2.3.1}$ Aufforderung an Hermas in Form einer Ringkomposition (3,2b–d)

$^{9}\mathrm{TT}^{2.1.3.2.2.2.3.1.1}$ Warnung vor Nachlässigkeit und Aufforderung zur Verwirklichung des ethischen Ideals betreffs seines Hauses

$^{9}\mathrm{TT}^{2.1.3.2.2.2.3.1.2}$ Begründung durch einen Vergleich

$^{10}\mathrm{TT}^{2.1.3.2.2.2.3.1.2.1}$ Bildhälfte vom Schmied

$^{10}\mathrm{TT}^{2.1.3.2.2.2.3.1.2.2}$ Sachhälfte

$^{9}\mathrm{TT}^{2.1.3.2.2.2.3.1.3}$ Wiederholung der Aufforderung zur unermüdlichen Ermahnung seiner Kinder [*Konj.:* οὖν; vgl. 24,6a]

$^{8}\mathrm{TT}^{2.1.3.2.2.2.3.2}$ Begründung mittels durch Buße bedingter Beteuerung ewigen Lebens (3,2e)

$^{9}\mathrm{TT}^{2.1.3.2.2.2.3.2.1}$ Beteuerungsformel

$^{9}\mathrm{TT}^{2.1.3.2.2.2.3.2.2}$ Die Bedingung: Buße

$^{9}\mathrm{TT}^{2.1.3.2.2.2.3.2.3}$ Die Verheißung ewigen Lebens

$^{5}\mathrm{TT}^{2.1.3.2.3}$ Verlesen der Presbyterin aus dem Himmelsbuch (3,3–4) [*NM:* (*Z*) μετὰ τὸ παῆναι αὐτῆς τὰ ϱήματα ταῦτα λέγει μοι; *SA:* ebenda; *MS:* ebenda]

$^{6}\mathrm{TT}^{2.1.3.2.3.1}$ Proöminaler Dialog über das Verlesen aus dem Himmelsbuch (3,3a–f)

$^{7}\mathrm{TT}^{2.1.3.2.3.1.1}$ Angebot einer Buchoffenbarung in Frageform

$^{8}\mathrm{TT}^{2.1.3.2.3.1.1.1}$ Zitatformel

$^{8}\mathrm{TT}^{2.1.3.2.3.1.1.2}$ Das Angebot der Verlesung

$^{7}\mathrm{TT}^{2.1.3.2.3.1.2}$ Annahme des Angebots

$^{8}\mathrm{TT}^{2.1.3.2.3.1.2.1}$ Zitatformel

$^{8}\mathrm{TT}^{2.1.3.2.3.1.2.2}$ Bejahung des Angebots mit Titulatur: κυρία

$^{7}\mathrm{TT}^{2.1.3.2.3.1.3}$ Emphatische Aufforderung zum Empfang der Buchoffenbarung

$^{8}\mathrm{TT}^{2.1.3.2.3.1.3.1}$ Zitatformel

$^{8}\mathrm{TT}^{2.1.3.2.3.1.3.2}$ Doppelter Aufmerksamkeitsappell

$^{6}\mathrm{TT}^{2.1.3.2.3.2}$ Inhalt des Himmelsbuches (3,3g–4)

$^{7}\mathrm{TT}^{2.1.3.2.3.2.1}$ Charakterisierung der Buchoffenbarung (3,3g–j)

$^{8}\mathrm{TT}^{2.1.3.2.3.2.1.1}$ Erster Teil: nicht memorierbare Worte (3,3g–h)

$^{9}\mathrm{TT}^{2.1.3.2.3.2.1.1.1}$ Feststellung der Nichtmemorierbarkeit

$^{9}\mathrm{TT}^{2.1.3.2.3.2.1.1.2}$ Begründung: schauderliche und für Menschen nicht ertragbare Worte

$^{8}\mathrm{TT}^{2.1.3.2.3.2.1.2}$ Zweiter Teil: memorierbare Worte (3,3i–j)

$^{9}\mathrm{TT}^{2.1.3.2.3.2.1.2.1}$ Feststellung der Memorierbarkeit

$^{9}\mathrm{TT}^{2.1.3.2.3.2.1.2.2}$ Begründung: förderliche und milde Worte

$^{7}\mathrm{TT}^{2.1.3.2.3.2.2}$ Zitat des memorierbaren Teils der Buchoffenbarung in Form eines Gotteshymnus (3,4)

$^{8}\mathrm{TT}^{2.1.3.2.3.2.2.1}$ Dynamische Gottesprädikationen im Partizipalstil als Machterweis hinsichtlich der Gottesverheißung (3,4a) [*Tempus:* Aorist]

$^{9}\mathrm{TT}^{2.1.3.2.3.2.2.1.1}$ Hoheitstitel

$^{9}\mathrm{TT}^{2.1.3.2.3.2.2.1.2}$ Creator mundi durch unsichtbare und gewaltige Macht und große Weisheit

$^{10}\mathrm{TT}^{2.1.3.2.3.2.2.1.2.1}$ Umkleidung der Schöpfung mit Schönheit durch herrlichen Ratschluß

$^{10}\mathrm{TT}^{2.1.3.2.3.2.2.1.2.2}$ Befestigung der Himmel und Grundlegung der Erde durch Machtwort

$^{9}\mathrm{TT}^{2.1.3.2.3.2.2.1.3}$ Creator ecclesiae durch Weisheit und Vorsehung

$^{10}\mathrm{TT}^{2.1.3.2.3.2.2.1.3.1}$ Die Schöpfung der heiligen Kirche

$^{10}\mathrm{TT}^{2.1.3.2.3.2.2.1.3.2}$ Charakterisierung der Kirche als von Gott gesegnet

$^{8}TT^{2.1.3.2.3.2.2.2}$ Bedingte Gottesverheißung an seine Auserwählten (3,4b) [*Tempus:* Präsens]

$^{9}TT^{2.1.3.2.3.2.2.2.1}$ Beseitigung aller Hindernisse zum besten der Auserwählten

$^{9}TT^{2.1.3.2.3.2.2.2.2}$ Zweck: Erfüllung der ehemaligen Verheißung an die Auserwählten

$^{9}TT^{2.1.3.2.3.2.2.2.3}$ Bedingung für die Verheißungserfüllung

$^{10}TT^{2.1.3.2.3.2.2.2.3.1}$ Das Halten der Gebote Gottes

$^{10}TT^{2.1.3.2.3.2.2.2.3.2}$ Identifikation der Gebote: die ἐν μεγάλῃ πίστει empfangenen

$^{5}TT^{2.1.3.2.4}$ Abschlußschilderung der Vision (4,1–3) [*NM:* (*Z*) **ὅτε οὖν ἐτέλεσεν** ἀναγινώσκουσα; *SA:* ebenda; *Konj.:* ebenda]

$^{6}TT^{2.1.3.2.4.1}$ Entfernung des Offenbarungsthrones nach Osten durch vier Jünglinge (4,1)

$^{7}TT^{2.1.3.2.4.1.1}$ Verlassen des Offenbarungsthrones seitens der Presbyterin

$^{7}TT^{2.1.3.2.4.1.2}$ Erscheinen der vier Jünglinge

$^{7}TT^{2.1.3.2.4.1.3}$ Wegtragen des Offenbarungsthrones nach Osten

$^{6}TT^{2.1.3.2.4.2}$ Abschlußdialog mit der Presbyterin – in ihrer Funktion als Deute-Engel – über die Buchoffenbarung (4,2) [*MS:* . . . καὶ λέγει μοι]

$^{7}TT^{2.1.3.2.4.2.1}$ Erkundigung der Presbyterin nach Hermas' Reaktion

$^{8}TT^{2.1.3.2.4.2.1.1}$ Vorbereitung: Herbeirufung des Hermas und Berührungsgeste ihrerseits

$^{8}TT^{2.1.3.2.4.2.1.2}$ Zitatformel

$^{8}TT^{2.1.3.2.4.2.1.3}$ Die Frage nach Hermas' Reaktion

$^{7}TT^{2.1.3.2.4.2.2}$ Reaktion des Hermas

$^{8}TT^{2.1.3.2.4.2.2.1}$ Zitatformel

$^{8}TT^{2.1.3.2.4.2.2.2}$ Die Reaktion mit Titulatur: κυρία

$^{9}TT^{2.1.3.2.4.2.2.2.1}$ Positive Reaktion auf den letzten (zitierten) Teil

$^{9}TT^{2.1.3.2.4.2.2.2.2}$ Negative Reaktion auf den ersten (nicht zitierten) Teil

$^{7}TT^{2.1.3.2.4.2.3}$ Erläuterung der Zweiteilung der Buchoffenbarung durch die Presbyterin

$^{8}TT^{2.1.3.2.4.2.3.1}$ Zitatformel

$^{8}TT^{2.1.3.2.4.2.3.2}$ Die Erläuterung

$^{9}TT^{2.1.3.2.4.2.3.2.1}$ Zweiter Teil: hinsichtlich der Gerechten

$^{9}\mathrm{TT}^{2.1.3.2.4.2.3.2.2}$ Erster Teil: hinsichtlich der Heiden und der Apostaten

$^{6}\mathrm{TT}^{2.1.3.2.4.3}$ Entfernung der Presbyterin nach Osten durch zwei Männer (4,3)

$^{7}\mathrm{TT}^{2.1.3.2.4.3.1}$ Erscheinung der zwei Männer während des Dialogs

$^{7}\mathrm{TT}^{2.1.3.2.4.3.2}$ Wegtragen der Presbyterin, ebenso nach Osten

$^{7}\mathrm{TT}^{2.1.3.2.4.3.3}$ Ermutigung des Hermas durch die Presbyterin während des Wegtragens

$^{8}\mathrm{TT}^{2.1.3.2.4.3.3.1}$ Zitatformel

$^{8}\mathrm{TT}^{2.1.3.2.4.3.3.2}$ Die Ermutigung mit Anrede: Ἑρμᾶ

$^{2}\mathrm{TT}^{2.2}$ Zweite Vision: Kundgabe der *Möglichkeit einer einmaligen Christenbuße* in der weiteren Auflösung (5,1–7,4) [*SM:* Ὅρασις β′; *EM:* (*O*) πορευομένου μου εἰς Κούμας; (*Z*) μετὰ τὸν καιρὸν ὃν καὶ πέρυσι; *HT:* Hermas allein]

$^{3}\mathrm{TT}^{2.2.1}$ Pneuma-Entrückung zum Offenbarungsort (5,1)

$^{4}\mathrm{TT}^{2.2.1.1}$ Situationsschilderung in Relation zu derjenigen der ersten Vision (5,1a)

$^{5}\mathrm{TT}^{2.2.1.1.1}$ Peripatieangabe

$^{6}\mathrm{TT}^{2.2.1.1.1.1}$ Ortsbestimmung

$^{6}\mathrm{TT}^{2.2.1.1.1.2}$ Relative Zeitbestimmung

$^{5}\mathrm{TT}^{2.2.1.1.2}$ Anamnesisangabe [*NM:* περιπατῶν]

$^{4}\mathrm{TT}^{2.2.1.2}$ Entrückungsschilderung (5,1b) [*HT:* Hermas-Pneuma]

$^{5}\mathrm{TT}^{2.2.1.2.1}$ Die Entrückung

$^{5}\mathrm{TT}^{2.2.1.2.2}$ Reiseangabe

$^{3}\mathrm{TT}^{2.2.2}$ Vision von der Presbyterin am Offenbarungsort (5,2–4) [*NM:* (*Z*+*O*) ἐλθὼν οὖν εἰς τὸν τόπον; *Konj.:* ebenda; *HT:* Hermas allein]

$^{4}\mathrm{TT}^{2.2.2.1}$ Präparation des Hermas für die Vision (5,2)

$^{5}\mathrm{TT}^{2.2.2.1.1}$ Ankunft am Offenbarungsort

$^{5}\mathrm{TT}^{2.2.2.1.2}$ Kultische Handlungen [*NM:* καὶ ἠρξάμην ...]

$^{6}\mathrm{TT}^{2.2.2.1.2.1}$ Proskynese

$^{6}\mathrm{TT}^{2.2.2.1.2.2}$ Gebet

$^{6}\mathrm{TT}^{2.2.2.1.2.3}$ Lobpreisung des Namens des Herrn

$^{7}\mathrm{TT}^{2.2.2.1.2.3.1}$ Zitatformel

$^{7}\mathrm{TT}^{2.2.2.1.2.3.2}$ Lobpreisung in indirekter Redeform

$^{8}\mathrm{TT}^{2.2.2.1.2.3.2.1}$ Wegen seines Würdigbefindens

$^{8}\mathrm{TT}^{2.2.2.1.2.3.2.2}$ Wegen der Enthüllung seiner früheren Sünden

$^{4}\mathrm{TT}^{2.2.2.2}$ Die Vision (5,3) [*HT:* Hermas-Presbyterin; *NM:* (*Z*) μετὰ δὲ τὸ ἐγερθῆναι; *RN:* τὴν πρεσβυτέραν ἣν καὶ πέρυσιν ἑωράκειν; *Konj.:* ebenda]

$^{5}TT^{2.2.2.2.1}$ Einleitungsschilderung (5,3a)

$^{6}TT^{2.2.2.2.1.1}$ Wahrnehmung von der Presbyterin

$^{6}TT^{2.2.2.2.1.2}$ Verlesung der Presbyterin aus einem Himmelsbuch

$^{5}TT^{2.2.2.2.2}$ Dialog über die Kundgabe des Verlesenen (5,3b–g) [*MS:* καὶ λέγει μοι]

$^{6}TT^{2.2.2.2.2.1}$ Anfrage der Presbyterin bezüglich der Kundgabe für die Auserwählten

$^{7}TT^{2.2.2.2.2.1.1}$ Zitatformel

$^{7}TT^{2.2.2.2.2.1.2}$ Frage nach Hermas' Fähigkeit zur Kundgabe

$^{6}TT^{2.2.2.2.2.2}$ Reaktion des Hermas: Bitte um das Himmelsbuch zur Abschrift

$^{7}TT^{2.2.2.2.2.2.1}$ Zitatformel

$^{7}TT^{2.2.2.2.2.2.2}$ Erklärung seiner Unfähigkeit aber Erbeten des Himmelsbuches mit Titulatur: κυρία

$^{6}TT^{2.2.2.2.2.3}$ Bewilligung der Bitte seitens der Presbyterin

$^{7}TT^{2.2.2.2.2.3.1}$ Zitatformel

$^{7}TT^{2.2.2.2.2.3.2}$ Überreichung des Buches mit Aufforderung zur späteren Rückgabe

$^{5}TT^{2.2.2.2.3}$ Entgegennahme des Himmelsbuches

$^{3}TT^{2.2.3}$ Abschrift des Himmelsbuches: Umwandlung des Gehörten ins Geschriebene (5,4) [*NM:* (*O*+*Z*) καὶ εἴς τινα τόπον τοῦ ἀγροῦ ἀναχωρήσας; *HT:* Hermas allein]

$^{4}TT^{2.2.3.1}$ Abschreibeverfahren des Hermas: Buchstabe für Buchstabe (5,4a)

$^{4}TT^{2.2.3.2}$ Mirakulöse Entfernung des himmlischen Originals [*HT:* Hermas-ὑπὸ τίνος δὲ οὐκ εἶδον; *NM:* (*Z*) τελέσαντος οὖν; *Konj.:* ebenda]

$^{3}TT^{2.2.4}$ Offenbarung des abgeschriebenen Himmelsbuches (6,1–7,4) [*NM:* (*Z*) Μετὰ δὲ δέκα καὶ πέντε ἡμέρας; (*O*) ?; *HT:* Hermas allein; *Konj.:* ebenda]

$^{4}TT^{2.2.4.1}$ Präparation für die Offenbarung (6,1a)

$^{5}TT^{2.2.4.1.1}$ Angabe der Zeitspanne zur Hervorhebung der Heiligkeit des Textes (vgl. 16,11)

$^{5}TT^{2.2.4.1.2}$ Kultische Handlungen

$^{6}TT^{2.2.4.1.2.1}$ Fasten

$^{6}TT^{2.2.4.1.2.2}$ Beten

$^{5}TT^{2.2.4.1.3}$ Modus der Entzifferung zur erneuten Hervorhebung der Heiligkeit: durch Offenbarung

$^{4}TT^{2.2.4.2}$ Zitat des abgeschriebenen und entzifferten Textes (6,1b–7,4) [*HT:* Hermas-Himmelsbrief: direkte Anrede an Hermas seitens der im Himmelsbuch redenden Presbyterin!; *MS:* ἦν δὲ γεγραμμένα ταῦτα; *Konj.:* ebenda]

$^{5}TT^{2.2.4.2.1}$ Zitatformel (6,1b)

$^{5}TT^{2.2.4.2.2}$ Zitat des Offenbarungstextes (6,2–7,4)

^{6}TT$^{2.2.4.2.2.1}$ Beauftragung des Hermas mit der Botschaft der Christenbuße an die Familie und alle Heiligen (6,2–8)

^{7}TT$^{2.2.4.2.2.1.1}$ Anklage gegen die Familie angesichts ihrer Lage (6,2)

^{8}TT$^{2.2.4.2.2.1.1.1}$ Identifikation der Angeklagten mit Anrede des Autors: Ἑρμᾶ (6,2a)

^{8}TT$^{2.2.4.2.2.1.1.2}$ Sündenkatalog der Kinder des Hermas (6,2b–c)

^{9}TT$^{2.2.4.2.2.1.1.2.1}$ Frevel gegen Gott

^{9}TT$^{2.2.4.2.2.1.1.2.2}$ Lästerung des Herrn

^{9}TT$^{2.2.4.2.2.1.1.2.3}$ Denunziation der Eltern

^{9}TT$^{2.2.4.2.2.1.1.2.4}$ Zusätzliche Sünden in Form sexueller Unmoral

^{8}TT$^{2.2.4.2.2.1.1.3}$ Verdikt: das Sündenmaß ist voll (6,2d)

^{7}TT$^{2.2.4.2.2.1.2}$ Auftrag zur Kundgabe an die Familie und die Heiligen (6,3–5) [*Konj.:* ἀλλά]

^{8}TT$^{2.2.4.2.2.1.2.1}$ Die Aufforderung zur Kundgabe der göttlich autorisierten Offenbarung der im Himmelsbuch redenden Presbyterin von der bedingten und zeitbegrenzten Möglichkeit der Vergebung früherer Sünden (6,3–4)

^{9}TT$^{2.2.4.2.2.1.2.1.1}$ Die Aufforderung zur Kundgabe (6,3a–b)

^{10}TT$^{2.2.4.2.2.1.2.1.1.1}$ an die Kinder

^{10}TT$^{2.2.4.2.2.1.2.1.1.2}$ an die Gattin mit Anklage ihres Vergehens als Begründung

^{9}TT$^{2.2.4.2.2.1.2.1.2}$ Verheißung der bedingten Bußmöglichkeit (6,3c–4) [*Konj.:* ἀλλά]

^{10}TT$^{2.2.4.2.2.1.2.1.2.1}$ als Reaktion der Gattin auf die Botschaft

^{11}TT$^{2.2.4.2.2.1.2.1.2.1.1}$ Voraussetzung: die Kundnahme

^{11}TT$^{2.2.4.2.2.1.2.1.2.1.2}$ Versicherung der Buße

^{10}TT$^{2.2.4.2.2.1.2.1.2.2}$ als Reaktion der Kinder auf die Botschaft (6,4)

^{11}TT$^{2.2.4.2.2.1.2.1.2.2.1}$ Voraussetzung: die Kundgabe der göttlich autorisierten Botschaft

^{12}TT$^{2.2.4.2.2.1.2.1.2.2.1.1}$ Die Kundgabe

^{12}TT$^{2.2.4.2.2.1.2.1.2.2.1.2}$ Die göttliche Autorisation der Botschaft der Presbyterin

^{11}TT$^{2.2.4.2.2.1.2.1.2.2.2}$ Die Verheißung der Vergebung früherer Sünden

^{12}TT$^{2.2.4.2.2.1.2.1.2.2.2.1}$ an die Familie

^{12}TT$^{2.2.4.2.2.1.2.1.2.2.2.2}$ Verallgemeinerung: an alle Heiligen

^{12}TT$^{2.2.4.2.2.1.2.1.2.2.2.3}$ Terminangabe

^{11}TT$^{2.2.4.2.2.1.2.1.2.2.3}$ Die Bedingung: Buße von ganzem Herzen

^{8}TT$^{2.2.4.2.2.1.2.2}$ Bestätigung durch indirekte Wiedergabe eines Gotteseides (6,5) [*MS:* ὤμοσεν γὰρ ὁ δεσπότης; *Konj.:* ebenda]

^{9}TT$^{2.2.4.2.2.1.2.2.1}$ Schwurbericht als Zitatformel (6,5a)

^{9}TT$^{2.2.4.2.2.1.2.2.2}$ Zitat des Eides in indirekter Redeform (6,5b–d)

^{10}TT$^{2.2.4.2.2.1.2.2.2.1}$ Bekräftigung der zeitbegrenzten Bußmöglichkeit den *Auserwählten* gegenüber (6,5b–c)

^{10}TT$^{2.2.4.2.2.1.2.2.2.2}$ Versicherung weiterer Bußmöglichkeiten für die *Heiden* bis zum jüngsten Tag (6,5d)

^{7}TT$^{2.2.4.2.2.1.3}$ Auftrag zur Ermahnung der Gemeindevorsteher (6,6–8) [*Konj.:* οὖν]

^{8}TT$^{2.2.4.2.2.1.3.1}$ Auftrag zur Aufforderung zur Perseveranz angesichts der kommenden großen Drangsal (6,6–7)

^{9}TT$^{2.2.4.2.2.1.3.1.1}$ Auftragsangabe als Zitatformel (6,6)

^{10}TT$^{2.2.4.2.2.1.3.1.1.1}$ Die Aufforderung

^{10}TT$^{2.2.4.2.2.1.3.1.1.2}$ Adressaten: die Gemeindevorsteher

^{10}TT$^{2.2.4.2.2.1.3.1.1.3}$ Zweck: Wandel in Gerechtigkeit

^{10}TT$^{2.2.4.2.2.1.3.1.1.4}$ Folge: Empfang der göttlichen Verheißung

^{9}TT$^{2.2.4.2.2.1.3.1.2}$ Zitat der kundzugebenden Ermahnung (6,7) [*Konj.:* οὖν]

^{10}TT$^{2.2.4.2.2.1.3.1.2.1}$ Direkte Aufforderung der Presbyterin zur Perseveranz (6,7a)

^{11}TT$^{2.2.4.2.2.1.3.1.2.1.1}$ Die Aufforderung

^{11}TT$^{2.2.4.2.2.1.3.1.2.1.2}$ Zweck: eschatologisches Heil

^{10}TT$^{2.2.4.2.2.1.3.1.2.2}$ Seligpreisung derer, die aushalten und nicht verleugnen angesichts der kommenden großen Drangsal (6,7b)

^{8}TT$^{2.2.4.2.2.1.3.2}$ Bestätigung durch indirekte Wiedergabe eines Gotteseides (6,8) [*MS:* ὤμοσεν γὰρ κύριος; *Konj.:* ebenda]

$^{9}\mathrm{TT}^{2.2.4.2.2.1.3.2.1}$ Schwurbericht als Zitatformel (6,8a)

$^{9}\mathrm{TT}^{2.2.4.2.2.1.3.2.2}$ Zitat des Eides in indirekter Redeform (6,8b–c)

$^{10}\mathrm{TT}^{2.2.4.2.2.1.3.2.2.1}$ Drohung den Auserwählten gegenüber, die *nach* dem festgelegten Termin verleugnen (6,8b)

$^{10}\mathrm{TT}^{2.2.4.2.2.1.3.2.2.2}$ Versicherung der Konzession einer Bußmöglichkeit für die Auserwählten, die *vor* dem festgelegten Termin verleugnet haben (6,8c)

$^{6}\mathrm{TT}^{2.2.4.2.2.2}$ Das individuelle Verhalten als Vorbild bzw. als warnendes Beispiel aller Gläubigen (7,1–4b) [*Anrede:* Ἑρμᾶ; *Konj.:* δέ]

$^{7}\mathrm{TT}^{2.2.4.2.2.2.1}$ Das Verhalten des Hermas als Vorbild zum Erlangen des eschatologischen Heils: die Perseveranz (7,1–3)

$^{8}\mathrm{TT}^{2.2.4.2.2.2.1.1}$ Aufforderung an Hermas (Anrede: Ἑρμᾶ), seiner Familie gegenüber verzeihend zu handeln (7,1a–c)

$^{9}\mathrm{TT}^{2.2.4.2.2.2.1.1.1}$ Die Aufforderung zum rechten Verhalten (7,1a)

$^{10}\mathrm{TT}^{2.2.4.2.2.2.1.1.1.1}$ Die Aufforderung

$^{10}\mathrm{TT}^{2.2.4.2.2.2.1.1.1.2}$ Zweck: Reinigung von früheren Sünden der Kinder

$^{9}\mathrm{TT}^{2.2.4.2.2.2.1.1.2}$ Begründung aufgrund einer ethisch-pädagogischen Theorie (7,1b–c)

$^{10}\mathrm{TT}^{2.2.4.2.2.2.1.1.2.1}$ Positive Konsequenz bei Erfüllung der Theorie

$^{10}\mathrm{TT}^{2.2.4.2.2.2.1.1.2.2}$ Negative Konsequenz bei der Nichterfüllung

$^{8}\mathrm{TT}^{2.2.4.2.2.2.1.2}$ Die Vorbildlichkeit des Hermas; Anrede: Ἑρμᾶ (7,1d–3)

$^{9}\mathrm{TT}^{2.2.4.2.2.2.1.2.1}$ Feststellung der Bedrängnis des Hermas (7,1d–e)

$^{10}\mathrm{TT}^{2.2.4.2.2.2.1.2.1.1}$ Bedrängnis wegen der Sünden der Familie

$^{10}\mathrm{TT}^{2.2.4.2.2.2.1.2.1.2}$ Angabe der Selbstverschuldung der Bedrängnisse

$^{11}\mathrm{TT}^{2.2.4.2.2.2.1.2.1.2.1}$ Vernachlässigung der Familie

$^{11}\mathrm{TT}^{2.2.4.2.2.2.1.2.1.2.2}$ Verwicklung in böse Geschäfte

$^{9}\mathrm{TT}^{2.2.4.2.2.2.1.2.2}$ Feststellung der Perseveranz des Hermas (7,2a)

$^{10}TT^{2.2.4.2.2.2.1.2.2.1}$ Heilsversicherung an Hermas

$^{11}TT^{2.2.4.2.2.2.1.2.2.1.1}$ wegen Perseveranz im Glauben

$^{11}TT^{2.2.4.2.2.2.1.2.2.1.2}$ wegen moralischen Verhaltens

$^{9}TT^{2.2.4.2.2.2.1.2.3}$ Darlegung der Vorbildlichkeit des Hermas durch Verallgemeinerung auf alle imitatores Hermae (2,2b–c)

$^{10}TT^{2.2.4.2.2.2.1.2.3.1}$ Rückverweis auf die Heilsversicherung an Hermas mit Bedingungsangabe

$^{10}TT^{2.2.4.2.2.2.1.2.3.2}$ Heilsversicherung an alle imitatores Hermae, d.h. an diejenigen,

$^{11}TT^{2.2.4.2.2.2.1.2.3.2.1}$ die nicht vom lebendigen Gott abfallen

$^{11}TT^{2.2.4.2.2.2.1.2.3.2.2}$ und sich moralisch tadellos verhalten

$^{10}TT^{2.2.4.2.2.2.1.2.3.2}$ Erneute Heilsversicherung an Hermas' Nachfolger

$^{9}TT^{2.2.4.2.2.2.1.2.4}$ Bestätigung des eschatologischen Heils an alle Büßer in Form eines Makarismus' (7,3)

$^{7}TT^{2.2.4.2.2.2.2}$ Das Verhalten des Maximus als warnendes Beispiel: die Verleugnung (7,4) [*MS:* ἐρεῖς δὲ Μαξίμῳ; *HT:* ebenda; *Konj.:* ebenda]

$^{8}TT^{2.2.4.2.2.2.2.1}$ Aufforderung zur Warnung an Maximus als Zitatformel (7,4a)

$^{8}TT^{2.2.4.2.2.2.2.2}$ Sarkastische Aufforderung (Permissio!) an Maximus zur erneuten Verleugnung (7,4b)

$^{6}TT^{2.2.4.2.2.3}$ Abschließende Begründung der Botschaft des Himmelsbuches von der Christenbuße durch ein (apokryphes) Schriftzitat (7,4c–d) [*Nachgestellter MS:* ὡς γέγραπται ἐν τῷ 'Ελδὰδ καὶ Μωδάτ ...]

$^{7}TT^{2.2.4.2.2.3.1}$ Zitat: ἐγγὺς κύριος τοῖς ἐπιστρεφομένοις (7,4c)

$^{7}TT^{2.2.4.2.2.3.2}$ Zitatformel mit Angabe der Schriftquelle (7,4d)

$^{2}TT^{2.2a}$ Zwei Nachtragsvisionen (8,1–3) [*SM:* 'Απεκαλύφθη (Verbform!) δέ μοι; *Konj.:* ebenda; *MS* (*Sur*): ἀδελφοί; *EM:* (*Z*+*O*) κοιμωμένῳ]

$^{3}TT^{2.2a.1}$ Erste Nachtragsvision: Bekundung der Identität der Übermittlerin des Himmelsbuches, d.h. der Presbyterin, mit der Kirche (8,1)

$^{4}TT^{2.2a.1.1}$ Situationsangabe: κοιμωμένῳ [*HT:* Hermas allein]

$^{4}TT^{2.2a.1.2}$ Nachtvision vom Jüngling [*HT:* Hermas–Offenbarer]

$^{5}TT^{2.2a.1.2.1}$ Erscheinen des Jünglings; Adressatenanrede: ἀδελφοί

$^{5}\mathrm{TT}^{2.2a.1.2.2}$ Dialog mit dem Jüngling über die Identität der Presbyterin [*MS:* λέγοντός μοι]

$^{6}\mathrm{TT}^{2.2a.1.2.2.1}$ Frage des Jünglings nach der Identität der Übermittlerin

$^{7}\mathrm{TT}^{2.2a.1.2.2.1.1}$ Zitatformel

$^{7}\mathrm{TT}^{2.2a.1.2.2.1.2}$ Die Frage nach der Identität

$^{6}\mathrm{TT}^{2.2a.1.2.2.2}$ (Irrige) Identifikation durch Hermas

$^{7}\mathrm{TT}^{2.2a.1.2.2.2.1}$ Zitatformel

$^{7}\mathrm{TT}^{2.2a.1.2.2.2.2}$ Die (irrige) Identifikation

$^{6}\mathrm{TT}^{2.2a.1.2.2.3}$ Feststellung des Irrtums durch den Jüngling

$^{7}\mathrm{TT}^{2.2a.1.2.2.3.1}$ Zitatformel

$^{7}\mathrm{TT}^{2.2a.1.2.2.3.2}$ Die Feststellung des Irrtums

$^{6}\mathrm{TT}^{2.2a.1.2.2.4}$ Frage des Hermas nach der Identität der Presbyterin

$^{7}\mathrm{TT}^{2.2a.1.2.2.4.1}$ Die Frage nach der Identität

$^{7}\mathrm{TT}^{2.2a.1.2.2.4.2}$ Zitatformel

$^{6}\mathrm{TT}^{2.2a.1.2.2.5}$ Bekundung der Identität der Presbyterin durch den Jüngling

$^{7}\mathrm{TT}^{2.2a.1.2.2.5.1}$ Die Bekundung der Identität

$^{7}\mathrm{TT}^{2.2a.1.2.2.5.2}$ Zitatformel

$^{6}\mathrm{TT}^{2.2a.1.2.2.6}$ Frage des Hermas bezüglich des Alters der Presbyterin

$^{7}\mathrm{TT}^{2.2a.1.2.2.6.1}$ Zitatformel

$^{7}\mathrm{TT}^{2.2a.1.2.2.6.2}$ Die Frage nach der Bedeutung des Alters

$^{6}\mathrm{TT}^{2.2a.1.2.2.7}$ Erklärung des Alters durch den Jüngling

$^{7}\mathrm{TT}^{2.2a.1.2.2.7.1}$ Zitatformel

$^{7}\mathrm{TT}^{2.2a.1.2.2.7.2}$ Die Erklärung des Alters

$^{3}\mathrm{TT}^{2.2a.2}$ Zweite Nachtragsvision: Detailanweisung der Presbyterin an Hermas zur Ausführung des Auftrags zur Kundgebung der Botschaft der Christenbuße mit Versprechung weiterer Offenbarungen (8,2–3) [*SM:* ὅρασιν; *NM:* (*Z*) μετέπειτα ... εἶδον; (*O*) ἐν τῷ οἴκῳ μου]

$^{4}\mathrm{TT}^{2.2a.2.1}$ Situationsangabe (8,2a) [*HT:* Hermas allein]

$^{4}\mathrm{TT}^{2.2a.2.2}$ Nachtvision von der Presbyterin (8,2b–3) [*HT:* Hermas-Presbyterin; *RN:* ἡ πρεσβυτέρα]

$^{5}\mathrm{TT}^{2.2a.2.2.1}$ Erscheinen der Presbyterin (8,2bα)

$^{5}\mathrm{TT}^{2.2a.2.2.2}$ Dialogfolge mit der Presbyterin (8,2bβ–3) [*MS:* ἠρώτησέν με]

$^{6}\mathrm{TT}^{2.2a.2.2.2.1}$ Dialog in indirekter Redeform wiedergegeben (8,2bβ)

$^{7}\mathrm{TT}^{2.2a.2.2.2.1.1}$ Erkundigung der Presbyterin nach der Erfüllung des Auftrags der zweiten Vision

$^{8}\mathrm{TT}^{2.2a.2.2.2.1.1.1}$ Zitatformel

$^{8}\mathrm{TT}^{2.2a.2.2.2.1.1.2}$ Die Erkundigung

$^{7}TT^{2.2a.2.2.2.1.2}$ Negative Antwort des Hermas

$^{6}TT^{2.2a.2.2.2.2}$ Monolog der Presbyterin, wiedergegeben in direkter Redeform (8,2c–3)

$^{7}TT^{2.2a.2.2.2.2.1}$ Gutheißung der Nichterfüllung (8,2c)

$^{7}TT^{2.2a.2.2.2.2.2}$ Zitatformel

$^{7}TT^{2.2a.2.2.2.2.3}$ Begründung der Gutheißung: Versprechung weiterer Offenbarungen (8,2d)

$^{7}TT^{2.2a.2.2.2.2.4}$ Detailanweisung zur Verbreitung der Botschaft von der Christenbuße mit indirekter Terminangabe (8,2e–3) [*Konj.*: οὖν]

$^{8}TT^{2.2a.2.2.2.2.4.1}$ Allgemeiner Auftrag zur Kundgebung (8,2e)

$^{9}TT^{2.2a.2.2.2.2.4.1.1}$ Indirekte Terminangabe

$^{9}TT^{2.2a.2.2.2.2.4.1.2}$ Auftrag zur Weitergabe an alle Auserwählten

$^{8}TT^{2.2a.2.2.2.2.4.2}$ Spezifische Anweisungen zur Durchführung des Verbreitungsauftrags: durch Vervielfältigung des Buches (8,3) [*Konj.*: οὖν]

$^{9}TT^{2.2a.2.2.2.2.4.2.1}$ Auftrag an Hermas, zwei Abschriften anzufertigen: die eine für Clemens, die andere für Grapte (8,3a)

$^{9}TT^{2.2a.2.2.2.2.4.2.2}$ Auftrag zur weiteren Verbreitung (8,3b–d) [*Konj.*: οὖν]

$^{10}TT^{2.2a.2.2.2.2.4.2.2.1}$ Clemens durch Abschriften an die Außengemeinden

$^{10}TT^{2.2a.2.2.2.2.4.2.2.2}$ Grapte durch Kundgabe an die Witwen und Waisen [*Konj.*: δέ]

$^{10}TT^{2.2a.2.2.2.2.4.2.2.3}$ Hermas durch Verlesung vor der Ortsgemeinde in Gegenwart der Presbyter [*Konj.*: δέ]

$^{2}TT^{2.3}$ Dritte Vision: Die Notwendigkeit und Möglichkeit der *einmaligen Christenbuße im Hinblick auf die Kirche* (9,1–21,4) [*SM:* Ὅρασις γ΄ ἣν εἶδον ... τοιαύτη; *MS*(*Sur*): ἀδελφοί; *EM:* (*Z*) νηστεύσας πολλάκις; (*O*) Präsupposition: wahrscheinlich das Haus des Hermas s. 9,2; *HT:* Hermas allein]

$^{3}TT^{2.3.1}$ Vision von der Presbyterin zwecks Ortsveränderung (9,2–3)

$^{4}TT^{2.3.1.1}$ Präparation des Hermas für die Vision durch kultische Handlungen (9,2aα)

$^{5}TT^{2.3.1.1.1}$ Angabe der kultischen Handlungen: Fasten und Beten

$^{5}TT^{2.3.1.1.2}$ Zitat des Gebets [*MS:* δεηθεὶς τοῦ κυρίου]

$^{6}TT^{2.3.1.1.2.1}$ Zitatformel

^{6}TT$^{2.3.1.1.2.2}$ Bitte um die verheißene Offenbarung in indirekter Redeform

^{4}TT$^{2.3.1.2}$ Die Vision (9,2aβ–3) [*HT:* Hermas-Presbyterin; *NM:* (*Z*) αὐτῇ τῇ νυκτί; *RN:* ἡ πρεσβυτέρα]

^{5}TT$^{2.3.1.2.1}$ Erscheinung der Presbyterin (9,2aγ)

^{5}TT$^{2.3.1.2.2}$ Dialog mit der Presbyterin (9,2b–3) [*MS:* καὶ εἶπέν μοι]

^{6}TT$^{2.3.1.2.2.1}$ Aufforderung der Presbyterin an Hermas, den Offenbarungsort aufzusuchen

^{7}TT$^{2.3.1.2.2.1.1}$ Zitatformel

^{7}TT$^{2.3.1.2.2.1.2}$ Aufforderung mit Offenbarungsverheißung

^{8}TT$^{2.3.1.2.2.1.2.1}$ Begründung durch Scheltwort (vgl. 11,1.3.5; 14,5; 15,5; 16,9; 18,9 usw.)

^{8}TT$^{2.3.1.2.2.1.2.2}$ Die Aufforderung, den Offenbarungsort aufzusuchen

^{8}TT$^{2.3.1.2.2.1.2.3}$ Die Verheißung einer göttlich bestimmten Offenbarung zu angegebener Zeit

^{6}TT$^{2.3.1.2.2.2}$ Erkundigung des Hermas über den genauen Platz für die Offenbarung am Offenbarungsort (9,3a–b)

^{7}TT$^{2.3.1.2.2.2.1}$ Zitatformel

^{7}TT$^{2.3.1.2.2.2.2}$ Die Frage nach dem Offenbarungsplatz mit Titulatur: κυρία

^{6}TT$^{2.3.1.2.2.3}$ Anheimgeben der Platzwahl an Hermas seitens der Presbyterin (9,3c)

^{7}TT$^{2.3.1.2.2.3.1}$ Zitatformel

^{7}TT$^{2.3.1.2.2.3.2}$ Das Anheimgeben der Platzwahl

^{6}TT$^{2.3.1.2.2.4}$ Bericht des Hermas von der Platzwahl (9,3d)

^{7}TT$^{2.3.1.2.2.4.1}$ Hermas' Entscheidung

^{7}TT$^{2.2.1.2.2.4.2}$ Die supranaturale Kenntnis von der Platzwahl ohne Mitteilung des Hermas

^{6}TT$^{2.3.1.2.2.5}$ Versicherung der Presbyterin, zum Offenbarungsplatz zu kommen (9,3e)

^{7}TT$^{2.3.1.2.2.5.1}$ Zitatformel

^{7}TT$^{2.3.1.2.2.5.2}$ Die Versicherung

^{3}TT$^{2.3.2}$ Vision von der Presbyterin am Offenbarungsort (9,4–18,2) [*NM:* (*Z*+*O*) ἐγενόμην οὖν, ..., εἰς τὸν ἀγρόν, καὶ συνώψισα τὰς ὥρας, καὶ ἦλθον εἰς τὸν τόπον; *Konj.:* ebenda; *MS*(*Sur*): ἀδελφοί; *HT:* Hermas allein]

^{4}TT$^{2.3.2.1}$ Präparation des Hermas für die Vision (9,4–5)

^{5}TT$^{2.3.2.1.1}$ Ankunft am Offenbarungsort mit Adressatenanrede: ἀδελφοί (9,4a–e)

^{6}TT$^{2.3.2.1.1.1}$ Die Ankunft

^{6}TT$^{2.3.2.1.1.2}$ Zeiteinhaltung

$^{6}TT^{2.3.2.1.1.3}$ Aufsuchen des vorherbestimmten Offenbarungsplatzes

$^{5}TT^{2.3.2.1.2}$ Wahrnehmung einer Bank und ihre Beschreibung (9,4f–h)

$^{6}TT^{2.3.2.1.2.1}$ Die Wahrnehmung der Bank

$^{6}TT^{2.3.2.1.2.2}$ Die Beschreibung der Bank

$^{7}TT^{2.3.2.1.2.2.1}$ Das Material: Elfenbein

$^{7}TT^{2.3.2.1.2.2.2}$ Die Garnitur: Kissen und Tuch aus Linnen

$^{5}TT^{2.3.2.1.3}$ Reaktion des Hermas in seiner Einsamkeit: Furcht und Zittern (9,5a–b) [*NM:* ἰδών]

$^{5}TT^{2.3.2.1.4}$ Kultische Handlungen nach Wiedererlangen der Vernunft (9,5c) [*NM:* ἐν ἐμαυτῷ οὖν γενόμενος; *Konj.*: ebenda]

$^{6}TT^{2.3.2.1.4.1}$ Wiedererlangen der Vernunft und Fassen von Mut

$^{6}TT^{2.3.2.1.4.2}$ Proskynese

$^{6}TT^{2.3.2.1.4.3}$ Bekenntnis der früheren Sünden

$^{4}TT^{2.3.2.2}$ Die Vision (9,6–18,2) [*HT:* Hermas-Presbyterin; Keine *RN!*]

$^{5}TT^{2.3.2.2.1}$ Einleitungsschilderung (9,6–7) [*HT*(*P*): sechs Jünglinge; *RN:* ebenda]

$^{6}TT^{2.3.2.2.1.1}$ Erscheinung der Presbyterin zusammen mit sechs Jünglingen (9,6a)

$^{7}TT^{2.3.2.2.1.1.1}$ Die Erscheinung

$^{7}TT^{2.3.2.2.1.1.2}$ Wahrnehmung der Presbyterin vom kultischen Akt des Hermas

$^{6}TT^{2.3.2.2.1.2}$ Zurechtweisung des Hermas seitens der Presbyterin (9,6b)

$^{7}TT^{2.3.2.2.1.2.1}$ Zitatformel

$^{7}TT^{2.3.2.2.1.2.2}$ Die Zurechtweisung mit Anrede: Ἑρμᾶ

$^{8}TT^{2.3.2.2.1.2.2.1}$ Vermahnung, das Sündenbekenntnis zu beenden

$^{8}TT^{2.3.2.2.1.2.2.2}$ Aufforderung, sich Gerechtigkeit zu erbeten

$^{6}TT^{2.3.2.2.1.3}$ Vorbereitung zur Vision eines Turmbaus (9,7)

$^{7}TT^{2.3.2.2.1.3.1}$ Aufrichten des Hermas durch die Presbyterin und Geleit zur Bank der Offenbarung

$^{7}TT^{2.3.2.2.1.3.2}$ Wegschicken der Jünglinge zum Bau des Turmes

$^{8}TT^{2.3.2.2.1.3.2.1}$ Zitatformel

$^{8}TT^{2.3.2.2.1.3.2.2}$ Zitat des Befehls an die Jünglinge

$^{5}TT^{2.3.2.2.2}$ Dialogfolge vom Vorrang (9,8–10,2) [*NM:* (*Z*) καὶ μετὰ τὸ ἀναχωρῆσαι τοὺς νεανίσκους καὶ μόνων ἡμῶν γεγονότων; *HT*(*P*): ebenda; *MS:* λέγει μοι]

$^{6}TT^{2.3.2.2.2.1}$ Dialog bezüglich des Vorranges der Presbyter (9,8)

$^{7}TT^{2.3.2.2.2.1.1}$ Aufforderung an Hermas zum Platznehmen auf der Bank

$^{8}TT^{2.3.2.2.2.1.1.1}$ Zitatformel

$^{8}TT^{2.3.2.2.2.1.1.2}$ Die Aufforderung der Presbyterin

$^{7}TT^{2.3.2.2.2.1.2}$ Angebot des Rücktritts zugunsten der Presbyter

$^{8}TT^{2.3.2.2.2.1.2.1}$ Zitatformel

$^{8}TT^{2.3.2.2.2.1.2.2}$ Das Angebot des Hermas mit Titulatur: κυρία

$^{7}TT^{2.3.2.2.2.1.3}$ Zurückweisung des Angebots durch die Presbyterin

$^{8}TT^{2.3.2.2.2.1.3.1}$ Zitatformel

$^{8}TT^{2.3.2.2.2.1.3.2}$ Die Zurückweisung

$^{6}TT^{2.3.2.2.2.2}$ Bericht von der Ablehnung der Presbyterin, Hermas zu ihrer Rechten sitzen zu lassen (9,9a) [*NM:* θέλοντος οὖν μου καθίσαι; *Konj.:* ebenda]

$^{7}TT^{2.3.2.2.2.2.1}$ Hermas' Absicht, zur Rechten der Presbyterin Platz zu nehmen

$^{7}TT^{2.3.2.2.2.2.2}$ Die Ablehnung der Presbyterin

$^{6}TT^{2.3.2.2.2.3}$ Dialog bezüglich des Vorranges der Märtyrer (9,9b–10,2) [*NM:* (*Z*) διαλογιζομένου μου οὖν καὶ λυπουμένου; *MS:* ebenda; *Konj.:* ebenda]

$^{7}TT^{2.3.2.2.2.3.1}$ Betrübte Reaktion des Hermas durch inneren Monolog

$^{8}TT^{2.3.2.2.2.3.1.1}$ Zitatformel

$^{8}TT^{2.3.2.2.2.3.1.2}$ Die Reaktion in indirekter Redeform

$^{7}TT^{2.3.2.2.2.3.2}$ Reaktion der Presbyterin auf Hermas' inneren Monolog: der allgemeine Vorrang der Märtyrer und ihre Vorbildlichkeit (9,9c–f)

$^{8}TT^{2.3.2.2.2.3.2.1}$ Zitatformel

$^{8}TT^{2.3.2.2.2.3.2.2}$ Erkundigung nach Hermas' Zustand; Anrede: Ἑρμᾶ (9,9c)

$^{8}TT^{2.3.2.2.2.3.2.3}$ Darlegung des Vorranges und der Vorbildlichkeit der Märtyrer (9,9d–f)

$^{9}TT^{2.3.2.2.2.3.2.3.1}$ Der Vorrang der Märtyrer aufgrund ihrer Leiden um des Namens willen

$^{9}TT^{2.3.2.2.2.3.2.3.2}$ Der Mangel des Hermas

$^{9}TT^{2.3.2.2.2.3.2.3.3}$ Aufforderung zum weiteren Ausharren und Verheißung

$^{7}TT^{2.3.2.2.2.3.3}$ Frage des Hermas nach der Beschaffenheit des von den Märtyrern Ertragenen (10,1a)

$^{8}TT^{2.3.2.2.2.3.3.1}$ Zitatformel

$^{8}TT^{2.3.2.2.2.3.3.2}$ Die Frage nach dem Ertragenen

$^{7}TT^{2.3.2.2.2.3.4}$ Antwort der Presbyterin: die konkrete Art des Ertragenen (10,1b–2)

$^{8}TT^{2.3.2.2.2.3.4.1}$ Aufmerksamkeitsappell (10,1b)

$^{8}TT^{2.3.2.2.2.3.4.2}$ Zitatformel (10,1b)

$^{8}TT^{2.3.2.2.2.3.4.3}$ Die konkrete Art des Leidens als Begründung des Vorranges (10,1c–2)

$^{9}TT^{2.3.2.2.2.3.4.3.1}$ Aufzählung der Leidensarten um des Namens willen (10,1c)

$^{9}TT^{2.3.2.2.2.3.4.3.2}$ Diese Leiden als Grund des Vorranges der Märtyrer (10,1d–g)

$^{10}TT^{2.3.2.2.2.3.4.3.2.1}$ Die Reservierung der rechten Seite des Heiligtums für die bisherigen und zukünftigen Märtyrer

$^{10}TT^{2.3.2.2.2.3.4.3.2.2}$ Die linke Seite für die Restlichen

$^{10}TT^{2.3.2.2.2.3.4.3.2.3}$ Für beide Gruppen aber dieselben Gaben und Verheißungen

$^{10}TT^{2.3.2.2.2.3.4.3.2.4}$ Ehrenstellung nur für die zur Rechten

$^{9}TT^{2.3.2.2.2.3.4.3.3}$ Die Mängel des Hermas und ihre Behebung (10,2a–b)

$^{10}TT^{2.3.2.2.2.3.4.3.3.1}$ Feststellung der Mängel

$^{10}TT^{2.3.2.2.2.3.4.3.3.2}$ Verheißung ihrer Behebung

$^{9}TT^{2.3.2.2.2.3.4.3.4}$ Verallgemeinerung mit Terminangabe: Verheißung an alle Nichtzweifler, sie von ihren bisherigen Sünden zu reinigen (10,2c)

$^{5}TT^{2.3.2.2.3}$ Erste Vision innerhalb der Vision: vom Turmbau (10,3–9) [*NM:* (*Z*) ταῦτα εἴπασα ἤθελεν ἀπελθεῖν; *SA:* ebenda]

$^{6}TT^{2.3.2.2.3.1}$ Präparation des Hermas für die Vision (10,3–4)

$^{7}TT^{2.3.2.2.3.1.1}$ Absicht der Presbyterin, sich zu entfernen

$^{7}TT^{2.3.2.2.3.1.2}$ Hermas' Anflehen der Presbyterin um die Vision (10,3b)

$^{8}TT^{2.3.2.2.3.1.2.1}$ Proskynese

$^{8}TT^{2.3.2.2.3.1.2.2}$ Gebet in Form einer Beschwörung

$^{9}TT^{2.3.2.2.3.1.2.2.1}$ Schwurbericht als Zitatformel

$^{9}TT^{2.3.2.2.3.1.2.2.2}$ Zitat der Bitte um die verheißene Vision in indirekter Redeform

$^{7}TT^{2.3.2.2.3.1.3}$ Vorbereitende Handlungen der Presbyterin (10,4a–c)

$^{8}TT^{2.3.2.2.3.1.3.1}$ Aufrichten des Hermas und Platzanweisung auf der Bank

$^{8}TT^{2.3.2.2.3.1.3.2}$ Platznehmen der Presbyterin auf der Bank zur Rechten des Hermas

$^{8}TT^{2.3.2.2.3.1.3.3}$ Zauberhandlung

$^{7}TT^{2.3.2.2.3.1.4}$ Vorbereitender Dialog (10,4d–f) [*MS:* λέγει μοι]

$^{8}TT^{2.3.2.2.3.1.4.1}$ Erkundigung der Presbyterin nach der Wahrnehmung Hermas' von der Vision

$^{9}TT^{2.3.2.2.3.1.4.1.1}$ Zitatformel

$^{9}TT^{2.3.2.2.3.1.4.1.2}$ Die Erkundigung

$^{8}TT^{2.3.2.2.3.1.4.2}$ Verneinende Antwort des Hermas

$^{9}TT^{2.3.2.2.3.1.4.2.1}$ Zitatformel

$^{9}TT^{2.3.2.2.3.1.4.2.2}$ Die Verneinung mit Titulatur: κυρία

$^{8}TT^{2.3.2.2.3.1.4.3}$ Wiederholte Erkundigung nach der Wahrnehmung Hermas' vom Bau des Turmes

$^{9}TT^{2.3.2.2.3.1.4.3.1}$ Zitatformel

$^{9}TT^{2.3.2.2.3.1.4.3.2}$ Die Erkundigung nach der Visionsschau vom Turmbau auf den Wassern mit viereckigen weißen Steinen

$^{6}TT^{2.3.2.2.3.2}$ Die Turmbauvision: vermittelt (vgl. 9,7; 10,4; 11,1) durch die Presbyterin in ihrer Funktion als Offenbarungs-Engel (10,5–9) [Merkmal: Ende des Dialogs; Anfang des Visionsberichts]

$^{7}TT^{2.3.2.2.3.2.1}$ Bericht von den *Bauarbeitern* (10,5)

$^{8}TT^{2.3.2.2.3.2.1.1}$ Arten von Bauarbeitern

$^{9}TT^{2.3.2.2.3.2.1.1.1}$ Die sechs Jünglinge in Begleitung der Presbyterin als Baumeister

$^{9}TT^{2.3.2.2.3.2.1.1.2}$ Tausende von Mithelfern

$^{8}TT^{2.3.2.2.3.2.1.2}$ Aufgaben der Bauarbeiter

$^{9}TT^{2.3.2.2.3.2.1.2.1}$ Die Mithelfer: Herbeitragen von Steinen aus der Tiefe und vom Lande

$^{9}TT^{2.3.2.2.3.2.1.2.2}$ Die Baumeister: Turmbau

$^{7}TT^{2.3.2.2.3.2.2}$ Beschreibung des Baumaterials (10,6–9) [Merkmal: τοὺς μὲν ...]

$^{8}TT^{2.3.2.2.3.2.2.1}$ Steine aus der Tiefe (10,6)

$^{9}TT^{2.3.2.2.3.2.2.1.1}$ Eingesetzte, ohne Bearbeitung

$^{9}TT^{2.3.2.2.3.2.2.1.2}$ Begründung: die Paßform

$^{10}TT^{2.3.2.2.3.2.2.1.2.1}$ Die Paßform

$^{10}TT^{2.3.2.2.3.2.2.1.2.2}$ Erläuterung der Begründung

$^{11}TT^{2.3.2.2.3.2.2.1.2.2.1}$ Unsichtbare Fugen

$^{11}TT^{2.3.2.2.3.2.2.1.2.2.2}$ Turm, wie aus einem einzigen Stein gebaut

$^{8}TT^{2.3.2.2.3.2.2.2}$ Steine vom Lande (10,7)

$^{9}TT^{2.3.2.2.3.2.2.2.1}$ Allgemeine Charakteristik

$^{9}TT^{2.3.2.2.3.2.2.2.2}$ Differenzierte Charakteristik

$^{10}TT^{2.3.2.2.3.2.2.2.2.1}$ Weggeworfene

$^{10}TT^{2.3.2.2.3.2.2.2.2.2}$ Eingesetzte

$^{10}TT^{2.3.2.2.3.2.2.2.2.3}$ Weit weggeworfene

$^{8}TT^{2.3.2.2.3.2.2.3}$ Klassifizierung der weggeworfenen Steine (10,8)

$^{9}\mathrm{TT}^{2.3.2.2.3.2.2.3.1}$ Allgemeine Charakteristik

$^{9}\mathrm{TT}^{2.3.2.2.3.2.2.3.2}$ Begründung durch differenzierte Charakteristik

$^{10}\mathrm{TT}^{2.3.2.2.3.2.2.3.2.1}$ Rauhe

$^{10}\mathrm{TT}^{2.3.2.2.3.2.2.3.2.2}$ Gesprungene

$^{10}\mathrm{TT}^{2.3.2.2.3.2.2.3.2.3}$ Beschädigte

$^{10}\mathrm{TT}^{2.3.2.2.3.2.2.3.2.4}$ Weiße und runde

$^{8}\mathrm{TT}^{2.3.2.2.3.2.2.4}$ Klassifizierung der weit vom Turm weggeworfenen Steine (10,9)

$^{9}\mathrm{TT}^{2.3.2.2.3.2.2.4.1}$ Allgemeine Charakteristik

$^{9}\mathrm{TT}^{2.3.2.2.3.2.2.4.2}$ Differenzierte Charakteristik

$^{10}\mathrm{TT}^{2.3.2.2.3.2.2.4.2.1}$ Auf das Ödland gerollte

$^{10}\mathrm{TT}^{2.3.2.2.3.2.2.4.2.2}$ Ins Feuer gefallene

$^{10}\mathrm{TT}^{2.3.2.2.3.2.2.4.2.3}$ In die Nähe des Wassers gefallene

$^{5}\mathrm{TT}^{2.3.2.2.4}$ Deutung der Turmbauvision in einer Dialogfolge mit der Presbyterin in ihrer Funktion als Deute-Engel (11,1–15,3) [*NM:* (*Z*) Δείξασά μοι ταῦτα ἤθελεν ἀποτρέχειν; *SA:* ebenda]

$^{6}\mathrm{TT}^{2.3.2.2.4.1}$ Proöminaler Dialog bezüglich der Notwendigkeit einer Deutung der Turmbauvision (11,1–4) [*MS:* λέγω αὐτῇ]

$^{7}\mathrm{TT}^{2.3.2.2.4.1.1}$ Absicht der Presbyterin, sich zu entfernen

$^{7}\mathrm{TT}^{2.3.2.2.4.1.2}$ Bitte um Deutung der Vision in Frageform (11,1b)

$^{8}\mathrm{TT}^{2.3.2.2.4.1.2.1}$ Zitatformel

$^{8}\mathrm{TT}^{2.3.2.2.4.1.2.2}$ Die Bitte um Deutung durch Hinweis auf die Nutzlosigkeit der Vision ohne Deutung mit Titulatur: κυρία

$^{7}\mathrm{TT}^{2.3.2.2.4.1.3}$ Scheltwort der Presbyterin (11,1c)

$^{8}\mathrm{TT}^{2.3.2.2.4.1.3.1}$ Zitatformel

$^{8}\mathrm{TT}^{2.3.2.2.4.1.3.2}$ Scheltwort mit Anrede: ἄνθρωπε

$^{7}\mathrm{TT}^{2.3.2.2.4.1.4}$ Argumentation des Hermas für die Deutung (11,1d)

$^{8}\mathrm{TT}^{2.3.2.2.4.1.4.1}$ Zugeständnis seiner Neugier

$^{8}\mathrm{TT}^{2.3.2.2.4.1.4.2}$ Zitatformel

$^{8}\mathrm{TT}^{2.3.2.2.4.1.4.3}$ Das Argument mit Titulatur: κυρία

$^{9}\mathrm{TT}^{2.3.2.2.4.1.4.3.1}$ Kundgabe der Deutung an die Brüder zu ihrem Erfreuen

$^{9}\mathrm{TT}^{2.3.2.2.4.1.4.3.2}$ Resultat der Kundgabe: Erkennen des Herrn

$^{7}\mathrm{TT}^{2.3.2.2.4.1.5}$ Korrektur des Arguments seitens der Presbyterin als Vorbereitung für die Gruppeneinteilung in der Deutung der Turmbauvision samt Selbstidentifikation der Presbyterin mit dem Turm als Voraussetzung der Deutung (11,2–3)

$^{8}TT^{2.3.2.2.4.1.5.1}$ Zitatformel

$^{8}TT^{2.3.2.2.4.1.5.2}$ Die Korrektur von Hermas' Argument einschließlich einer Möglichkeit zur Christenbuße (11,2b–d)

$^{9}TT^{2.3.2.2.4.1.5.2.1}$ Viele werden die Botschaft hören

$^{9}TT^{2.3.2.2.4.1.5.2.2}$ Die Korrektur: die unterschiedliche Reaktion verschiedener Gruppen

$^{10}TT^{2.3.2.2.4.1.5.2.2.1}$ Einigen zur Freude

$^{10}TT^{2.3.2.2.4.1.5.2.2.2}$ Anderen zur Klage

$^{10}TT^{2.3.2.2.4.1.5.2.2.3}$ Bußmöglichkeit für die Klagenden

$^{8}TT^{2.3.2.2.4.1.5.3}$ Die Deutung des Turmes auf die Kirche durch Selbstidentifikation der Presbyterin (11,2e–3)

$^{9}TT^{2.3.2.2.4.1.5.3.1}$ Aufmerksamkeitsappell, die Deutung zu hören mit gleichzeitiger Verheißung einer vollständigen Offenbarung

$^{9}TT^{2.3.2.2.4.1.5.3.2}$ Scheltwort

$^{10}TT^{2.3.2.2.4.1.5.3.2.1}$ Versagen weiterer Offenbarungen

$^{10}TT^{2.3.2.2.4.1.5.3.2.2}$ Begründung: Ende der Offenbarungen

$^{10}TT^{2.3.2.2.4.1.5.3.2.3}$ Zugeständnis weiterer Offenbarungen aufgrund der Unverschämtheit des Hermas

$^{9}TT^{2.3.2.2.4.1.5.3.3}$ Die Selbstidentifikation der früheren und jetzigen Presbyterin mit dem Turm

$^{9}TT^{2.3.2.2.4.1.5.3.4}$ Verheißung der Deutung

$^{10}TT^{2.3.2.2.4.1.5.3.4.1}$ Verheißung

$^{10}TT^{2.3.2.2.4.1.5.3.4.2}$ Ziel: Hermas zu erfreuen; Verallgemeinerung: die Heiligen

$^{7}TT^{2.3.2.2.4.1.6}$ Aufforderung Hermas' an die Presbyterin, die in 11,2 versprochene, vollständige Deutung zu vollziehen (11,4a–b)

$^{8}TT^{2.3.2.2.4.1.6.1}$ Zitatformel

$^{8}TT^{2.3.2.2.4.1.6.2}$ Die Aufforderung zur Deutung mit Titulatur: κυϱία

$^{7}TT^{2.3.2.2.4.1.7}$ Verheißung einer eingeschränkten Deutung seitens der Presbyterin mit Aufforderung an Hermas, bei Gott zu verharren ohne an der Deutung zu zweifeln (11,4c–d)

$^{8}TT^{2.3.2.2.4.1.7.1}$ Zitatformel

$^{8}TT^{2.3.2.2.4.1.7.2}$ Die Verheißung der Deutung

$^{8}TT^{2.3.2.2.4.1.7.3}$ Die Aufforderung zum Verharren

^{6}TT$^{2.3.2.2.4.2}$ Der Deutungsdialog: erster Teil: Deutung des Fundaments des Turmes und der Bauarbeiter (11,5–12,2) [*MS:* ἐπηρώτησα αὐτήν]

- ^{7}TT$^{2.3.2.2.4.2.1}$ Frage nach der *Fundierung des Turmes* auf den Wassern (11,5a)
  - ^{8}TT$^{2.3.2.2.4.2.1.1}$ Zitatformel
  - ^{8}TT$^{2.3.2.2.4.2.1.2}$ Die Frage nach der Bedeutung der Wasser mit Titulatur: κυρία
- ^{7}TT$^{2.3.2.2.4.2.2}$ Deutung der Wasser auf das Taufwasser (11,5b)
  - ^{8}TT$^{2.3.2.2.4.2.2.1}$ Zitatformel
  - ^{8}TT$^{2.3.2.2.4.2.2.2}$ Scheltwort: wegen Neugier, die Wahrheit zu erfahren
  - ^{8}TT$^{2.3.2.2.4.2.2.3}$ Aufmerksamkeitsappell
  - ^{8}TT$^{2.3.2.2.4.2.2.4}$ Die Deutung auf das Taufwasser
    - ^{9}TT$^{2.3.2.2.4.2.2.4.1}$ Rettung durch Wasser
    - ^{9}TT$^{2.3.2.2.4.2.2.4.2}$ Grundlegung des Turmes durch das Wort Gottes
- ^{7}TT$^{2.3.2.2.4.2.3}$ Frage bezüglich der *Baumeister,* die am Turm arbeiten (12,1a)
  - ^{8}TT$^{2.3.2.2.4.2.3.1}$ Zitatformel
  - ^{8}TT$^{2.3.2.2.4.2.3.2}$ Die Frage nach der Deutung der sechs Jünglinge, d.h. der Baumeister mit Titulatur: κυρία
    - ^{9}TT$^{2.3.2.2.4.2.3.2.1}$ Bekundung der Großartigkeit dieses Werkes
    - ^{9}TT$^{2.3.2.2.4.2.3.2.2}$ Die Frage nach der Deutung der sechs Jünglinge
- ^{7}TT$^{2.3.2.2.4.2.4}$ Deutung der Baumeister als übergeordnete Engel Gottes (12,1b)
  - [^{8}TT$^{2.3.2.2.4.2.4.1}$ Zitatformel fehlt]
  - ^{8}TT$^{2.3.2.2.4.2.4.2}$ Die Deutung der sechs Jünglinge als Engel Gottes
    - ^{9}TT$^{2.3.2.2.4.2.4.2.1}$ Die Deutung als zuerst erschaffene Engel Gottes
    - ^{9}TT$^{2.3.2.2.4.2.4.2.2}$ Angabe ihrer kosmischen Funktion
- ^{7}TT$^{2.3.2.2.4.2.5}$ Frage bezüglich der *Mitarbeiter,* die Steine herbeitragen (12,2a)
  - [^{8}TT$^{2.3.2.2.4.2.5.1}$ Zitatformel fehlt]
  - ^{8}TT$^{2.3.2.2.4.2.5.2}$ Die Frage nach der Deutung der Mitarbeiter
- ^{7}TT$^{2.3.2.2.4.2.6}$ Deutung der Mitarbeiter als untergeordnete Engel Gottes (12,2b–d)
  - [^{8}TT$^{2.3.2.2.4.2.6.1}$ Zitatformel fehlt]

$^{8}\mathrm{TT}^{2.3.2.2.4.2.6.2}$ Die Deutung der tausend Mitarbeiter

$^{9}\mathrm{TT}^{2.3.2.2.4.2.6.2.1}$ als den sechs untergeordnete Engel Gottes

$^{9}\mathrm{TT}^{2.3.2.2.4.2.6.2.2}$ mit gemeinsamer Freude an der Vollendung des Turmbaus; indirekte Terminangabe!

$^{6}\mathrm{TT}^{2.3.2.2.4.3}$ Der Deutungsdialog: zweiter Teil: Deutung des Baumaterials (12,3–15,3) [*MS:* ἐπηρώτησα αὐτὴν λέγων]

$^{7}\mathrm{TT}^{2.3.2.2.4.3.1}$ Bitte um Deutung des Schicksals und der Bedeutung des *Baumaterials* im allgemeinen (12,3a–b)

$^{8}\mathrm{TT}^{2.3.2.2.4.3.1.1}$ Zitatformel

$^{8}\mathrm{TT}^{2.3.2.2.4.3.1.2}$ Die Bitte um Deutung mit Titulatur: κυρία

$^{7}\mathrm{TT}^{2.3.2.2.4.3.2}$ Deutung der *viereckigen weißen Steine,* die in den Bau direkt Eingang finden (12,3c–13,1b)

$^{8}\mathrm{TT}^{2.3.2.2.4.3.2.1}$ Zitatformel

$^{8}\mathrm{TT}^{2.3.2.2.4.3.2.2}$ Scheltwort mit Aufforderung zur Wahrheitsbekundung (12,3d–g)

$^{9}\mathrm{TT}^{2.3.2.2.4.3.2.2.1}$ Das Scheltwort zur Vorbeugung eines evtl. Vorwurfs, hinter der Offenbarungsbotschaft stehe die eigene Autorität des Hermas (12,3d–f)

$^{10}\mathrm{TT}^{2.3.2.2.4.3.2.2.1.1}$ Bestreitung der Würde des Hermas

$^{10}\mathrm{TT}^{2.3.2.2.4.3.2.2.1.2}$ Bezeugung der Würde anderer ohne Identifizierung

$^{10}\mathrm{TT}^{2.3.2.2.4.3.2.2.1.3}$ Begründung gegebener und zukünftiger (indirekte Terminangabe!) Offenbarungen an Hermas: wegen der Zweifler

$^{9}\mathrm{TT}^{2.3.2.2.4.3.2.2.2}$ Die Aufforderung zur Wahrheitsbekundung an die Zweifler (12,3g)

$^{10}\mathrm{TT}^{2.3.2.2.4.3.2.2.2.1}$ Zitatformel

$^{10}\mathrm{TT}^{2.3.2.2.4.3.2.2.2.2}$ Zitat der Wahrheitsbekundung der Presbyterin in indirekter Redeform

$^{8}\mathrm{TT}^{2.3.2.2.4.3.2.3}$ Aufmerksamkeitsappell, die Deutung derjenigen Steine, die Eingang in den Turm finden, zu hören (13,1a)

$^{8}\mathrm{TT}^{2.3.2.2.4.3.2.4}$ Die Deutung der viereckigen weißen Steine, die fugenlos in den Bau eingesetzt werden (13,1b–d)

$^{9}\mathrm{TT}^{2.3.2.2.4.3.2.4.1}$ Charakterisierung der Steine

$^{9}\mathrm{TT}^{2.3.2.2.4.3.2.4.2}$ Die Deutung dieser Steine auf Apostel, Bischöfe, Lehrer und Diakone

$^{10}TT^{2.3.2.2.4.3.2.4.2.1}$ Aufzählung der Amtsträger

$^{10}TT^{2.3.2.2.4.3.2.4.2.2}$ Ihre ehrbare und reine Amtsausübung

$^{10}TT^{2.3.2.2.4.3.2.4.2.3}$ Ihr Schicksal: einige sind entschlafen; andere sind am Leben

$^{9}TT^{2.3.2.2.4.3.2.4.3}$ Die Deutung vom fugenlosen Zusammenpassen der Steine

$^{10}TT^{2.3.2.2.4.3.2.4.3.1}$ Einträchtigkeit und Friedlichkeit

$^{10}TT^{2.3.2.2.4.3.2.4.3.2}$ als Deutung des fugenlosen Baus

$^{7}TT^{2.3.2.2.4.3.3}$ Frage bezüglich der *Steine aus der Tiefe,* die auch in den Turm, fugenlos auf die anderen Steine, eingesetzt werden (13,2a)

[$^{8}TT^{2.3.2.2.4.3.3.1}$ Zitatformel fehlt]

$^{8}TT^{2.3.2.2.4.3.3.2}$ Die Frage nach der Bedeutung dieser Steine

$^{7}TT^{2.3.2.2.4.3.4}$ Deutung der Steine aus der Tiefe (13,2b)

[$^{8}TT^{2.3.2.2.4.3.4.1}$ Zitatformel fehlt]

$^{8}TT^{2.3.2.2.4.3.4.2}$ Die Deutung dieser Steine auf die Märtyrer

$^{7}TT^{2.3.2.2.4.3.5}$ Frage bezüglich der *Steine vom Lande* (13,3a)

[$^{8}TT^{2.3.2.2.4.3.5.1}$ Zitatformel fehlt]

$^{8}TT^{2.3.2.2.4.3.5.2}$ Die Frage nach den Steinen vom Lande mit Titulatur: κυρία

$^{7}TT^{2.3.2.2.4.3.6}$ Deutung einer *ersten Gruppe* der Steine vom Lande, d.h. solcher, die sich von selber zum Turm begeben und ohne Behauung in den Bau Eingang finden (13,3b)

$^{8}TT^{2.3.2.2.4.3.6.1}$ Zitatformel

$^{8}TT^{2.3.2.2.4.3.6.2}$ Charakterisierung der Steine

$^{8}TT^{2.3.2.2.4.3.6.3}$ Die Deutung dieser Gruppe, die direkt eingesetzt werden auf Rechtschaffene

$^{7}TT^{2.3.2.2.4.3.7}$ Frage bezüglich einer *zweiten Gruppe* der Steine vom Lande, d.h. solcher, die zum Turm gebracht und in den Bau eingesetzt werden (13,4a)

[$^{8}TT^{2.3.2.2.4.3.7.1}$ Zitatformel fehlt]

$^{8}TT^{2.3.2.2.4.3.7.2}$ Die Frage nach dieser Gruppe von Steinen, die direkt eingesetzt werden

$^{7}TT^{2.3.2.2.4.3.8}$ Deutung dieser zweiten Gruppe von Steinen vom Lande (13,4b)

[$^{8}TT^{2.3.2.2.4.3.8.1}$ Zitatformel fehlt]

$^{8}TT^{2.3.2.2.4.3.8.2}$ Die Deutung dieser Gruppe auf Neulinge im Glauben, in denen keine Sünde gefunden wurde

$^{7}TT^{2.3.2.2.4.3.9}$ Frage bezüglich einer *dritten Gruppe* der Steine vom Lande, d.h. solcher, die vom Turm nicht weit weggeworfen waren (13,5a)

[$^{8}TT^{2.3.2.2.4.3.9.1}$ Zitatformel fehlt]

$^{8}TT^{2.3.2.2.4.3.9.2}$ Die Frage nach den nicht weit weggeworfenen Steinen

$^{7}TT^{2.3.2.2.4.3.10}$ Deutung dieser dritten Gruppe der Steine vom Lande (13,5b–f)

[$^{8}TT^{2.3.2.2.4.3.10.1}$ Zitatformel fehlt]

$^{8}TT^{2.3.2.2.4.3.10.2}$ Die Deutung der vom Turm nicht weit weggeworfenen Steine

$^{9}TT^{2.3.2.2.4.3.10.2.1}$ Die Deutung dieser Steine auf bußfertige Sünder

$^{9}TT^{2.3.2.2.4.3.10.2.2}$ Die Deutung ihrer Lage: nicht weit vom Turm entfernt

$^{10}TT^{2.3.2.2.4.3.10.2.2.1}$ Die Brauchbarkeit für den Turm im Falle ihrer Buße

$^{10}TT^{2.3.2.2.4.3.10.2.2.2}$ Terminangabe für die Brauchbarkeit

$^{11}TT^{2.3.2.2.4.3.10.2.2.2.1}$ Bußmöglichkeit während des Turmbaus

$^{11}TT^{2.3.2.2.4.3.10.2.2.2.2}$ Keine Bußmöglichkeit nach Vollendung des Turmes

$^{7}TT^{2.3.2.2.4.3.11}$ Erkundigung der Presbyterin, ob Hermas die Deutung einer *vierten Gruppe* der Steine vom Lande, d.h. solcher, die zerschlagen und weit vom Turm weggeworfen sind, wissen möchte (14,1a)

[$^{8}TT^{2.3.2.2.4.3.11.1}$ Zitatformel fehlt]

$^{8}TT^{2.3.2.2.4.3.11.2}$ Die Erkundigung der Presbyterin

$^{7}TT^{2.3.2.2.4.3.12}$ Deutung dieser vierten Gruppe der Steine vom Lande (14,1b–d)

[$^{8}TT^{2.3.2.2.4.3.12.1}$ Zitatformel fehlt]

$^{8}TT^{2.3.2.2.4.3.12.2}$ Die Deutung dieser Gruppe auf gesetzlose Leute

$^{9}TT^{2.3.2.2.4.3.12.2.1}$ Kennzeichnung dieser Gruppe als Heuchler

$^{9}TT^{2.3.2.2.4.3.12.2.2}$ Die Konsequenz ihrer Heuchelei

$^{10}TT^{2.3.2.2.4.3.12.2.2.1}$ Sachlich: keine σωτηρία

$^{10}TT^{2.3.2.2.4.3.12.2.2.2}$ Bildlich: zerschlagen und weit vom Turm weggeworfen

$^{7}TT^{2.3.2.2.4.3.13}$ *Wiederaufnahme der Deutung der dritten Gruppe* der Steine vom Lande, d.h. der nicht weit weggeworfenen Steine, durch die Presbyterin als Aufforderung und Verheißung an die Christen [vgl. 13,5] (14,2a)

$^{7}TT^{2.3.2.2.4.3.14}$ Deutung einer *ersten Subgruppe* dieser nicht weit weggeworfenen Steine, d.h. solcher mit rauher Oberfläche, auf Christen, die nicht bei der Wahrheit bleiben und keine Gemeinschaft mit den Heiligen halten (14,2b)

$^{8}TT^{2.3.2.2.4.3.14.1}$ Charakterisierung der Steine

$^{8}TT^{2.3.2.2.4.3.14.2}$ Die Deutung auf solche, die mit den Heiligen nicht verkehren

$^{9}TT^{2.3.2.2.4.3.14.2.1}$ Einweihung in die christliche Wahrheit

$^{9}TT^{2.3.2.2.4.3.14.2.2}$ Mangel an Gemeindebewußtsein

$^{7}TT^{2.3.2.2.4.3.15}$ Frage bezüglich einer *zweiten Subgruppe* dieser Steine, d.h. solcher mit Rissen (14,3a)

[$^{8}TT^{2.3.2.2.4.3.15.1}$ Zitatformel fehlt]

$^{8}TT^{2.3.2.2.4.3.15.2}$ Die Frage nach den Steinen mit Rissen

$^{7}TT^{2.3.2.2.4.3.16}$ Deutung der Steine mit Rissen (14,3b)

[$^{8}TT^{2.3.2.2.4.3.16.1}$ Zitatformel fehlt]

$^{8}TT^{2.3.2.2.4.3.16.2}$ Die Deutung dieser Steine auf Christen, die keinen Frieden halten

$^{9}TT^{2.3.2.2.4.3.16.2.1}$ Die grundsätzlich feindliche Haltung gegeneinander

$^{9}TT^{2.3.2.2.4.3.16.2.2}$ Der Zwiespalt ihrer angeblichen Friedensgesinnung

$^{7}TT^{2.3.2.2.4.3.17}$ Deutung einer *dritten Subgruppe* dieser Steine, d.h. solcher mit Schäden, auf nicht ganz gerechte Christen (14,4)

$^{8}TT^{2.3.2.2.4.3.17.1}$ Charakterisierung der Steine

$^{8}TT^{2.3.2.2.4.3.17.2}$ Die Deutung auf nicht ganz gerechte

$^{9}TT^{2.3.2.2.4.3.17.2.1}$ Überwiegend Gerechtigkeit

$^{9}TT^{2.3.2.2.4.3.17.2.2}$ Ein Teil Ungerechtigkeit

$^{7}TT^{2.3.2.2.4.3.18}$ Frage bezüglich einer *vierten Subgruppe* dieser Steine, d.h. weißer und runder (14,5a)

[$^{8}TT^{2.3.2.2.4.3.18.1}$ Zitatformel fehlt]

$^{8}TT^{2.3.2.2.4.3.18.2}$ Die Frage nach den weißen und runden Steinen mit Titulatur: κυρία

$^{7}TT^{2.3.2.2.4.3.19}$ Deutung der weißen und runden Steine (14,5b–e)

$^{8}TT^{2.3.2.2.4.3.19.1}$ Zitatformel

$^{8}TT^{2.3.2.2.4.3.19.2}$ Scheltwort wegen Hermas' Torheit und Unverstand (14,5b)

$^{8}TT^{2.3.2.2.4.3.19.3}$ Die Deutung dieser Steine auf reiche Christen (14,5c–e)

$^{9}\mathrm{TT}^{2.3.2.2.4.3.19.3.1}$ Kennzeichnung: gleichzeitig gläubig und reich

$^{9}\mathrm{TT}^{2.3.2.2.4.3.19.3.2}$ Konsequenz des Reichtums: Verleugnung bei Drangsal

$^{7}\mathrm{TT}^{2.3.2.2.4.3.20}$ Frage nach dem Termin der Brauchbarkeit dieser letzten Subgruppe für den Bau (14,6a–b)

$^{8}\mathrm{TT}^{2.3.2.2.4.3.20.1}$ Zitatformel

$^{8}\mathrm{TT}^{2.3.2.2.4.3.20.2}$ Die Frage nach dem Zeitpunkt der Brauchbarkeit mit Titulatur: κυρία

$^{7}\mathrm{TT}^{2.3.2.2.4.3.21}$ Terminangabe durch Hinweis auf die Voraussetzung der Brauchbarkeit und mit Angabe eines Vorbildes (14,6c–7)

$^{8}\mathrm{TT}^{2.3.2.2.4.3.21.1}$ Zitatformel

$^{8}\mathrm{TT}^{2.3.2.2.4.3.21.2}$ Voraussetzung mit Begründung (14,6c–d)

$^{9}\mathrm{TT}^{2.3.2.2.4.3.21.2.1}$ Die Voraussetzung: Abschlagen des verlockenden Reichtums

$^{9}\mathrm{TT}^{2.3.2.2.4.3.21.2.2}$ Begründung durch einen Vergleich

$^{10}\mathrm{TT}^{2.3.2.2.4.3.21.2.2.1}$ Das Bild: Umwandlung der runden Steine in viereckige durch Abschlagen

$^{10}\mathrm{TT}^{2.3.2.2.4.3.21.2.2.2}$ Die Sache: Umwandlung der unbrauchbaren Reichen in brauchbare Christen durch Abschlagen des Reichtums

$^{8}\mathrm{TT}^{2.3.2.2.4.3.21.3}$ Hinweis auf Hermas als vorbildliches Beispiel (14,7)

$^{9}\mathrm{TT}^{2.3.2.2.4.3.21.3.1}$ Allgemeiner Hinweis durch Abwandlung einer Maxime

$^{9}\mathrm{TT}^{2.3.2.2.4.3.21.3.2}$ Konkreter Hinweis auf die Lage des Hermas: einst und jetzt

$^{10}\mathrm{TT}^{2.3.2.2.4.3.21.3.2.1}$ Einst: reich – ungeeignet

$^{10}\mathrm{TT}^{2.3.2.2.4.3.21.3.2.2}$ Jetzt: (Unbemittelt: durch semantische Präsupposition) – geeignet und brauchbar für das Leben

$^{9}\mathrm{TT}^{2.3.2.2.4.3.21.3.3}$ Aufforderung an die Gläubigen zur Nachahmung des Hermas (Plural!)

$^{9}\mathrm{TT}^{2.3.2.2.4.3.21.3.4}$ Begründung der Vorbildlichkeitsrolle des Hermas: seine eigene Verwendung im Turmbau

$^{7}\mathrm{TT}^{2.3.2.2.4.3.22}$ *Wiederaufnahme der Deutung der vierten Gruppe* der Steine vom Lande, d.h. der weit vom Turm weggeworfenen Steine, durch die

Presbyterin als Warnung an die Christen [vgl. 14,1] (15,1a)

$^{7}TT^{2.3.2.2.4.3.23}$ Deutung einer *ersten Subgruppe* dieser weit weggeworfenen Steine, d.h. der auf das Ödland gerollten, auf Zweifler (15,1b)

$^{8}TT^{2.3.2.2.4.3.23.1}$ Charakterisierung der Steine

$^{8}TT^{2.3.2.2.4.3.23.2}$ Die Deutung auf Zweifler

$^{9}TT^{2.3.2.2.4.3.23.2.1}$ Verlassen des wahren Weges wegen Zweifels

$^{9}TT^{2.3.2.2.4.3.23.2.2}$ Verirrung auf andere Wege

$^{7}TT^{2.3.2.2.4.3.24}$ Deutung einer *zweiten Subgruppe* dieser Steine, d.h. der ins Feuer gefallenen, auf Unbußfertige (15,2)

$^{8}TT^{2.3.2.2.4.3.24.1}$ Charakterisierung der Steine

$^{8}TT^{2.3.2.2.4.3.24.2}$ Die Deutung auf Unbußfertige

$^{9}TT^{2.3.2.2.4.3.24.2.1}$ Völlig vom lebendigen Gott abgefallene

$^{9}TT^{2.3.2.2.4.3.24.2.2}$ Grund der Abtrünnigkeit: unsittliches Leben

$^{7}TT^{2.3.2.2.4.3.25}$ Erkundigung der Presbyterin, ob Hermas die Deutung einer *dritten Subgruppe* dieser Steine, d.h. der in die Nähe des Wassers gefallenen, erfahren möchte (15,3a)

[$^{8}TT^{2.3.2.2.4.3.25.1}$ Zitatformel fehlt]

$^{8}TT^{2.3.2.2.4.3.25.2}$ Die Erkundigung der Presbyterin

$^{7}TT^{2.3.2.2.4.3.26}$ Deutung der in die Nähe des Wassers gefallenen Steine (15,3b–c)

[$^{8}TT^{2.3.2.2.4.3.26.1}$ Zitatformel fehlt]

$^{8}TT^{2.3.2.2.4.3.26.2}$ Die Deutung dieser Steine auf die vor der Taufe abgefallenen

$^{9}TT^{2.3.2.2.4.3.26.2.1}$ Gläubige, die vor der Taufe abgefallen sind

$^{9}TT^{2.3.2.2.4.3.26.2.2}$ Grund der Umkehr zu ihren bösen Begierden: die Keuschheit, die zur christlichen Wahrheit gehört

$^{5}TT^{2.3.2.2.5}$ Nachträglicher Deutungsdialog betreffend des Schicksals der in diesem Turm nicht verwendeten Steine (15,4–6) [*NM:* (*Z*) ἐτέλεσεν οὖν τὴν ἐξήγησιν τοῦ πύργου; *SA:* ebenda; *Konj.:* ebenda]

$^{6}TT^{2.3.2.2.5.1}$ Frage des Hermas nach dem Schicksal der in dem Turm nicht verwendeten Steine in indirekter Redeform (15,5a–b) [*MS:* ἀναιδευσάμενος ἔτι αὐτὴν ἐπηρώτησα]

$^{7}\mathrm{TT}^{2.3.2.2.5.1.1}$ Zitatformel

$^{7}\mathrm{TT}^{2.3.2.2.5.1.2}$ Die Frage nach dem Schicksal dieser Steine

$^{8}\mathrm{TT}^{2.3.2.2.5.1.2.1}$ bezüglich einer Bußmöglichkeit

$^{8}\mathrm{TT}^{2.3.2.2.5.1.2.2}$ bezüglich eines Platzes in diesem Turm

$^{6}\mathrm{TT}^{2.3.2.2.5.2}$ Bekundung einer minderwertigen Rettungsmöglichkeit dieser Steine an einem geringeren Ort (15,5c–6) [*MS:* φησίν]

$^{7}\mathrm{TT}^{2.3.2.2.5.2.1}$ Zitatformel

$^{7}\mathrm{TT}^{2.3.2.2.5.2.2}$ Die Kundgabe der Bußmöglichkeit an einem geringeren Ort (15,5c)

$^{8}\mathrm{TT}^{2.3.2.2.5.2.2.1}$ Die Beantwortung der Doppelfrage des Hermas

$^{9}\mathrm{TT}^{2.3.2.2.5.2.2.1.1}$ Bestätigung der Bußmöglichkeit

$^{9}\mathrm{TT}^{2.3.2.2.5.2.2.1.2}$ Bestreitung der Einfügung in diesen Turm

$^{8}\mathrm{TT}^{2.3.2.2.5.2.2.2}$ Die eingeschränkte Möglichkeit einer bedingten Rettung an einem viel geringeren Platz (15,6a)

$^{9}\mathrm{TT}^{2.3.2.2.5.2.2.2.1}$ Die eingeschränkte Rettung

$^{9}\mathrm{TT}^{2.3.2.2.5.2.2.2.2}$ Voraussetzung der Rettung: Qual und Abbüßung

$^{8}\mathrm{TT}^{2.3.2.2.5.2.2.3}$ Grund und wiederholte Voraussetzung der eingeschränkten Rettungsmöglichkeit (15,6b–c)

$^{9}\mathrm{TT}^{2.3.2.2.5.2.2.3.1}$ Der Grund: Anteil am gerechten Wort

$^{9}\mathrm{TT}^{2.3.2.2.5.2.2.3.2}$ Voraussetzung der Rettung

$^{10}\mathrm{TT}^{2.3.2.2.5.2.2.3.2.1}$ Angabe der Rettungsmöglichkeit

$^{10}\mathrm{TT}^{2.3.2.2.5.2.2.3.2.2}$ Voraussetzung: die Buße

$^{10}\mathrm{TT}^{2.3.2.2.5.2.2.3.2.3}$ Die Konsequenz der Unbußfertigkeit

$^{5}\mathrm{TT}^{2.3.2.2.6}$ Zweite Vision mit Deutung innerhalb der Vision als Präparation für die Paränese der Presbyterin: von den sieben Jungfrauen und Thematisierung der Terminangabe (16,1–10) [*NM:* (*Z*) ὅτε οὖν ἐπαυσάμην ἐρωτῶν αὐτὴν περὶ πάντων τούτων; *SA:* ebenda; *Konj.:* ebenda]

$^{6}\mathrm{TT}^{2.3.2.2.6.1}$ Präparation für die Vision in Dialogform (16,1–2b) [*MS:* λέγει μοι]

$^{7}\mathrm{TT}^{2.3.2.2.6.1.1}$ Erkundigung der Presbyterin, ob Hermas noch eine Vision sehen möchte

$^{8}\mathrm{TT}^{2.3.2.2.6.1.1.1}$ Zitatformel

$^{8}\mathrm{TT}^{2.3.2.2.6.1.1.2}$ Die Frage der Presbyterin

$^{7}\mathrm{TT}^{2.3.2.2.6.1.2}$ Bericht des Hermas von seiner Schaubegierde

$^{7}\mathrm{TT}^{2.3.2.2.6.1.3}$ Erkundigung der Presbyterin nach der Wahrnehmung des Hermas von sieben Jungfrauen rings um den Turm

$^{8}\mathrm{TT}^{2.3.2.2.6.1.3.1}$ Reaktion der Presbyterin und Zitatformel

$^{8}\mathrm{TT}^{2.3.2.2.6.1.3.2}$ Die Frage, ob Hermas die sieben Jungfrauen sieht

$^{7}\mathrm{TT}^{2.3.2.2.6.1.4}$ Bestätigung des Hermas von der Wahrnehmung der Jungfrauen

$^{8}\mathrm{TT}^{2.3.2.2.6.1.4.1}$ Die Bestätigung

$^{8}\mathrm{TT}^{2.3.2.2.6.1.4.2}$ Zitatformel

$^{8}\mathrm{TT}^{2.3.2.2.6.1.4.3}$ Titulatur: κυρία

[$^{6}\mathrm{TT}^{2.3.2.2.6.2}$ Visionsbericht von den sieben Jungfrauen fehlt; wird aber durch semantische Präsupposition vorausgesetzt]

$^{6}\mathrm{TT}^{2.3.2.2.6.3}$ Deutung der sieben Jungfrauen in zwei Dialogphasen mit der Presbyterin in ihrer Funktion als Deute-Engel (16,2c–8) [Merkmal: unvermittelter Anfang des Deutungsdialogs]

$^{7}\mathrm{TT}^{2.3.2.2.6.3.1}$ Erste Dialogphase: Deutung der sieben Jungfrauen als personifizierte Tugenden und ihre Wirkungsweisen (ἐνέργειαι) in Form eines Tugendkatalogs (16,2c–5)

$^{8}\mathrm{TT}^{2.3.2.2.6.3.1.1}$ Die Deutung der beiden ersten Jungfrauen und ihre Wirkungsweisen durch die Presbyterin: Anfang des Tugendkatalogs (16,2c–4)

[$^{9}\mathrm{TT}^{2.3.2.2.6.3.1.1.1}$ Zitatformel fehlt]

$^{9}\mathrm{TT}^{2.3.2.2.6.3.1.1.2}$ Das Verhältnis der Jungfrauen zum Turm: die tragende Funktion der Jungfrauen (16,2c)

$^{9}\mathrm{TT}^{2.3.2.2.6.3.1.1.3}$ Aufmerksamkeitsappell, die Wirkungsweisen zu hören (16,3a)

$^{9}\mathrm{TT}^{2.3.2.2.6.3.1.1.4}$ Die Deutung der ersten Jungfrau (16,3b–c)

$^{10}\mathrm{TT}^{2.3.2.2.6.3.1.1.4.1}$ Die Deutung auf den Glauben

$^{10}\mathrm{TT}^{2.3.2.2.6.3.1.1.4.2}$ Die Wirkungsweise: Ermöglichung der σωτηρία

$^{9}\mathrm{TT}^{2.3.2.2.6.3.1.1.5}$ Die Deutung der zweiten Jungfrau (16,4a–c)

$^{10}\mathrm{TT}^{2.3.2.2.6.3.1.1.5.1}$ Die Deutung auf die Enthaltsamkeit als die Tochter des Glaubens

$^{10}\mathrm{TT}^{2.3.2.2.6.3.1.1.5.2}$ Die Wirkungsweise: Erbringen ewigen Lebens

$^{11}\mathrm{TT}^{2.3.2.2.6.3.1.1.5.2.1}$ Feststellung des Erbringens des Lebens

$^{11}\mathrm{TT}^{2.3.2.2.6.3.1.1.5.2.2}$ Begründung des Erbringens des Lebens: die Enthaltsamkeit jeglicher bösen Tat

$^{11}\mathrm{TT}^{2.3.2.2.6.3.1.1.5.2.3}$ Begründung der Enthaltsamkeit jeder bösen Begierde: das Erbe des ewigen Lebens

$^{8}\mathrm{TT}^{2.3.2.2.6.3.1.2}$ Die Frage des Hermas, wer die übrigen Jungfrauen sind (16,5a)

[$^{9}\mathrm{TT}^{2.3.2.2.6.3.1.2.1}$ Zitatformel fehlt]

$^{9}\mathrm{TT}^{2.3.2.2.6.3.1.2.2}$ Die Frage des Hermas mit Titulatur: κυρία

$^{8}\mathrm{TT}^{2.3.2.2.6.3.1.3}$ Die Deutung der anderen fünf Jungfrauen: Vervollständigung des Tugendkatalogs (16,5b–d)

[$^{9}\mathrm{TT}^{2.3.2.2.6.3.1.3.1}$ Zitatformel fehlt]

$^{9}\mathrm{TT}^{2.3.2.2.6.3.1.3.2}$ Das Verwandtschaftsverhältnis der fünf Jungfrauen: eine ist der anderen Tochter (16,5b)

$^{9}\mathrm{TT}^{2.3.2.2.6.3.1.3.3}$ Die spezifische Deutung der fünf Jungfrauen (16,5c)

$^{10}\mathrm{TT}^{2.3.2.2.6.3.1.3.3.1}$ Die dritte auf die Lauterkeit

$^{10}\mathrm{TT}^{2.3.2.2.6.3.1.3.3.2}$ Die vierte auf die Weisheit

$^{10}\mathrm{TT}^{2.3.2.2.6.3.1.3.3.3}$ Die fünfte auf die Unschuld

$^{10}\mathrm{TT}^{2.3.2.2.6.3.1.3.3.4}$ Die sechste auf die Ehrbarkeit

$^{10}\mathrm{TT}^{2.3.2.2.6.3.1.3.3.5}$ Die siebte auf die Liebe

$^{9}\mathrm{TT}^{2.3.2.2.6.3.1.3.4}$ Die Wirkungsweise in Form eines paränetischen Aufrufs: Erlangen des Lebens (16,5d)

$^{7}\mathrm{TT}^{2.3.2.2.6.3.2}$ Zweite Dialogphase: Deutung des inneren Zusammenhangs (δυνάμεις) der sieben Tugenden in Form einer Genealogie (16,6–8)

$^{8}\mathrm{TT}^{2.3.2.2.6.3.2.1}$ Bitte des Hermas um Erkenntnis des inneren Zusammenhangs der Tugenden (16,6a)

$^{9}\mathrm{TT}^{2.3.2.2.6.3.2.1}$ Zitatformel

$^{9}\mathrm{TT}^{2.3.2.2.6.3.2.2}$ Hermas' Bitte um Erkenntnis mit Titulatur: κυρία

$^{8}\mathrm{TT}^{2.3.2.2.6.3.2.2}$ Die Deutung des inneren Zusammenhanges der Tugenden in Form einer Zeugenkette (16,6b–8)

$^{9}\mathrm{TT}^{2.3.2.2.6.3.2.2.1}$ Zitatformel

$^{9}\mathrm{TT}^{2.3.2.2.6.3.2.2.2}$ Aufmerksamkeitsappell, die Kräfte der Tugenden zu hören (16,6b)

$^{9}\mathrm{TT}^{2.3.2.2.6.3.2.2.3}$ Die Deutung auf gegenseitige Unterstützung und genealogische Abhängigkeit (16,7a–b)

$^{10}TT^{2.3.2.2.6.3.2.2.3.1}$ Deutung der gegenseitigen Abhängigkeit

$^{10}TT^{2.3.2.2.6.3.2.2.3.2}$ Zeugenkette der Tugenden

$^{9}TT^{2.3.2.2.6.3.2.2.4}$ Die Wirkungsweise im Hinblick auf die Turmbauallegorie (16,7c–d)

$^{10}TT^{2.3.2.2.6.3.2.2.4.1}$ Charakterisierung der Werke der Tugenden als rein, heilig und göttlich

$^{10}TT^{2.3.2.2.6.3.2.2.4.2}$ Die Wirkungsweise: Zusammenwohnen mit den Heiligen im Turm durch Festhalten an den Werken der Tugenden

$^{6}TT^{2.3.2.2.6.4}$ Thematisierung des Termins durch Erkundigung des Hermas wegen des Zeitpunktes (16,9–10) [*MS:* ἐπηρώτων δὲ αὐτὴν περὶ τῶν καιρῶν; *Konj.:* ebenda]

$^{7}TT^{2.3.2.2.6.4.1}$ Frage des Hermas wegen des Zeitpunktes des Endes (16,9a)

$^{8}TT^{2.3.2.2.6.4.1.1}$ Zitatformel

$^{8}TT^{2.3.2.2.6.4.1.2}$ Die Frage, ob das Ende schon da sei, in indirekter Redeform

$^{7}TT^{2.3.2.2.6.4.2}$ Abweisung der Frage nach dem Termin als Torheit durch die Presbyterin (16,9b–10)

$^{8}TT^{2.3.2.2.6.4.2.1}$ Zitatformel mit Angabe der gewaltigen Reaktion der Presbyterin

$^{8}TT^{2.3.2.2.6.4.2.2}$ Die Abweisung der traditionellen Lehre der Naherwartung (16,9c–e)

$^{9}TT^{2.3.2.2.6.4.2.2.1}$ Scheltwort zur Hervorhebung des Folgenden: die Torheit des Hermas

$^{9}TT^{2.3.2.2.6.4.2.2.2}$ Die Abweisung unter Hinweis auf den im Gang befindlichen Turmbau in Frageform

$^{9}TT^{2.3.2.2.6.4.2.2.3}$ Unbestimmte Terminangabe

$^{10}TT^{2.3.2.2.6.4.2.2.3.1}$ erst nach Vollendung des Turms

$^{10}TT^{2.3.2.2.6.4.2.2.3.2}$ dennoch in Bälde

$^{8}TT^{2.3.2.2.6.4.2.3}$ Hinweis auf die ausreichende Auskunft hinsichtlich des Lebens der Christen in der weiterbestehenden Welt (16,9f–g)

$^{9}TT^{2.3.2.2.6.4.2.3.1}$ Scheltwort zur Hervorhebung des Folgenden: Aufforderung, nicht mehr zu fragen

$^{9}TT^{2.3.2.2.6.4.2.3.2}$ Der Hinweis darauf, daß diese Erinnerung und die Erneuerung des Geistes ausreichend sind

$^{10}TT^{2.3.2.2.6.4.2.3.2.1}$ betreffs des Hermas

$^{10}TT^{2.3.2.2.6.4.2.3.2.2}$ Verallgemeinerung: betreffs der Heiligen

$^{8}TT^{2.3.2.2.6.4.2.4}$ Aufforderung an Hermas zur Kundgabe der Offenbarung an die Christen (16,10)

$^{9}TT^{2.3.2.2.6.4.2.4.1}$ Keine Einschränkung der Offenbarungsbotschaft auf Hermas

$^{9}TT^{2.3.2.2.6.4.2.4.2}$ Zweck der Offenbarung: Allen zur Kundnahme durch Hermas' Kundgabe

$^{5}TT^{2.3.2.2.7}$ Paränese der Presbyterin direkt an die Christen (16,11–17,10) [*NM:* (*Z*) μετὰ τρεῖς ἡμέρας – νοῆσαί σε γὰρ δεῖ πρῶτον – ἐντέλλομαι δέ σοι ...]

$^{6}TT^{2.3.2.2.7.1}$ Auftrag an Hermas seitens der Presbyterin zur Kundgabe nachfolgender Paränese (16,11) [*MS:* ... ἐντέλλομαι δέ σοι πρῶτον, Ἑρμᾶ, τὰ ῥήματα ταῦτα ἅ σοι μέλλω λέγειν, λαλῆσαι αὐτὰ πάντα εἰς τὰ ὦτα τῶν ἁγίων, ἵνα ἀκούσαντες αὐτὰ ...; *SA:* ebenda; *Konj.:* ebenda]

$^{7}TT^{2.3.2.2.7.1.1}$ Angabe der Zeitspanne mit der Notwendigkeit, zuerst zum Verständnis zu gelangen, um die Heiligkeit des Textes hervorzuheben [vgl. 6,1a]

$^{7}TT^{2.3.2.2.7.1.2}$ Der betonte Auftrag als indirekte Zitatformel mit Anrede: Ἑρμᾶ

$^{7}TT^{2.3.2.2.7.1.3}$ Zweck der Kundgabe der Paränese der Kirche: Reinigung der Sünden durch Buße

$^{8}TT^{2.3.2.2.7.1.3.1}$ betreffs der Heiligen

$^{8}TT^{2.3.2.2.7.1.3.2}$ Vereinzelung: betreffs des Hermas

$^{6}TT^{2.3.2.2.7.2}$ Zitat der direkten Paränese (17,1–10) [*AA:* Ἀκούσατέ μου, τέκνα; *MS* (*Sur*): ebenda]

$^{7}TT^{2.3.2.2.7.2.1}$ Hinweis auf die Lage in der Kirche (17,1)

$^{8}TT^{2.3.2.2.7.2.1.1}$ Aufmerksamkeitsappell mit Adressatenanrede: τέκνα (=die Christen!)

$^{8}TT^{2.3.2.2.7.2.1.2}$ Erinnerung an die gute Erziehung der Presbyterin im Anschluß an den Tugendkatalog oben [Aoristtempus!]

$^{9}TT^{2.3.2.2.7.2.1.2.1}$ Die Erinnerung

$^{9}TT^{2.3.2.2.7.2.1.2.2}$ Zweck: Gerechtigkeit und Heiligkeit

$^{8}TT^{2.3.2.2.7.2.1.3}$ Feststellung der Unwilligkeit der Gläubigen, von den Sünden abzulassen [Präsenstempus!]

$^{7}TT^{2.3.2.2.7.2.2}$ Aufruf an die Gemeindeglieder, vornehmlich an die Reichen, zur Eintracht (17,2–6) [*AA:* νῦν οὖν ἀκούσατέ μου; *Konj.:* ebenda]

$^{8}TT^{2.3.2.2.7.2.2.1}$ Aufmerksamkeitsappell

$^{8}TT^{2.3.2.2.7.2.2.2}$ Aufreihung allgemeiner Ermahnungen zur Eintracht (17,2)

$^{9}TT^{2.3.2.2.7.2.2.2.1}$ miteinander Frieden halten

$^{9}TT^{2.3.2.2.7.2.2.2.2}$ einander besuchen

$^{9}TT^{2.3.2.2.7.2.2.2.3}$ einander helfen

$^{9}TT^{2.3.2.2.7.2.2.2.4}$ rechter Gebrauch des Besitzes

$^{10}TT^{2.3.2.2.7.2.2.2.4.1}$ Warnung vor eigennützigem Gebrauch

$^{10}TT^{2.3.2.2.7.2.2.2.4.2}$ Aufforderung zur Spende vom Überfluß an die Bedürftigen

$^{8}TT^{2.3.2.2.7.2.2.3}$ Begründung der Ermahnung im Verhalten der Reichen (17,3–4)

$^{9}TT^{2.3.2.2.7.2.2.3.1}$ Schädigung des Körpers der Reichen durch Unmäßigkeit

$^{9}TT^{2.3.2.2.7.2.2.3.2}$ Schädigung des Körpers der Bedürftigen durch Hungersnot

$^{9}TT^{2.3.2.2.7.2.2.3.3}$ Konklusion im Hinblick auf die Reichen: Schädigung durch Mangel an Zusammenhalt mit den Bedürftigen

$^{8}TT^{2.3.2.2.7.2.2.4}$ Aufforderung an die Reichen, angesichts der bevorstehenden Krise die Hungernden aufzusuchen (17,5)

$^{9}TT^{2.3.2.2.7.2.2.4.1}$ Die Aufforderung, der bevorstehenden Krise zu gedenken

$^{9}TT^{2.3.2.2.7.2.2.4.2}$ Die Aufforderung, die Hungernden aufzusuchen angesichts des Termins, d.h. der Vollendung des Turmes

$^{10}TT^{2.3.2.2.7.2.2.4.2.1}$ positiv: bis zur Vollendung

$^{10}TT^{2.3.2.2.7.2.2.4.2.2}$ negativ: nach der Vollendung

$^{8}TT^{2.3.2.2.7.2.2.5}$ Warnung an die prahlerischen Reichen, vom Turm ausgeschlossen zu werden (17,6)

$^{9}TT^{2.3.2.2.7.2.2.5.1}$ Grund der Warnung:

$^{10}TT^{2.3.2.2.7.2.2.5.1.1}$ das Seufzenmüssen der Bedürftigen

$^{10}TT^{2.3.2.2.7.2.2.5.1.2}$ Das Emporsteigen der Seufzer zum Herrn

$^{9}TT^{2.3.2.2.7.2.2.5.2}$ Die Warnung: das Ausgeschlossenwerden vom Turm

$^{7}TT^{2.3.2.2.7.2.3}$ Aufruf zur Eintracht an die Leiter der Kirche und ihre Vorsitzenden (17,7–10) [*AA:* νῦν οὖν ὑμῖν λέγω τοῖς προηγουμένοις τῆς ἐκκλησίας καὶ τοῖς πρωτοκαθεδρίταις; *Konj.:* ebenda]

$^{8}\mathrm{TT}^{2.3.2.2.7.2.3.1}$ Aufmerksamkeitsappell mit Adressatenangabe (17,7a)

$^{8}\mathrm{TT}^{2.3.2.2.7.2.3.2}$ Warnung an die Kirchenleiter durch ein Bildwort (17,7b–c)

$^{9}\mathrm{TT}^{2.3.2.2.7.2.3.2.1}$ Die Warnung

$^{9}\mathrm{TT}^{2.3.2.2.7.2.3.2.2}$ Das Bildwort

$^{10}\mathrm{TT}^{2.3.2.2.7.2.3.2.2.1}$ Das Bild von den Giftmischern mit Giftbeuteln

$^{10}\mathrm{TT}^{2.3.2.2.7.2.3.2.2.2}$ Die Sache: die Kirchenleiter mit Gift in ihren Herzen

$^{8}\mathrm{TT}^{2.3.2.2.7.2.3.3}$ Begründung der Warnung durch Beschreibung des Verhaltens der Kirchenleiter (17,8)

$^{9}\mathrm{TT}^{2.3.2.2.7.2.3.3.1}$ Verhärtung

$^{9}\mathrm{TT}^{2.3.2.2.7.2.3.3.2}$ Unwilligkeit, ihre Herzen reinigen zu lassen

$^{9}\mathrm{TT}^{2.3.2.2.7.2.3.3.3}$ Unwilligkeit, den Sinn einträchtig zusammenzuschließen, um Gnade zu finden

$^{8}\mathrm{TT}^{2.3.2.2.7.2.3.4}$ Warnung an die Kirchenleiter, wegen Zwistigkeiten des Lebens verlustig zu gehen mit Adressatenanrede: **τέκνα** (!) (17,9)

$^{8}\mathrm{TT}^{2.3.2.2.7.2.3.5}$ Aufforderung an die Kirchenleiter, gerechte Erzieher der Auserwählten Gottes zu werden (17,10)

$^{9}\mathrm{TT}^{2.3.2.2.7.2.3.5.1}$ Rhetorische Frage betreffs zuchtloser Kirchenleiter als Erzieher

$^{9}\mathrm{TT}^{2.3.2.2.7.2.3.5.2}$ Die Aufforderung, sich gegenseitig zu erziehen und Frieden untereinander zu halten

$^{9}\mathrm{TT}^{2.3.2.2.7.2.3.5.3}$ Eschatologischer Zweck der Aufforderung: zur Freude der Presbyterin bei ihrem Ablegen von Rechenschaft vor dem Vater

$^{5}\mathrm{TT}^{2.3.2.2.8}$ Abschlußschilderung der Vision (18,1–2) [*NM:* (*Z*) ὅτε οὖν ἐπαύσατο μετ᾽ ἐμοῦ λαλοῦσα; *SA:* ebenda; *Konj.:* ebenda]

$^{6}\mathrm{TT}^{2.3.2.2.8.1}$ Wegtragen der Presbyterin zum Turm durch die sechs Jünglinge/Baumeister (18,1aα)

$^{6}\mathrm{TT}^{2.3.2.2.8.2}$ Wegtragen der Offenbarungsbank zum Turm durch vier andere Jünglinge (18,1aβ)

$^{6}\mathrm{TT}^{2.3.2.2.8.3}$ Abschlußdialog mit der Presbyterin während ihres Wegtragens (18,2) [*MS:* . . . ἠρώτων]

$^{7}TT^{2.3.2.2.8.3.1}$ Frage des Hermas nach den drei Erscheinungsformen der Presbyterin (18,2a)

$^{8}TT^{2.3.2.2.8.3.1.1}$ Zitatformel

$^{8}TT^{2.3.2.2.8.3.1.2}$ Die Frage in indirekter Redeform

$^{7}TT^{2.3.2.2.8.3.2}$ Antwort der Presbyterin durch Hinweis auf ihre Unzuständigkeit, über sich selbst Auskunft zu geben und gleichzeitiger Hinweis auf die folgende Vision (18,2b)

$^{8}TT^{2.3.2.2.8.3.2.1}$ Zitatformel

$^{8}TT^{2.3.2.2.8.3.2.2}$ Die Antwort in direkter Redeform

$^{2}TT^{2.3a}$ Zwei Nachtragsvisionen (18,3–21,4) [*Eingerückte SM:* ἐν ὁράματι τῆς νυκτός; *EM:* (*Z*) ebenda; (*O*) impliziert; (18,6b) *MS* (*Sur*): ἀδελφοί; *Konj.*: δέ (18,3)]

$^{3}TT^{2.3a.1}$ Erste Nachtragsvision: Anweisung der Presbyterin zur angemessenen Präparation des Hermas für die Deutung ihrer dreigestaltigen Erscheinung (18,3–6)

$^{4}TT^{2.3a.1.1}$ Präparation für die Vision (18,3–6a) [*HT:* Hermas allein]

$^{5}TT^{2.3a.1.1.1}$ Rückblick des Hermas auf die Gestalt der Presbyterin in den ersten drei Visionen (18,3–5)

$^{6}TT^{2.3a.1.1.1.1}$ In der ersten Vision: sehr alt, auf einem Sessel sitzend (18,3)

$^{6}TT^{2.3a.1.1.1.2}$ In der zweiten Vision: stehend und fröhlicher als in der ersten Vision (18,4)

$^{6}TT^{2.3a.1.1.1.3}$ In der dritten Vision: sehr jugendlich und froh, auf einer Bank sitzend (18,5)

$^{5}TT^{2.3a.1.1.2}$ Inneres Verlangen des Hermas nach Deutung dieser drei Gestalten (18,6a) [*SA:* περὶ τούτων ...]

$^{4}TT^{2.3a.1.2}$ Nachtvision von der Presbyterin (18,6b–d) [*HT:* Hermas-Presbyterin; *RN:* ἡ πρεσβυτέρα; *NM:* (*Z*) τῆς νυκτός]

$^{5}TT^{2.3a.1.2.1}$ Wahrnehmung von der Presbyterin (18,6b)

$^{6}TT^{2.3a.1.2.1.1}$ Die Wahrnehmung

$^{6}TT^{2.3a.1.2.1.2}$ Situationsangabe: ἐν ὁράματι τῆς νυκτός

$^{5}TT^{2.3a.1.2.2}$ Monolog der Presbyterin bezüglich der angemessenen Präparation für die Deutungsvision (18,6c–d) [*MS:* λέγουσάν μοι]

$^{6}TT^{2.3a.1.2.2.1}$ Zitatformel

$^{6}TT^{2.3a.1.2.2.2}$ Der Monolog

$^{7}TT^{2.3a.1.2.2.2.1}$ Angabe der Notwendigkeit einer kultischen Handlung

$^{7}TT^{2.3a.1.2.2.2.2}$ Aufforderung zum Fasten mit Versprechung der Gebetserhörung

$^{3}TT^{2.3a.2}$ Zweite Nachtragsvision: Deutung der dreigestaltigen Erscheinung der Presbyterin als Entsprechung der jeweiligen Lage in der irdischen Kirche durch einen Jüngling in seiner Funktion als Deute-Engel (18,7–21,4) [*SM:* ὤφθη (Verbform!); *NM:* (*Z*) ἐνήστευσα οὖν μίαν ἡμέραν, καὶ αὐτῇ νυκτί; (*O*) keine; *Konj.:* ebenda]

$^{4}TT^{2.3a.2.1}$ Präparation für die Vision (18,7aα) [*HT:* Hermas allein]

$^{5}TT^{2.3a.2.1.1}$ Kultische Handlung: Fasten

$^{5}TT^{2.3a.2.1.2}$ Dauer der kultischen Handlung: ein Tag

$^{4}TT^{2.3a.2.2}$ Nachtvision vom Jüngling (18,7aβ–21,4) [*HT:* Hermas-Jüngling; *NM:* (*Z*) αὐτῇ τῇ νυκτί]

$^{5}TT^{2.3a.2.2.1}$ Erscheinen des Jünglings (18,7aβ)

$^{6}TT^{2.3a.2.2.1.1}$ Situationsangabe: αὐτῇ τῇ νυκτί

$^{6}TT^{2.3a.2.2.1.2}$ Das Erscheinen

$^{5}TT^{2.3a.2.2.2}$ Dialogfolge bezüglich der Deutung der Erscheinungsformen der Presbyterin (18,7b–21,4) [*MS:* λέγει μοι]

$^{6}TT^{2.3a.2.2.2.1}$ Proöminaler Dialog über das fortwährende Beten des Hermas um Offenbarungen (18,7b–10)

$^{7}TT^{2.3a.2.2.2.1.1}$ Dreistufige Ablehnung der Bitte um weitere Offenbarungen

$^{8}TT^{2.3a.2.2.2.1.1.1}$ Zitatformel

$^{8}TT^{2.3a.2.2.2.1.1.2}$ Vorwurf in Frageform wegen fortwährenden Betens um Offenbarungen

$^{8}TT^{2.3a.2.2.2.1.1.3}$ Warnung vor körperlichen Schäden durch vieles Beten

$^{8}TT^{2.3a.2.2.2.1.1.4}$ Abweisung der Bitte unter Hinweis auf die Unüberbietbarkeit schon gegebener Offenbarungen (18,8)

$^{7}TT^{2.3a.2.2.2.1.2}$ Wiederholung der Bitte um Offenbarung mit Titulatur: κύριε

$^{8}TT^{2.3a.2.2.2.1.2.1}$ Zitatformel

$^{8}TT^{2.3a.2.2.2.1.2.2}$ Die Bitte: um der Vollständigkeit der Offenbarung willen

$^{7}TT^{2.3a.2.2.2.1.3}$ Scheltwort wegen Zweifels der Christen (18,9b)

$^{8}TT^{2.3a.2.2.2.1.3.1}$ Zitatformel

$^{8}TT^{2.3a.2.2.2.1.3.2}$ Das Scheltwort an die Christen

$^{7}TT^{2.3a.2.2.2.1.4}$ Nochmalige Wiederholung des Verlangens nach Offenbarung mit Titulatur: κύριε (18,10)

$^{8}TT^{2.3a.2.2.2.1.4.1}$ Zitatformel

$^{8}TT^{2.3a.2.2.2.1.4.2}$ Die dritte Wiederholung des Offenbarungswunsches

$^{6}TT^{2.3a.2.2.2.2}$ Der Deutungsdialog: Erklärung der dreigestaltigen Erscheinung der Presbyterin und zugleich

Bestätigung der Visionserlebnisse durch den Offenbarer (19,1–21,4a) [*AA:* Ἄκουε, φησίν, περὶ τῶν μορφῶν ὧν ἐπιζητεῖς]

$^{7}\mathrm{TT}^{2.3a.2.2.2.2.1}$ Aufmerksamkeitsappell, die Deutung der drei Gestalten der Presbyterin zu hören (19,1)

$^{8}\mathrm{TT}^{2.3a.2.2.2.2.1.1}$ Aufmerksamkeitsappell

$^{8}\mathrm{TT}^{2.3a.2.2.2.2.1.2}$ Zitatformel

$^{8}\mathrm{TT}^{2.3a.2.2.2.2.1.3}$ Hinweis auf die drei Gestalten

$^{7}\mathrm{TT}^{2.3a.2.2.2.2.2}$ Deutung von Gestalt und Auftreten der Presbyterin in der ersten Vision (19,2–4) [*SA:* τῇ μὲν πρώτῃ ὁράσει]

$^{8}\mathrm{TT}^{2.3a.2.2.2.2.2.1}$ Rhetorische Frage des Jünglings nach der Bedeutung der greishaften Gestalt der Presbyterin und ihr Sitzen auf dem Sessel bei ihrer ersten Offenbarung vor Hermas (19,2a)

$^{8}\mathrm{TT}^{2.3a.2.2.2.2.2.2}$ Deutung der greishaften Gestalt als ein Veralten des Pneumas der Christen (19,2b–3)

$^{9}\mathrm{TT}^{2.3a.2.2.2.2.2.2.1}$ Die Deutung unter Hinweis auf Schwachheit und Zweifel der Christen (19,2b)

$^{9}\mathrm{TT}^{2.3a.2.2.2.2.2.2.2}$ Begründung der Deutung durch ein Gleichnis (19,3)

$^{10}\mathrm{TT}^{2.3a.2.2.2.2.2.2.2.1}$ Das Bild: ein ohne Hoffnung sterbender Greis

$^{10}\mathrm{TT}^{2.3a.2.2.2.2.2.2.2.2}$ Die Sache: die durch Geschäfte zum Trübsinn getriebenen und gealterten Christen

$^{8}\mathrm{TT}^{2.3a.2.2.2.2.2.3}$ Frage des Hermas bezüglich des Sitzens der Presbyterin auf dem Sessel (19,4a)

[$^{9}\mathrm{TT}^{2.3a.2.2.2.2.2.3.1}$ Zitatformel fehlt]

$^{9}\mathrm{TT}^{2.3a.2.2.2.2.2.3.2}$ Die Frage des Hermas mit Titulatur: κύριε

$^{8}\mathrm{TT}^{2.3a.2.2.2.2.2.4}$ Deutung des Sitzens auf dem Sessel (19,4b)

[$^{9}\mathrm{TT}^{2.3a.2.2.2.2.2.4.1}$ Zitatformel fehlt]

$^{9}\mathrm{TT}^{2.3a.2.2.2.2.2.4.2}$ Die Deutung durch ein Bildwort vom ,,Schwachen"

$^{8}\mathrm{TT}^{2.3a.2.2.2.2.2.5}$ Abschließender Hinweis auf die Offenbarung der ersten Vision (19,4c)

$^{7}\mathrm{TT}^{2.3a.2.2.2.2.3}$ Deutung von Gestalt und Auftreten der Presbyterin in der zweiten Vision (20,1–3) [*SA:* τῇ δὲ δευτέρᾳ ὁράσει]

${}^{8}TT^{2.3a.2.2.2.2.3.1}$ Beschreibung der Presbyterin durch den Jüngling als stehend, jünger und fröhlicher; nur Haut und Haare greishaft (20,1a)

${}^{9}TT^{2.3a.2.2.2.2.3.1.1}$ Verweis auf Hermas' Wahrnehmung

${}^{9}TT^{2.3a.2.2.2.2.3.1.2}$ Die Beschreibung der Presbyterin

${}^{8}TT^{2.3a.2.2.2.2.3.2}$ Aufmerksamkeitsappell, das Gleichnis zu hören (20,1b)

${}^{9}TT^{2.3a.2.2.2.2.3.2.1}$ Der Aufmerksamkeitsappell

${}^{9}TT^{2.3a.2.2.2.2.3.2.2}$ Zitatformel

${}^{9}TT^{2.3a.2.2.2.2.3.2.3}$ Hinweis auf das Gleichnis

${}^{8}TT^{2.3a.2.2.2.2.3.3}$ Die Deutung der Verjüngung der Presbyterin als eine Erneuerung der Pneumata der Christen (20,2–3)

${}^{9}TT^{2.3a.2.2.2.2.3.3.1}$ Deutung mit Hilfe eines Gleichnisses (20,2)

${}^{10}TT^{2.3a.2.2.2.2.3.3.1.1}$ Das Bild (20,2a–b)

${}^{11}TT^{2.3a.2.2.2.2.3.3.1.1.1}$ Ausgangsposition: ein verzweifelter sterbender Greis (20,2a)

${}^{11}TT^{2.3a.2.2.2.2.3.3.1.1.2}$ Plötzliche Veränderung der Situation: Erneuerung des Geistes durch Kundnahme von einer Erbschaft (20,2b)

${}^{10}TT^{2.3a.2.2.2.2.3.3.1.2}$ Die Sache: Die Christen, die die Offenbarung des Herrn gehört haben (20,2c)

${}^{9}TT^{2.3a.2.2.2.2.3.3.2}$ Eine prophetische Deutung des Erfolgs der Kundgabe von der Barmherzigkeit des Herrn (20,3a)

${}^{10}TT^{2.3a.2.2.2.2.3.3.2.1}$ Die Erneuerung der Pneumata durch die Erbarmung des Herrn

${}^{10}TT^{2.3a.2.2.2.2.3.3.2.2}$ Die Erstarkung der Christen im Glauben

${}^{10}TT^{2.3a.2.2.2.2.3.3.2.3}$ Die Freude des Herrn über die Erstarkung

${}^{8}TT^{2.3a.2.2.2.2.3.4}$ Die Konsequenz aus dem Resultat der zweiten Vision (20,3b)

${}^{9}TT^{2.3a.2.2.2.2.3.4.1}$ Erste Konsequenz: die dritte schon abgeschlossene Vision vom Turmbau [Anaphorikon]

${}^{9}TT^{2.3a.2.2.2.2.3.4.2}$ Zweite Konsequenz: bedingte Versprechung weiterer Offenbarungen [Kataphorikon]

$^{7}TT^{2.3a.2.2.2.4}$ Deutung von Gestalt und Auftreten der Presbyterin in der dritten Vision (21,1–4) [*SA:* τῇ δὲ τρίτῃ ὁράσει]

$^{8}TT^{2.3a.2.2.2.4.1}$ Beschreibung der Presbyterin durch den Jüngling als jung, schön und fröhlich; schön war auch ihre Gestalt (21,1)

$^{9}TT^{2.3a.2.2.2.4.1.1}$ Verweis auf Hermas' Wahrnehmung

$^{9}TT^{2.3a.2.2.2.4.1.2}$ Die Beschreibung der Presbyterin

$^{8}TT^{2.3a.2.2.2.4.2}$ Die Deutung der vollendeten Verjüngung der Presbyterin als der vollständigen Erneuerung der Pneumata der Christen mit Hilfe eines Gleichnisses (21,2)

$^{9}TT^{2.3a.2.2.2.4.2.1}$ Das Bild (21,2a)

$^{10}TT^{2.3a.2.2.2.4.2.1.1}$ Ausgangsposition: die Kundnahme eines Betrübten von einer guten Botschaft

$^{10}TT^{2.3a.2.2.2.4.2.1.2}$ Wirkung der Botschaft: die Erneuerung des Geistes des Betrübten

$^{9}TT^{2.3a.2.2.2.4.2.2}$ Die Sache: die Christen, die eine gute Botschaft gehört haben (21,2b)

$^{8}TT^{2.3a.2.2.2.4.3}$ Beschreibung und Deutung des Sitzens der Presbyterin auf der Bank (21,3)

$^{9}TT^{2.3a.2.2.2.4.3.1}$ Verweis auf Hermas' Wahrnehmung vom Sitzen der Presbyterin auf der Bank

$^{9}TT^{2.3a.2.2.2.4.3.2}$ Die Deutung ihres Sitzens auf der Bank als feste Stellung

$^{9}TT^{2.3a.2.2.2.4.3.3}$ Begründung dieser Deutung durch ein Bildwort

$^{10}TT^{2.3a.2.2.2.4.3.3.1}$ Das Bild: die Bank mit vier Füßen

$^{10}TT^{2.3a.2.2.2.4.3.3.2}$ Die Sache: das Zusammenhalten der Welt durch vier Elemente

$^{8}TT^{2.3a.2.2.2.4.4}$ Zusammenfassende bildlose Deutung der vollendeten Verjüngung der Presbyterin und ihres Sitzens auf der Bank auf die Christen, die Buße tun (21,4a)

$^{9}TT^{2.3a.2.2.2.4.4.1}$ Die vollständige Erneuerung derer, die Buße tun

$^{9}TT^{2.3a.2.2.2.4.4.2}$ Die Befestigung derer, die von ganzem Herzen Buße tun

$^{6}TT^{2.3a.2.2.2.3}$ Abschließende Bemerkungen des Jünglings mit Ankündigung einer neuen Offenbarung (21,4b)

$^{7}TT^{2.3a.2.2.2.3.1}$ Angabe des Abschlußes der Offenbarungen

$^{8}TT^{2.3a.2.2.2.3.1.1}$ Bekundung der Vollständigkeit der Offenbarung

$^{8}TT^{2.3a.2.2.2.3.1.2}$ Scheltwort in Form einer Aufforderung, nicht mehr um Offenbarungen zu bitten

$^{7}TT^{2.3a.2.2.2.3.2}$ Ankündigung einer neuen Offenbarung

$^{2}TT^{2.4}$ Vierte Vision: Die Notwendigkeit und Möglichkeit der *einmaligen Christenbuße im Hinblick auf das Individuum und seine Vorbildlichkeit* für die Auserwählten angesichts der Trübsal der Endzeit (22,1–24,7) [*SM:* Ὅρασις δ' ἣν **εἶδον**, ...; *MS* (*Sur*): ἀδελφοί; *EM:* (*Z*) μετὰ ἡμέρας εἴκοσι τῆς προτέρας ὁράσεως τῆς γενομένης; (*O*) ὑπῆγον εἰς ἀγρὸν τῇ ὁδῷ τῇ Καμπανῇ]

$^{3}TT^{2.4.1}$ Relationale Offenbarungssituation und Thematisierung der vierten Vision (22,1)

$^{4}TT^{2.4.1.1}$ Adressatenanrede: ἀδελφοί

$^{4}TT^{2.4.1.2}$ Die relationale Zeitbestimmung

$^{4}TT^{2.4.1.3}$ Thematisierung: εἰς **τύπον** τῆς θλίψεως τῆς ἐπερχομένης

$^{3}TT^{2.4.2}$ Audition des Hermas als Vorbereitung für die Vision vom Ungeheuer (22,2–4) [*Merkmal:* Anfang der eigentlichen Erzählung]

$^{4}TT^{2.4.2.1}$ Situationsschilderung (22,2–3) [*HT:* Hermas allein]

$^{5}TT^{2.4.2.1.1}$ Peripatieangabe (22,2)

$^{6}TT^{2.4.2.1.1.1}$ Ortsbestimmung

$^{6}TT^{2.4.2.1.1.2}$ Ortsbeschreibung

$^{5}TT^{2.4.2.1.2}$ Kultische Handlung als Präparation für die Audition (22,3) [*NM:* μόνος οὖν περιπατῶν; *Konj.:* ebenda]

$^{6}TT^{2.4.2.1.2.1}$ Zitatformel (22,3a)

$^{6}TT^{2.4.2.1.2.2}$ Zitat des Gebets und Lobpreises an den Herrn (24,3b–c)

$^{7}TT^{2.4.2.1.2.2.1}$ Das Gebet (22,3b)

$^{8}TT^{2.4.2.1.2.2.1.1}$ Bitte um Vollendung der Offenbarungen durch die heilige Kirche [vgl. 24,6]

$^{8}TT^{2.4.2.1.2.2.1.2}$ Zweck der Offenbarungsvollendung: die Kundgabe der Botschaft der Christenbuße an die Diener Gottes

$^{7}TT^{2.4.2.1.2.2.2}$ Der Lobpreis (22,3c)

$^{8}TT^{2.4.2.1.2.2.2.1}$ Lobpreisung des Namens des Herrn

$^{8}TT^{2.4.2.1.2.2.2.2}$ Begründung des Lobpreises: die Offenbarung der Wunder des Herrn an Hermas

$^{4}TT^{2.4.2.2}$ Die Audition (22,4) [*HT:* Hermas-Himmelsstimme; *NM:* δοξάζοντός μου καὶ εὐχαριστοῦντος]

$^{5}TT^{2.4.2.2.1}$ Botschaft der Himmelsstimme (22,4a–b)

$^{6}TT^{2.4.2.2.1.1}$ Zitatformel (22,4a)

$^{6}TT^{2.4.2.2.1.2}$ Ermutigung des Hermas (Anrede: Ἑρμᾶ) zum Nichtzweifeln (22,4b)

$^{5}\mathrm{TT}^{2.4.2.2.2}$ Reaktion des Hermas in Form eines inneren Monologs (22,4c–d) [*NM:* ἠρξάμην]

$^{6}\mathrm{TT}^{2.4.2.2.2.1}$ Zitatformel (22,4c)

$^{6}\mathrm{TT}^{2.4.2.2.2.2}$ Zitat des inneren Monologs: Verwunderung des Hermas (22,4d)

$^{3}\mathrm{TT}^{2.4.3}$ Vision des Hermas vom Ungeheuer (22,5–10) [*NM:* καὶ προσέβην μικρόν; *MS* (*Sur*): ἀδελφοί; *HT:* Hermas allein; *Adv.:* ἰδού]

$^{4}\mathrm{TT}^{2.4.3.1}$ Wahrnehmung einer Staubwolke; Adressatenanrede: ἀδελφοί (22,5)

$^{5}\mathrm{TT}^{2.4.3.1.1}$ Die Wahrnehmung einer bis zum Himmel reichenden Staubwolke (22,5aα)

$^{5}\mathrm{TT}^{2.4.3.1.2}$ Reaktion des Hermas in Form eines inneren Monologs (22,5aβ–b) [*NM:* ἠρξάμην]

$^{6}\mathrm{TT}^{2.4.3.1.2.1}$ Zitatformel

$^{6}\mathrm{TT}^{2.4.3.1.2.2}$ Zitat des inneren Monologs: irrige Vermutung: Staubaufwirbeln durch Tiere

$^{5}\mathrm{TT}^{2.4.3.1.3}$ Angabe der Entfernung der Staubwolke: etwa ein Stadion (22,5c) [*Konj.:* δέ]

$^{4}\mathrm{TT}^{2.4.3.2}$ Die Vision vom Ungeheuer (22,6–10) [*HT:* Hermas-Ungeheuer; *NM:* γινομένου μείζονος καὶ μείζονος κονιορτοῦ . . .]

$^{5}\mathrm{TT}^{2.4.3.2.1}$ Richtige Vermutung des Hermas: die Staubwolke sei etwas Göttliches (22,6a)

$^{5}\mathrm{TT}^{2.4.3.2.2}$ Die Wahrnehmung vom Ungeheuer (22,6b–10) [*NM:* μικρὸν ἐξέλαμψεν ὁ ἥλιος . . .]

$^{6}\mathrm{TT}^{2.4.3.2.2.1}$ Beschreibung des Tieres als eines Seeungetüms (22,6b–c)

$^{7}\mathrm{TT}^{2.4.3.2.2.1.1}$ Aus dem Munde kamen feurige Heuschrecken

$^{7}\mathrm{TT}^{2.4.3.2.2.1.2}$ Länge des Untieres: etwa 100 Fuß

$^{7}\mathrm{TT}^{2.4.3.2.2.1.3}$ Kopf des Untieres: wie ein Gefäß

$^{6}\mathrm{TT}^{2.4.3.2.2.2}$ Reaktion des Hermas (22,7–8a)

$^{7}\mathrm{TT}^{2.4.3.2.2.2.1}$ Weinen und Beten des Hermas um Errettung (22,7a)

$^{8}\mathrm{TT}^{2.4.3.2.2.2.1.1}$ Erwähnung der Betrübtheit

$^{8}\mathrm{TT}^{2.4.3.2.2.2.1.2}$ Zitatformel

$^{8}\mathrm{TT}^{2.4.3.2.2.2.1.3}$ Bitte an den Herrn um Errettung in indirekter Redeform

$^{7}\mathrm{TT}^{2.4.3.2.2.2.2}$ Erinnerung an die Worte der Himmelsstimme (22,7b)

$^{8}\mathrm{TT}^{2.4.3.2.2.2.2.1}$ Feststellung der Erinnerung

$^{8}\mathrm{TT}^{2.4.3.2.2.2.2.2}$ Zitatformel

$^{8}\mathrm{TT}^{2.4.3.2.2.2.2.3}$ Wiederholung der Worte der Ermunterung mit Anrede: Ἑρμᾶ

$^{7}TT^{2.4.3.2.2.2.3}$ Angriff auf das Untier mit Adressatenanrede: ἀδελφοί (22,8a)

$^{8}TT^{2.4.3.2.2.2.3.1}$ Voraussetzung des Angriffs

$^{9}TT^{2.4.3.2.2.2.3.1.1}$ Bekleidung mit πίστις

$^{9}TT^{2.4.3.2.2.2.3.1.2}$ Erinnerung an die erlernten Großtaten Gottes

$^{8}TT^{2.4.3.2.2.2.3.2}$ Der Angriff voller Mut

$^{6}TT^{2.4.3.2.2.3}$ Verhalten des Untieres (22,8b–9)

$^{7}TT^{2.4.3.2.2.3.1}$ Das Herannahen des Tieres mit gewaltiger Geschwindigkeit (22,8b)

$^{7}TT^{2.4.3.2.2.3.2}$ Paralysierung des Seeungetüms in der Nähe des Hermas (22,9)

$^{8}TT^{2.4.3.2.2.3.2.1}$ Ausstrecken des Riesentieres auf dem Boden

$^{8}TT^{2.4.3.2.2.3.2.2}$ Die Unbeweglichkeit des Tieres, ausgenommen der Zunge

$^{8}TT^{2.4.3.2.2.3.2.3}$ Die Dauer der Paralysierung: bis Hermas an ihm vorbei war

$^{6}TT^{2.4.3.2.2.4}$ Bericht von den Farben am Kopfe des Tieres (22,10)

$^{7}TT^{2.4.3.2.2.4.1}$ Angabe von vier Farben am Tierkopf

$^{7}TT^{2.4.3.2.2.4.2}$ Aufzählung der vier Farben: schwarz, rot, gold und weiß

$^{3}TT^{2.4.4}$ Vision von einer Jungfrau und Deutung der Tiervision durch diese (23,1–24,7) [*NM:* μετὰ δὲ τὸ παρελθεῖν με τὸ θηρίον καὶ προελθεῖν ὡσεὶ πόδας λ′; *Konj.:* ebenda; *HT:* ἰδοὺ ὑπαντᾷ μοι παρθένος; *Adv.:* ebenda]

$^{4}TT^{2.4.4.1}$ Hermas' Passieren des Tieres (23,1aα) [*HT:* Hermas-Untier]

$^{4}TT^{2.4.4.2}$ Die Vision von der Jungfrau als der vollständig verjüngten Offenbarungsträgerin (23,1αβ–24,7) [*HT:* Hermas-Jungfrau; *NM:* siehe oben!]

$^{5}TT^{2.4.4.2.1}$ Begegnung mit der Jungfrau (23,1aβ–2a)

$^{6}TT^{2.4.4.2.1.1}$ Beschreibung der Jungfrau (23,1aβ–b)

$^{7}TT^{2.4.4.2.1.1.1}$ Geschmückt wie eine Braut, die aus ihrem Brautgemach tritt:

$^{8}TT^{2.4.4.2.1.1.1.1}$ ganz in weiß

$^{8}TT^{2.4.4.2.1.1.1.2}$ weiße Schuhe

$^{8}TT^{2.4.4.2.1.1.1.3}$ verschleiert bis zur Stirn

$^{8}TT^{2.4.4.2.1.1.1.4}$ Mitra als Kopfbedeckung

$^{7}TT^{2.4.4.2.1.1.2}$ Die jugendliche Gestalt: leuchtendes Haar

$^{6}TT^{2.4.4.2.1.2}$ Wiedererkennung der Jungfrau als der Kirche (23,2a)

${}^{7}\mathrm{TT}^{2.4.4.2.1.2.1}$ Die Wiedererkennung der Jungfrau als der Kirche aus den früheren Visionen

${}^{7}\mathrm{TT}^{2.4.4.2.1.2.2}$ Die positive Reaktion des Hermas darauf

${}^{5}\mathrm{TT}^{2.4.4.2.2}$ Dialogfolge mit der Jungfrau in ihrer Funktion als Deute-Engel (23,2b–24,6) [*MS:* ἀσπάζεταί με λέγουσα]

${}^{6}\mathrm{TT}^{2.4.4.2.2.1}$ Der Deutungsdialog: erster Teil: Die Enthüllung seitens der Jungfrau von Hermas' Begegnung mit dem Seeungetüm und seine Errettung (23,2b–23,6)

${}^{7}\mathrm{TT}^{2.4.4.2.2.1.1}$ Begrüßungsworte der Jungfrau (23,2b–c)

${}^{8}\mathrm{TT}^{2.4.4.2.2.1.1.1}$ Zitatformel

${}^{8}\mathrm{TT}^{2.4.4.2.2.1.1.2}$ Die Begrüßung mit Anrede ohne Namenserwähnung: ἄνθρωπε

${}^{7}\mathrm{TT}^{2.4.4.2.2.1.2}$ Erwiderung der Begrüßung (23,2d–e)

${}^{8}\mathrm{TT}^{2.4.4.2.2.1.2.1}$ Zitatformel

${}^{8}\mathrm{TT}^{2.4.4.2.2.1.2.2}$ Die Erwiderung mit Titulatur: κυρία

${}^{7}\mathrm{TT}^{2.4.4.2.2.1.3}$ Erkundigung der Jungfrau nach Hermas' Erlebnis (23,3a–b)

${}^{8}\mathrm{TT}^{2.4.4.2.2.1.3.1}$ Zitatformel

${}^{8}\mathrm{TT}^{2.4.4.2.2.1.3.2}$ Die Erkundigung

${}^{7}\mathrm{TT}^{2.4.4.2.2.1.4}$ Bericht des Hermas von der Begegnung mit dem Untier und seine Errettung (23,3c–e)

${}^{8}\mathrm{TT}^{2.4.4.2.2.1.4.1}$ Zitatformel

${}^{8}\mathrm{TT}^{2.4.4.2.2.1.4.2}$ Der Bericht von der Begegnung mit dem Tier und die Errettung durch Gottes Kraft und Barmherzigkeit

${}^{7}\mathrm{TT}^{2.4.4.2.2.1.5}$ Die Deutung von Hermas' Errettung in der Tiervision und die Vorbildlichkeit dieser Szene für die Auserwählten Gottes hinsichtlich der kommenden großen Drangsal (23,4–6)

${}^{8}\mathrm{TT}^{2.4.4.2.2.1.5.1}$ Feststellung der Jungfrau von Hermas' Errettung (23,4aα)

${}^{8}\mathrm{TT}^{2.4.4.2.2.1.5.2}$ Zitatformel (23,4aβ)

${}^{8}\mathrm{TT}^{2.4.4.2.2.1.5.3}$ Erklärung der Errettung des Hermas vor dem Ungeheuer (23,4aγ–c)

${}^{9}\mathrm{TT}^{2.4.4.2.2.1.5.3.1}$ Der Grund der Errettung (23,4aγ–δ)

${}^{10}\mathrm{TT}^{2.4.4.2.2.1.5.3.1.1}$ Werfen der Sorgen auf Gott

${}^{10}\mathrm{TT}^{2.4.4.2.2.1.5.3.1.2}$ Öffnen des Herzens vor dem Herrn

${}^{10}\mathrm{TT}^{2.4.4.2.2.1.5.3.1.3}$ Glauben an Gottes Macht allein

${}^{9}\mathrm{TT}^{2.4.4.2.2.1.5.3.2}$ Die Art der Errettung (23,4b) [*SA:* διὰ τοῦτο]

${}^{10}\mathrm{TT}^{2.4.4.2.2.1.5.3.2.1}$ Senden des Engels Thegri

${}^{10}\mathrm{TT}^{2.4.4.2.2.1.5.3.2.2}$ Zustopfen des Rachens

$^{9}\mathrm{TT}^{2.4.4.2.2.1.5.3.3}$ Wiederholte Angabe des Grundes der Errettung (23,4c)

$^{10}\mathrm{TT}^{2.4.4.2.2.1.5.3.3.1}$ Der Glaube des Hermas

$^{10}\mathrm{TT}^{2.4.4.2.2.1.5.3.3.2}$ Das Nichtzweifeln des Hermas beim Anblick des gewaltigen Untieres

$^{8}\mathrm{TT}^{2.4.4.2.2.1.5.4}$ Auftrag an Hermas, die bedingte Möglichkeit zur Errettung vor der kommenden großen Drangsal kundzugeben sowie die Christen zur Buße und zum reinen Lebenswandel zu ermahnen (23,5–6)

$^{9}\mathrm{TT}^{2.4.4.2.2.1.5.4.1}$ Auftrag, den Auserwählten über die großen Taten Gottes zu berichten (23,5aα)

$^{9}\mathrm{TT}^{2.4.4.2.2.1.5.4.2}$ Zitatformel (23,5aα)

$^{9}\mathrm{TT}^{2.4.4.2.2.1.5.4.3}$ Zitat der kundzugebenden Botschaft der Jungfrau an die Auserwählten Gottes (23,5aβ–6b) [vgl. 24,6]

$^{10}\mathrm{TT}^{2.4.4.2.2.1.5.4.3.1}$ Deutung des Untieres mittels Angabe der Sache: ἡ θλῖψις ἡ μέλλουσα ἡ μεγάλη (23,5aγ)

$^{10}\mathrm{TT}^{2.4.4.2.2.1.5.4.3.2}$ Angabe der bedingten Möglichkeit, der kommenden Trübsal zu entgehen (23,5b)

$^{11}\mathrm{TT}^{2.4.4.2.2.1.5.4.3.2.1}$ Erste Bedingung: die Buße

$^{11}\mathrm{TT}^{2.4.4.2.2.1.5.4.3.2.2}$ Die Bußmöglichkeit

$^{11}\mathrm{TT}^{2.4.4.2.2.1.5.4.3.2.3}$ Zweite Bedingung: ein guter Wandel

$^{10}\mathrm{TT}^{2.4.4.2.2.1.5.4.3.3}$ Ermahnung an die Christen (23,5c–6a)

$^{11}\mathrm{TT}^{2.4.4.2.2.1.5.4.3.3.1}$ Aufforderung, die Sorgen auf den Herrn zu werfen

$^{11}\mathrm{TT}^{2.4.4.2.2.1.5.4.3.3.2}$ Aufforderung, dem Herrn Vertrauen zu schenken mit zweifacher Begründung: Heil bzw. Unheil

$^{10}\mathrm{TT}^{2.4.4.2.2.1.5.4.3.4}$ Drohspruch (23,6b)

$^{6}\mathrm{TT}^{2.4.4.2.2.2}$ Der Deutungsdialog: zweiter Teil: Die Enthüllung der vier Farben am Kopfe des Ungeheuers (24,1–5) [*MS:* Ἠρώτησα αὐτήν]

$^{7}\mathrm{TT}^{2.4.4.2.2.2.1}$ Bitte des Hermas um Deutung der vier Farben in indirekter Redeform (24,1a)

$^{8}\mathrm{TT}^{2.4.4.2.2.2.1.1}$ Zitatformel

$^{8}\mathrm{TT}^{2.4.4.2.2.2.1.2}$ Die Bitte um Deutung

$^{7}TT^{2.4.4.2.2.2.2}$ Scheltwort der Jungfrau (24,1b)

$^{8}TT^{2.4.4.2.2.2.2.1}$ Zitatformel

$^{8}TT^{2.4.4.2.2.2.2.2}$ Das Scheltwort

$^{7}TT^{2.4.4.2.2.2.3}$ Bestätigung seiner Neugier und wiederholte Bitte um Deutung (24,1c)

$^{8}TT^{2.4.4.2.2.2.3.1}$ Bestätigung der Neugier mit Titulatur: κυρία

$^{8}TT^{2.4.4.2.2.2.3.2}$ Zitatformel

$^{8}TT^{2.4.4.2.2.2.3.3}$ Die Wiederholung der Bitte

$^{7}TT^{2.4.4.2.2.2.4}$ Deutung der vier Farben auf die Christen und ihre Situation in dieser Welt und der zukünftigen (24,2–5)

$^{8}TT^{2.4.4.2.2.2.4.1}$ Aufmerksamkeitsappell (24,2aα)

$^{8}TT^{2.4.4.2.2.2.4.2}$ Zitatformel (24,2aβ)

$^{8}TT^{2.4.4.2.2.2.4.3}$ Die Deutung der vier Farben (24,2b–5)

$^{9}TT^{2.4.4.2.2.2.4.3.1}$ Die schwarze Farbe: diese Welt, in der die Christen wohnen (24,2b)

$^{9}TT^{2.4.4.2.2.2.4.3.2}$ Die rote Farbe: der Weltuntergang durch Blut und Feuer (24,3)

$^{9}TT^{2.4.4.2.2.2.4.3.3}$ Die goldene Farbe (24,4)

$^{10}TT^{2.4.4.2.2.2.4.3.3.1}$ Die goldene Farbe: die Christen, die dieser Welt entflohen sind (24,4a)

$^{10}TT^{2.4.4.2.2.2.4.3.3.2}$ Begründung dieser Deutung durch zwei Vergleiche (24,4b–d)

$^{11}TT^{2.4.4.2.2.2.4.3.3.2.1}$ Erster Vergleich (24,4b–c)

$^{12}TT^{2.4.4.2.2.2.4.3.3.2.1.1}$ Das Bild: das durch Feuerprobe tauglichgemachte Gold

$^{12}TT^{2.4.4.2.2.2.4.3.3.2.1.2}$ Die Sache: die Prüfung der Christen in der Welt und ihre Reinigung

$^{11}TT^{2.4.4.2.2.2.4.3.3.2.2}$ Zweiter Vergleich (24,4d)

$^{12}TT^{2.4.4.2.2.2.4.3.3.2.2.1}$ Das Bild: das Ausstoßen der Schlacke aus dem Gold

$^{12}TT^{2.4.4.2.2.2.4.3.3.2.2.2}$ Die Sache: das Ablegen aller Trauer und Angst seitens der Christen, um für den Turmbau brauchbar zu werden

$^{9}TT^{2.4.4.2.2.2.4.3.4}$ Die weiße Farbe (24,5)

$^{10}TT^{2.4.4.2.2.2.4.3.4.1}$ Die weiße Farbe: die künftige Welt, in der die Auserwählten Gottes wohnen werden (24,5a)

$^{10}\mathrm{TT}^{2.4.4.2.2.2.4.3.4.2}$ Begründung dieser Deutung: diejenigen, die Gott zum ewigen Leben erwählt hat, werden unbefleckt und rein sein

$^{6}\mathrm{TT}^{2.4.4.2.2.3}$ Abschlußmonolog der Presbyterin: Auftrag an Hermas zur Kundgabe an die Christen von der Bestätigung der Vollendung der Offenbarungen des Visionenbuches und von der Aufforderung, das im Visionenbuch Geschriebene im Gedächtnis zu behalten, um der kommenden großen Drangsal zu entgehen (24,6) [*Konj.:* οὖν]

$^{7}\mathrm{TT}^{2.4.4.2.2.3.1}$ Aufforderung an Hermas zur unentwegten Kundgabe an die Heiligen als Zitatformel [vgl. 3,2] (24,6a)

$^{7}\mathrm{TT}^{2.4.4.2.2.3.2}$ Zitat der Botschaft der Presbyterin an die Christen durch Hermas (24,6b–d)

$^{8}\mathrm{TT}^{2.4.4.2.2.3.2.1}$ Die Bestätigung der Vollendung der Offenbarungen durch die Hinzufügung des Bildes von der kommenden großen Drangsal zu den ersten drei Visionen: anaphorische Thematisierung der vierten Vision [vgl. 22,1] (24,6b)

$^{8}\mathrm{TT}^{2.4.4.2.2.3.2.2}$ Bedingte Verheißung der Möglichkeit, der Drangsal zu entgehen [vgl. 23,5] (24,6c)

$^{8}\mathrm{TT}^{2.4.4.2.2.3.2.3}$ Die Voraussetzung der Verheißung in Form einer abschließenden Aufforderung, das Geschriebene (sc. das Visionenbuch) in Erinnerung zu behalten: anaphorische Thematisierung des Visionenbuches des Hermas durch die Offenbarungsträgerin [vgl. 22,3b] (24,6d)

$^{5}\mathrm{TT}^{2.4.4.2.3}$ Abschlußschilderung der Vision von der Jungfrau (24,7) [*NM:* ταῦτα εἴπασα ἀπῆλθεν; *SA:* ebenda]

$^{6}\mathrm{TT}^{2.4.4.2.3.1}$ Weggang der Jungfrau zu einem von Hermas nicht wahrzunehmenden Ort (24,7a)

$^{6}\mathrm{TT}^{2.4.4.2.3.2}$ Begründung der Unkenntnis des Entfernungsortes: Getöse (24,7b–c)

$^{7}\mathrm{TT}^{2.4.4.2.3.2.1}$ Die Entstehung eines Getöses

$^{7}\mathrm{TT}^{2.4.4.2.3.2.2}$ Das Umwenden des Hermas aus Furcht vor dem vermuteten Ungetüm

3. Kurzgefaßter Kommentar zur Textanalyse

Die Auswertung der Analyse für die Gattungsbestimmung des Visionenbuches sowie für seine Interpretation soll in einem separaten Band erfolgen. An dieser Stelle kann lediglich eine ganz knappe Zusammenstellung der wichtigsten Ergebnisse gegeben werden.

3.1. Die verschiedenen Kommunikationsebenen innerhalb des Visionenbuches

Mit Hilfe metakommunikativer Sätze wird der Text als Ganzes delimitiert. Der ⁰TT wird gewöhnlicherweise mittels eines kommunikativen Satzes thematisiert. Im Visionenbuch fehlt u. E. ein solches Präsignal[1]. Weder Autor noch Adressaten werden durch Metakommunikativa angegeben; der Autor stellt sich selber nie vor, sondern wird immer von der Offenbarerin mit Namen angeredet, was durchaus sinnvoll ist: nur vom Jenseits her wird er den Lesern enthüllt; die Adressaten werden nur mittels Surrogate ἀδελφοί, τέκνα etc. angeredet bzw. erwähnt, was darauf hindeutet, daß er den Adressatenkreis möglichst offen halten will[2]. Nachdem so das Fehlen von metakommunikativen Sätzen auf der *nullten* Kommunikationsebene verbucht ist, müssen solche, die zur Erzeugung sowie solche, die zur Wahrnehmung eines Kommunikationsaktes auf den *folgenden* Kommunikationsebenen dienen, gekennzeichnet werden. Zuerst werden diejenigen Verben auf der *ersten* Kommunikationsebene, die nicht mit Autor und Leser verbunden sind, Berücksichtigung finden usw. bis hin zur letzten Kommunikationsebene.

Mit Hilfe dieses Verfahrens haben wir im Visionenbuch folgende Kommunikationsebenen unterscheiden können:

1. Kommunikationsebene; zwischen Autor und Adressaten und zugleich Metaebene für die zweite Ebene.

2. Kommunikationsebene zwischen im Text dargestellten Offenbarungsträgern und dem Autor und zugleich Metaebene für die dritte Ebene; hier findet sich ein erstes Anzeichen der Gattungszugehörigkeit: der Ich-Bericht.

2a. Kommunikationsebene zwischen im Text dargestellten Offenbarungsträgern und den Adressaten; diese Ebene stellt keine Metaebene dar; hier begegnet ein zweites Gattungskriterium: direkte Anrede an die Adressaten vom Jenseits her.

3. Kommunikationsebene; zwischen im Text zitierten Buchoffenbarungen und dem Autor; diese Ebene ist zugleich Metaebene für die vierte Ebene. Hier begegnet ein drittes gattungsspezifisches Anzeichen: das Himmelsbuch bzw. -brief.

---

[1] Zur Begründung s. § 1.2. Anm. 1.

[2] S. oben § II.2.2.2.2.1.

3a. Kommunikationsebene; zwischen im Text zitierten Buchoffenbarungen und den Adressaten; diese Ebene stellt keine Metaebene dar; hier liegt vermutlich ein weiteres Anzeichen der Gattungsspezifikation vor.

4. Kommunikationsebene; zwischen in der Buchoffenbarung zitierten Aussagen Gottes bzw. eines [apokryphen] Prophetenbuches und den Adressaten; auch diese Kommunikationsebene dürfte gattungsspezifischer Art sein.

Im Visionenbuch wird also nicht nur zwischen äußerer und innerer Kommunikationssituation, sondern innerhalb letzterer auch zwischen gesprochener und geschriebener Kommunikation unterschieden, wobei die schriftliche die tiefer eingebettete und schwerwiegendere darstellt[3].

Bemerkenswert dabei ist zum einen die direkte Anrede an die Adressaten seitens der Offenbarungsträger, und zum anderen die tiefe kommunikative Einbettung der Botschaft des Autors an seine Leser; bei Erzähltexten muß nämlich davon ausgegangen werden, daß die inneren Kommunikationssituationen insgesamt alle im Dienste der äußeren Kommunikationssituation stehen. In den am tiefsten eingebetteten Aussagen, den Eiden Gottes innerhalb des Himmelsbuches (6,5.8), erreicht die Botschaft von der Möglichkeit einer zweiten Buße für die Christen ihren Höhepunkt. Der Anlaß für diese Einbettungshierarchie ist nicht zweifelhaft; hier geht es um die Autorisation der neuen Botschaft[4], die für andere Apokalypsen genauso bedeutungsvoll ist. An dem Visionenbuch bestätigt sich die Erklärung der Apokalypsenform des Hermasbuches durch Vielhauer: ,,Sie soll ihm Offenbarungscharakter, d. h. den in ihm erhobenen Forderungen göttliche Autorität verleihen, eine Autorität, die der Verfasser von sich aus nicht beanspruchen und für die er keine Tradition geltend machen kann"[5].

3.2. Die beiden Teiltexte ersten Grades: die romanhafte Vorgeschichte und die Visionsberichte

Nachdem der Text somit als Ganzes in verschiedene Kommunikationsebenen geordnet ist, folgt als zweiter Analyseschritt auf den jeweiligen Kommunikationsebenen die Gliederung des Textganzen in Teiltexte verschiedenen Grades, wobei das Gliederungsmerkmal [2] zuerst zur Anwendung kommt, danach das Merkmal [3] usw.

---

[3] Diese wird angezeigt durch metakommunikative Verben die geschriebene Kommunikationsakte thematisieren; s. § II.2.2.2.2.1.

[4] Herm 31,1: Ἤκουσα, φημί, κύριε, παρά τινων διδασκάλων, ὅτι ἑτέρα μετάνοια οὐκ ἔστιν εἰ μὴ ἐκείνη, ὅτε εἰς ὕδωρ κατέβημεν καὶ ἐλάβομεν ἄφεσιν ἁμαρτιῶν ἡμῶν τῶν προτέρων. Vgl. Hebr 6,4 ff.; 10,26–31; 12,16 f.; I Joh 5,16 ff.

[5] Vielhauer 1975, 522; vgl. Dibelius 1923, 511; s. auch Büchners 1976 Beurteilung von *Somnium Scipionis* in Ciceros *De re publica:* ,,Vielmehr sind beide in sich abgeschlossenen Szenen traumhafte *Bestätigungen* von Jenseits her von Gedanken, die im Gesamtwerk von Anfang an verbreitet sind" (s. 29).

In unserem Text ist, im Gegensatz zur Fabel Thurbers, das Verhältnis allerdings recht kompliziert, auch wenn markante Ähnlichkeiten zwischen der Verwendung „Moral" dort und „ὅρασις" hier zu notieren sind[1].

Das Textganze gliedert sich in zwei Teiltexte ersten Grades:

$^{1}TT^{1}$ *Die romanhafte Vorgeschichte* (1,1–2). Dieser erste kurze Abschnitt stellt einen gedrängten „selbstbiographischen" Bericht im Ich-Stil dar. Ihm geht weder eine Substitution auf Metaebene voraus, noch folgt auf ihn eine solche. Die Handlung findet in Rom oder seiner Umgebung statt und die Handlungsträger sind alle diesseitige Personen: der Ziehvater, Hermas selbst und eine gewisse Rhode. Alles spielt sich in diesem Abschnitt in der diesseitigen Welt ab.

$^{1}TT^{2}$ *Die Visionen* (1,3–24,7). Der folgende sehr lange und komplexe Abschnitt ist alles andere als gedrängt; sehr ausschweifende und komplizierte Visionsberichte werden vom selben Autor im Ich-Stil erzählt.

Laut der Hierarchie der Gliederungsmerkmale ist dasjenige Merkmal, das den Teiltext nullten Grades in verschiedene Teiltexte ersten Grades delimitiert, die Substitution auf Metaebene. Bei der Gliederung des Visionenbuches ist es allerdings auffallend, daß diese ausgerechnet beim Übergang vom $^{1}TT^{1}$ (der romanhaften Vorgeschichte) zum $^{1}TT^{2}$ (den Visionen) fehlt. Dies ist umso auffallender als die Teiltexte zweiten Grades innerhalb vom $^{1}TT^{2}$ durch dieses Merkmal gegliedert werden. Dieses Phänomen erfordert eine Erklärung.

Der $^{1}TT^{1}$gehört einer Erzählgattung, wahrscheinlich der des Romans an. Typisch dafür ist die Gliederung durch Episodenmerkmale. Der $^{1}TT^{2}$ dagegen gehört einer anderen Erzählgattung, u. zw. wahrscheinlich der der Apokalypsen an. Ein typisches Merkmal für Apokalypsen neben den Episodenmerkmalen ist die Substitution auf Metaebene durch Termini wie Vision, Offenbarung, Audition usw. In unserem Text findet dies seine Bestätigung bei den Teiltexten zweiten Grades, die alle mit Ausnahme von $^{2}TT^{2.1}$ durch Substitution auf Metaebene gegliedert werden.

Gibt es nun ein Indiz dafür, daß der eigentliche Visionsteil in 1,3 anfängt, ohne daß eine Substitution auf Metaebene dort vorhanden ist? Ein synoptischer Vergleich zeigt (1) die strukturelle Ähnlichkeit zwischen den Anfängen der beiden ersten Teiltexte zweiten Grades (1,3 ff. und 5,1 ff.); (2) die wörtliche oder beinahe wörtliche Übereinstimmung mehrerer Zeilen der beiden Visionseinleitungen; (3) die ausdrücklich anaphorischen Hinweise auf die Erste Vision in der Zweiten: (a) ὅρασις β′; allerdings läßt sich allein hierdurch nicht ausmachen, wo die ὅρασις α′ anfangen soll und folglich kein Anhaltspunkt für die Gliederung von ^{0}TT in $^{1}TT^{1}$ und $^{1}TT^{2}$ angeben; (b) dasselbe gilt für den zweiten direkten Hinweis auf die Erste Vision, die nachgestellte Substitution auf Metaebene: ἀνεμνήσθην τῆς περυσινῆς ὁράσεως; (c) die übrigen Hinweise aber sind anderer Art, als sie direkt mit be-

[1] S. Gülich/Raible 1977 a, 151 f.; Heger 1977, 299.

stimmten Strukturähnlichkeiten der beiden Visionserzählungen verbunden sind: Wanderung nach Cumae: κατὰ τὸν καιρὸν ὃν καὶ πέρυσι; Pneuma-Extase mit Ortsveränderung: πάλιν; εἰς τὸν αὐτὸν τόπον ὅπου καὶ πέρυσι; Offenbarungen der Sünden durch Rhode ὅτι με ἄξιον ἡγήσατο καὶ ἐγνώρισέν μοι τὰς ἁμαρτίας μου τὰς πρότερον. Mit Hilfe dieser Zusammenstellung können wir feststellen, daß der Autor die Erste Vision mit 1,3 anfangen lassen wollte, ohne daß er eine Substitution auf Metaebene zwischen $^{1}TT^{1}$ und $^{1}TT^{2}$ hat einfügen wollen. Bei der Zusammenfügung der beiden Teiltexte ersten Grades hat er die Gliederung durch Episodenmerkmale beibehalten und die Substitution auf Metaebene, die für die Visionen II, III und IV charakteristisch ist, vermieden. Dieses Verfahren ließ sich umso leichter durchführern als die Episodenmerkmale, zusammen mit den Substitutionen auf Metaebene, weiterhin als Merkmale für die Gliederung von Teiltexten zweiten Grades beibehalten wurden.

Der Anlaß für diese Vermeidung dürfte kaum rein literarischer, sondern vor allem funktionaler Art gewesen sein: auf diese Weise konnte der Verf. die Personenkonstellation aus der romanhaften Vorgeschichte vorerst beibehalten: dieselbe Rhode, die der diesseitigen Welt angehörte, kann nun unter Veränderung ihrer Weltzugehörigkeit als eine jenseitige Gestalt erscheinen. Dadurch gelingt es dem Autor, die Evaluation in die erste Vision (d. h. den ,,apokalyptischen Teil") hineinzubringen, ein Tatbestand, der im Hinblick auf die Beurteilung der Gedankensünden höchst bedeutsam ist. Hier kommt auch die Strategie des Autors zutage, die sich nicht nur nach dem, was der Leser erwartet, nämlich einen Liebesroman, sondern auch nach dem, was dieser nach der Erwartung des Autors nicht erwartet, richtet[2]. Durch eine Substitution auf Metaebene wie ὅρασις α′ am Anfang der ersten Vision wäre diese Strategie zunichtegemacht.

Für die Abgrenzung des $^{1}TT^{2}$ vom $^{1}TT^{1}$ ist aber, nebst der nachgestellten Substitution auf Metaebene, das dritte Gliederungsmerkmal von ausschlaggebender Bedeutung. In dem Abschnitt 1,3–24,7 ist die *Weltkonstitution* ganz anders als in der Vorgeschichte (1,1–2). Dort spielt sich alles im Bereich der diesseitigen Welt ab, hier dagegen dient die diesseitige Welt nur als Folie für die Versetzung des Autors in die jenseitige Welt, in welcher ihm die Offenbarungen von jenseitigen Personen zugeteilt werden.

Wie entscheidend die Weltveränderung für diesen Teil des Visionenbuches ist, zeigt sich dadurch, daß diese Weltveränderung jeweils in zwei Etappen geschieht: (1) durch Pneuma-Entrückung des Autors zum Offenbarungsort (Vis I und II), durch eine Sonderoffenbarung mit der Aufforderung, sich zum Offenbarungsort zu begeben (Vis III) und durch eine Audition auf der Via Campana als Vorbereitung für die Begegnung mit dem Ungeheuer und später der Jungfrau (Vis IV); (2) durch Offenbarungen am Offenbarungsort selbst.

---

2 S. dazu Dressler 1973, 56.

Wir sehen also wie die Kombination zweier Merkmale, nachgestellte Substitution auf Metaebene und Weltstrukturveränderung, bei einem Text wie diesem das Textganze in zwei Teiltexte ersten Grades delimitiert. Es bleibt zu fragen, ob diese Gliederung des Gesamttextes in einem „diesseitigen" und einem „jenseitigen" Teil gattungsspezifisch und folglich invariabel oder für das Textvorkommen des Visionenbuches speziell und somit variabel ist? Diese Frage kann erst nach Analysen anderer Apokalypsen entgültig entschieden werden, aber Beispiele, wie der Brief-Rahmen in Apk und der Erzähl-Rahmen in IV Esr, ApkPt und ApokryJh deuten auf ein gattungsspezifisches Kennzeichen hin. Während der Visionsteil ziemlich konstant bleibt, kann der „weltliche Rahmen" dagegen variabel sein, wie die genannten Beispiele zeigen. Im Visionenbuch handelt es sich bei der Motivwahl um zweierlei: (1) sie soll die Aufmerksamkeit des Lesers zu sich ziehen, ihn aufmerksam und aufnahmebereit stimmen[3] und (2) sie soll den Hintergrund, die Komplikation, für den Dialog über die Gedankensünden, die Evaluation, schaffen.

3.3. Die Teiltexte zweiten Grades: die vier Visionen

Waren die Teiltexte zweiten Grades mittels einer Kombination der Merkmale [2] und [3] zerlegt, so erfolgt die weitere Delimitation des ersten Teiltextes ersten Grades, d.h. die Vorgeschichte, mittels Episodenmerkmalen, wie dies für Erzähltexte typisch ist.

Die weitere Gliederung des zweiten Teiltextes ersten Grades, der Visionsteil, erfolgt dagegen durch eine Kombination von Substitutionen auf Metaebene und Episodenmerkmalen. Das die Substitution ὅρασις an diesen Stellen Teiltexte einer niedrigeren Stufe gliedert als bei der Delimitierung des Textganzen, geht aus dem Umstand ihrer jeweiligen Bezifferung ὅρασις β′, γ′, δ′ hervor[1], und somit treten diese Substitutionen gewissermaßen in die Nähe der Episodenmerkmale, die „das chronologische Verhältnis der in den jeweiligen Teiltexten dargestellten Phasen des Handlungsablaufs (signalisieren)"[2]. Der mit Hilfe dieser Merkmalskombination gegliederte Visionsteil umfaßt vorerst vier Visionen.

Nun wird die Sachlage in den Visionen zwei und drei dadurch komplizierter, daß innerhalb dieser beiden je zwei Nachtragsvisionen auftreten, die mit jeweils eigenen Substitutionen gekennzeichnet, aber dennoch in der Vis

[3] Zum literarischen Topos s. das rhetorische *iudicem attentum parare;* vgl. Lausberg 1973 a, 152 ff. [=§§ 269–271]; Martin 1974, 69 f.; Plett 1975 a, 16; so versteht die Vorgeschichte auch O'Neil 1978, 305 f. Zum Romanmotiv vgl. Dibelius 1923, 427–430; eine bes. interessante Parallele aus der urchristlichen Literatur ist ActPetr (BG 8502,4), 132 ff.

[1] Im Hinblick auf die Wiederholung der Substitution scheint uns die in § II.1.3.1. Anm. 65 zitierte Bemerkung Großes bedeutungsvoll.

[2] Gülich/Raible 1977 a, 153.

II bzw. Vis III eingeordnet sind. Wir bezeichnen diese deshalb als $^{2}TT^{2.2a}$ bzw. $^{2}TT^{2.3a}$. Für die Gliederung des Visionenteils verweisen wir auf den Überblick in § 2.1. Diese Gliederung eines Visionenteils dürfte gattungstypisch sein, wie ein Vergleich mit etwa IV Esr; syrBar nahelegt und eine genaue Analyse der Apk ergeben würde.

Auch Nachtragsvisionen sind für das Visionenbuch nichts singuläres[3].

3.4. Die Teiltexte dritten Grades: Offenbarungsort, Offenbarungsträger, Himmelsbuch

Die weitere Gliederung der vier Visionen in Teiltexte dritten Grades erfolgt durch eine Kombination der Merkmale [4] und [5].

Durch das Zusammentreffen beider Merkmale erhalten sie eine höhere Dignität als beiden je für sich eingeräumt werden kann. Mit Hilfe dieser Merkmalskombination werden die einzelnen Visionen in ihre charakteristischen Bestandteile gegliedert, die hauptsächlich durch Versetzung des Autors zum Offenbarungsort und durch Auftreten verschiedener Offenbarungsträger gekennzeichnet sind. Die Ortsversetzung kann entweder mittels Pneuma-Entrückung wie in Vis I und II, durch eine Nacht-Offenbarung der Presbyterin wie in Vis III oder durch eine Wanderung auf der Via Campana wie in Vis IV geschehen. Nicht nur das Auftreten von Offenbarungsträgern, sondern auch die Versetzung zum Offenbarungsort ist gattungstypisch[1]. Mit Hilfe dieses Merkmals wird auch das Himmelsbuch ausgegliedert, das ein typischer Bestandteil der Apokalypsen ausmacht[2]. Für einen Überblick über die Teiltexte dritten Grades s. § 2.1.

3.5. Die Teiltexte vierten Grades: Präparation und Vision

Die Untergliederung der verschiedenen Teiltexte dritten Grades in Teiltexte vierten Grades erfolgt mittels Merkmal [4]. Dieses Merkmal hat Vorrang vor dem alleinstehenden Merkmal [5].

Mit Hilfe des Wechsels in der Personenkonstellation werden die Pneuma-Entrückungen und die Visionsberichte in Situations- und Entrückungsschilderungen einerseits bzw. Präparations- und Visionsschilderungen andererseits delimitiert. In den Situations- bzw. Präparationsschilderungen ist der Autor allein, in den Entrückungs- bzw. Visionsschilderungen dagegen kommt er mit Offenbarungsträgern vor.

Mittels dieses Merkmals werden aber auch die Präparationen von der Ent-

---

[3] Vgl. Dibelius 1956, 89–90, der auf AelArist hinweist.

[1] Vgl. z.B. IV Esr 9, 23–25; ApokryJh II, 1, 19; syrBar 20,5; 21, 1; 43,3.

[2] Vgl. die Doppelurkunde in Apk 6,1–22,5 und dazu Bornkamm 1963.

hüllung des Himmelsbuches und Situationsangaben von den Nachtvisionen bzw. Auditionen unterschieden. Von diesen Teiltexten sind die Präparationen, welche den Visionen vorausgehen, ganz bes. spezifisch für Apokalypsen[1], aber auch Nachtvisionen[2] und Auditionen gehören dazu. Bezüglich der Teiltexte vierten Grades verweisen wir wieder auf die Zusammenstellung oben in § 2.1.

3.6. Die Teiltexte fünften Grades: Dialoge, Deutungen, Visionen innerhalb einer Vision

Zur weiteren Delimitierung der Teiltexte vierten Grades in solche fünften Grades dienten *teils* die Gliederungsmerkmale [5]: Wenn innerhalb einer Szene mit gleichen Handlungsträgern ein Zeit- bzw. Ortswechsel eintritt, delimitiert das Nachfolgemerkmal solche Teiltexte in weitere Teiltexte niedrigeren Grades; *teils* das Gliederungsmerkmal [1] zur Ausgliederung von Dialogpartien, die mit Hilfe der Regel 7 bei Gülich/Raible als selbständige Teiltexte behandelt werden[1].

Die mit diesen beiden Merkmalen delimitierten Teiltexte fünften Grades sind für Apokalypsen charakteristisch; denn Dialoge finden sich in jeder Apokalypse und Visionen innerhalb einer Vision kommen ebenfalls oft vor[2]. Die Liste der delimitierten Teiltexte könnte gemäß unserer Analyse oben erheblich verlängert werden; ab etwa Stufe 5–6 war indessen keine sichere Rangordnung der Gliederungsmerkmale mehr möglich, weshalb es als angebracht erscheinen kann, diese bewußt kurz gehaltene Zusammanfassung der vorläufigen Ergebnisse unserer Untersuchung an dieser Stelle abzubrechen.

4. Ausblick

Unser in der Einleitung angegebenes Untersuchungsziel, die bewährte formgeschichtliche Methode durch Heranziehung texttheoretischer und textwissenschaftlicher Modellbildung einen Schritt voranzutreiben, muß am Ende als nur z. T. verwirklicht betrachtet werden, denn, was wir in diesem

---

[1] Vgl. u.a. IV Esr 3,4–36; 5,23–30; 6,38–59; 9, 29–37; 12,4–9; 13,13–20; syrBar 21,4–26 et passim; grBar 1,1–2; TestLev 2,4; JosAs 12–13; ApokryJh II, 1,21–29; Apuleius Metam. XI, 1–2.

[2] Vgl. z. B. IV Esr 5,16–19; und bes. 6,30 ff.

[1] Gülich/Raible 1977 a, 149. Auf dem Gebiet der Dialogforschung bleibt gattungstheoretisch wie gattungswissenschaftlich noch viel zu tun; da dieses Forschungsgebiet noch mehr als die allgemeine Textlinguistik in ihren Anfängen steht, müssen wir uns bei dieser Gelegenheit mit einigen wenigen Literaturhinweisen begnügen: Berens et alii 1976; Wegner (Hrsg.) 1977; Heidrich (Hrsg.) 1977; Henne/Rehbock 1979.

[2] Vgl. z. B. Apk und ApkPetr.

ersten Band erzeugt haben, ist nur als Vorarbeit für die im zweiten Band zu leistende Gattungsbestimmung und Interpretation des Visionenbuches des Hermas anzusehen.

Für eine erschöpfende Erforschung der Gattung Apokalypse insgesamt ist es erforderlich, daß die Texte, die in der Forschungstradition dieser Gattung zugeordnet worden sind und andere noch nicht herangezogene Texte ähnlicher Art, ob jüdisch-christlicher Herkunft oder nicht, einer methodisch stringenten Analyse auf der Ebene der Makrostruktur unterzogen werden, in der Hoffnung, auf diese Weise zu intersubjektiv überprüfbaren Definitionen zu gelangen. Die methodologischen Vorüberlegungen sollten die nötige Grundlage für ein solches Unternehmen schaffen und die makrostrukturelle Analyse des Visionenbuches ein erster Versuch in dieser Richtung sein.

LITERATURVERZEICHNIS

Abrams, M. H.: *A Glossary of Literary Terms*, 3. Aufl. New York etc. 1971.
1971

Abrams, M. H.: *Spiegel und Lampe*. Romantische Theorie und die Tradition der
1978 Kritik (Theorie und Geschichte der Literatur und der schönen Künste 42), München 1978. [Dt. Übersetzung von: *The Mirror and the Lamp:* Romantic Theory and the Critical Tradition, London etc. 1953 (=Nachdruck 1977)].

Allwood et alii [Allwood, J./Andersson, L.-G./Dahl, Ö.]: *Logic in Linguistics*
1977 (Cambridge Textbooks in Linguistics), Cambridge 1977.

Althaus et alii [Althaus, H. P./Henne, H./Wiegand, H. E. (Hrsg.)]: *Lexikon der*
1973 *Germanistischen Linguistik,* Tübingen 1973.

Apel, K.-O.: ,,Charles W. Morris und das Programm einer pragmatisch integrierten
1973 Semiotik", in: Morris 1973, 9–66.

Apel, K.-O. (Hrsg.): *Sprachpragmatik und Philosophie* (Theorie-Diskussion),
1976 Frankfurt am Main 1976.

Apollonios Dyskolos: Apollonii Dyscoli quae supersunt, hrsg. von R. Schneider,
Π. ΑΝΤΩΝ. in: *Grammatici Graeci* II: 1 [ΠΕΡΙ ΑΝΤΩΝΥΜΙΑΣ], Leipzig 1878/1902.

Apollonios Dyskolos: Apollonii Dyskoli quae supersunt, hrsg. von G. Uhlig, in:
Π. ΣΥΝΤ. *Grammatici Graeci* II: 2 [ΠΕΡΙ ΣΥΝΤΑΞΕΩΣ], Leipzig 1910.

Assmann, J.: ,,Das ägyptische Zweibrüdermärchen (Papyrus d'Orbiney). Eine Text-
1977 analyse auf drei Ebenen am Leitfaden der Einheitsfrage", in: *Zeitschrift für ägyptische Sprache und Altertumskunde* 104(1977), 1–24.

Austin, J. L.: *Zur Theorie der Sprechakte* (How to do things with words) [Dt.
1972 Bearbeitung der ersten Auflage von 1962 von E. v. Savigny], Stuttgart 1972.

Austin, J. L.: *How to do Things with Words,* 2. Aufl. hrsg. von J. O. Urmson und
1975 M. Sbisà, Cambridge, Mass. 1975.

Ballmer, T.: ,,Einführung und Kontrolle von Diskurswelten", in: Wunderlich
1975 (Hrsg.) 1975, 183–206.

Bauer, W.: *Griechisch-deutsches Wörterbuch* zu den Schriften des Neuen Testa-
1963 ments und der übrigen urchristlichen Literatur, Nachdruck der 5. Aufl. Berlin 1963.

Bellert, I.: ,,Über eine Bedingung für die Kohärenz von Texten", in: Kallmeyer
1974 et alii (Hrsg.) 1974, 213–245 [auch in: Kiefer (Hrsg.) 1972, 1–27].

Ben-Amos, D./Goldstein, K. S. (Hrsg.): *Performance and Communication* (Ap-
1975 proaches to Semiotics 40), The Hague-Paris 1975.

Ben-Amos, D. (Hrsg.): *Folklore Genres,* Austin-London 1976.
1976

Berens et alii [Berens, F. J./Jäger, K. H./Schank, G./Schwitalla, J.]: *Projekt*
1976 *Dialogstrukturen.* Ein Arbeitsbericht. Mit einer Einleitung von H. Steger (Heutiges Deutsch I: 12), München 1976.

Berger, Kl.: *Exegese des Neuen Testaments.* Neue Wege vom Text zur Auslegung
1977 (Uni-Taschenbücher 658), Heidelberg 1977.

Betz, H. D.: ,,The Literary Composition and Function of Paul's Letter to the
1974/75 Galatians", in: *New Testament Studies* 21(1974/75), 353–379.

Betz, H. D. (Hrsg.): *Plutarch's Ethical Writings and Early Christian Literature*
1978 (Studia ad Corpus Hellenisticum Novi Testamenti 4), Leiden 1978.

Betz, H. D.: ,,Besprechung von Ph. Vielhauer, Geschichte der urchristlichen
1978a Literatur, Berlin 1975", in: *Svensk Exegetisk Årsbok* 43(1978), 128–132.

Betz, H. D.: *Galatians.* A Commentary on Paul's Letter to the Churches in Galatia
1979 (Hermeneia), Philadelphia, Penn. 1979.

Blaß, F./Debrunner, A./Rehkopf, F.: *Grammatik des neutestamentlichen Grie-*
1976 *chisch,* 14., völlig neubearbeitete und erweiterte Aufl. Göttingen 1976.

Blomqvist, J.: ,,Besprechung von Blaß/Debrunner/Rehkopf 1976", in: *Svensk Exe-*
1978 *getisk Årsbok* 43(1978), 120–125.

Bonner, C. (Hrsg.): *A Papyrus Codex of the Shepherd of Hermas* (Similitudes 2–9)
1934 with a fragment of the Mandates (University of Michigan Studies. Humanistic Series XXII), Ann Arbor, Mich. 1934.

Bonsiepe, G.: ,,Visuell/verbale Rhetorik", in: *Format* 4(1968), 11–18.
1968

Bornkamm, G.: ,,Formen und Gattungen II: Im NT", in: *Die Religion in Geschichte*
1958 *und Gegenwart* II, 3. Aufl. Tübingen 1958, 999–1005.

Bornkamm, G.: ,,Die Komposition der apokalyptischen Visionen in der Offenbarung
1963 Johannis", in: idem, *Studien zu Antike und Urchristentum.* Gesammelte Aufsätze Band 2 (Beiträge zur evangelischen Theologie 28), München 1963, 204–222.

Brashler, J. A.: *The Coptic Apocalypse of Peter: A Genre Analysis and Interpre-*
1977 *tation.* Ph.D. Diss. Claremont 1977.

Braunroth et alii [Braunroth, M./Seyfert, G./Siegel, K./Vahle, F.], *Ansätze und*
1978 *Aufgaben der linguistischen Pragmatik* (Athenäum Taschenbücher 2091), 2. Aufl. Kronberg 1978.

Brekle, H. E.: *Semantik.* Eine Einführung in die sprachwissenschaftliche Bedeu-
1974 tungslehre (Uni-Taschenbücher 102), 2. Aufl. München 1974.

Breuer, D.: *Einführung in die pragmatische Texttheorie* (Uni-Taschenbücher 106),
1974 München 1974.

Büchner, K.: *Somnium Scipionis.* Quellen-Gestalt-Sinn (=*Hermes.* Zeitschrift für
1976 klassische Philologie Heft 36), Wiesbaden 1976.

Bühler, K.: *Die Krise der Psychologie* (Ullstein 3460), Frankfurt am Main etc. 1978
1929 [Nachdruck der 2. Aufl. von 1929].

Bühler, K.: *Sprachtheorie.* Die Darstellungsfunktion der Sprache (Ullstein 3392),
1934 Frankfurt am Main etc. 1978 [Nachdruck der 2. unveränderten Aufl. von 1965 = 1. Aufl. 1934].

Bühler, K.: *Die Axiomatik der Sprachwissenschaften.* Einleitung und Kommentar
1976 von E. Stöcker, 2. Aufl. Frankfurt am Main 1976 [zuerst erschienen in den Kant-Studien Band 38, 1933, 19–90].

Bultmann, R.: ,,Evangelien, gattungsgeschichtlich (formgeschichtlich)", in: *Die*
1928 *Religion in Geschichte und Gegenwart* II, 2. Aufl. Tübingen 1928, 418–422.

Bultmann, R.: *Die Geschichte der synoptischen Tradition* (Forschungen zur Reli-
1964 gion und Literatur des Alten und Neuen Testaments 29), 6. Aufl. [=2. Aufl. 1931] Göttingen 1964.

Bultmann, R.: ,,Die Erforschung der synoptischen Evangelien", in: idem, *Glauben*
1965 *und Verstehen*. Gesammelte Aufsätze 4, Tübingen 1965, 1–41.

Bultmann, R.: ,,Zur Frage nach den Quellen der Apostelgeschichte", in: idem,
1967 *Exegetica*. Aufsätze zur Erforschung des Neuen Testaments ausgewählt, eingeleitet und herausgegeben von E. Dinkler, Tübingen 1967, 412–423.

Bultmann, R.: *Ergänzungsheft* zu: Die Geschichte der synoptischen Tradition.
1971 Bearbeitet von G. Theißen und Ph. Vielhauer, 4. Aufl. Göttingen 1971.

Buss, M. J.: ,,The Idea of Sitz im Leben—History and Critique", in: *Zeitschrift*
1978 *für die alttestamentliche Wissenschaft* 90(1978), 157–170.

Buttmann, A.: *Des Apollonios Dyskolos vier Bücher über die Syntax*. Übersetzt
1877 und erläutert von A. Buttmann, Berlin 1877.

Carnap, R.: *Introduction to Semantics and Formalization of Logic*, Cambridge,
1959 Mass. 1959.

Chadwick, H.: ,,The New Edition of Hermas", in: *Journal of Theological Studies*
1957 8(1957), 274–280.

Coleborne, W.: *A Linguistic Approach to the Problem of Structure and Composition*
1965 *of the Shepherd of Hermas*, Phil. Diss. University of Newcastle, Australia 1965.

Collins, J. J. (Hrsg.): *Apocalypse: The Morphology of a Genre* (=*Semeia* 14
1979 [1979]), Missoula, Mont. 1979.

Collins, J. J.: "Introduction: Towards a Morphology of a Genre", in: Collins
1979a (Hrsg.) 1979, 1–20.

Collins, J. J.: ,,The Jewish Apocalypses", in: Collins (Hrsg.) 1979, 21–59.
1979b

Conzelmann, H.: ,,Formen und Gattungen II NT", in: *Evangelisches Kirchen-*
1956 *lexikon* I, Göttingen 1956, 1310–1315.

Conzelmann, H.: *Die Apostelgeschichte* (Handbuch zum Neuen Testament 7),
1972 2. Aufl. Tübingen 1972.

Conzelmann, H.: ,,Besprechung von R. Kieffer, Essais de méthodologie néo-
1974 testamentaire, Lund 1972", in: *Svensk Exegetisk Årsbok* 39(1974), 176–179.

Conzelmann, H.: ,,Zu Mythos, Mythologie und Formgeschichte, geprüft an der
1976 dritten Praxis der Thomas-Akten", in: *Zeitschrift für die neutestamentliche Wissenschaft* 67(1976), 111–122.

Coseriu, E.: *Die Geschichte der Sprachphilosophie von der Antike bis zur Gegen-*
1969 *wart*. Eine Übersicht. Teil I: Von der Antike bis Leibniz, Tübingen 1969.

Coseriu, E.: *Die Geschichte der Sprachphilosophie von der Antike bis zur Gegen-*
1972 *wart*. Eine Übersicht. Teil II: Von Leibniz bis Rousseau (Tübinger Beiträge zur Linguistik 28), Tübingen 1972.

Coseriu, E.: *Synchronie, Diachronie und Geschichte* (Internationale Bibliothek
1974 für allgemeine Linguistik 3), München 1974.

Coseriu, E.: Diskussionsbeitrag in: Gülich/Raible (Hrsg.) 1975b, 173f.
1975

Daneš, F. (Hrsg.): *Papers on Functional Sentence Perspective*, Prag-The Hague-
1974 Paris 1974.

Dibelius, M.: *Der Hirt des Hermas* (Handbuch zum Neuen Testament. Ergänzungs-
1923 band: Die Apostolischen Väter IV), Tübingen 1923.

Dibelius, M.: *Geschichte der urchristlichen Literatur* I, II (Sammlung Göschen),
1926 Berlin 1926 [Neudruck in einem Band: F. Hahn (Hrsg.), in: Theologische Bücherei 58, München 1975].

Dibelius, M.: ,,Der Offenbarungsträger im 'Hirten' des Hermas", in: idem, *Botschaft und Geschichte*. Gesammelte Aufsätze II hrsg. von G.
1956 Bornkamm, Tübingen 1956, 80–93.

Dibelius, M.: *Die Formgeschichte des Evangeliums*. Mit einem erweiterten Nach-
1971 trag von G. Iber, 6. Aufl. Tübingen 1971.

van Dijk, T. A.: *Some Aspects of Text Grammars*. A Study in Theoretical Linguis-
1972 tics and Poetics (Janua Linguarum Series Maior 63), The Hague-Paris 1972.

van Dijk, T. A.: *Text and Context*. Explorations in the Semantics and Pragmatics
1977 of Discourse (Longman Linguistics Library 21), London-New York 1977.

van Dijk, T. A./Petöfi, J. S. (Hrsg.): *Grammars and Descriptions* (Studies in Text
1977 Theory and Text Analysis) (Research in Text Theory/Untersuchungen zur Texttheorie 1), Berlin-New York 1977.

Doty, W. G.: ,,The Concept of Genre in Literary Analysis", in: *Society of Biblical
1972 Literature. Book of Seminar Papers 1972*, hrsg. von L. C. McGaughy, Missoula, Mont. 1972, 413–448.

Dressler, W.: *Einführung in die Textlinguistik* (Konzepte der Sprach- und Literatur-
1973 wissenschaft 13), 2. Aufl. Tübingen 1973.

Dressler, W. (Hrsg.): *Textlinguistik* (Wege der Forschung 427), Darmstadt 1978.
1978a

Dressler, W. (Hrsg.): *Current Trends in Textlinguistics* (Research in Text Theory/
1978b Untersuchungen zur Texttheorie 2), Berlin-New York 1978.

Dubois et alii [Dubois, J./Edeline, F./Klinkenberg, J. M./Minguet, P./Pire, F./
1974 Trinon, H.]: *Allgemeine Rhetorik* (Uni-Taschenbücher 128), München 1974.

Eco, U.: *Einführung in die Semiotik* (Uni-Taschenbücher 105), München 1972
1972 [Ital. Original 1968].

Edmundsson, H. P.: ,,Mathematical Models in Linguistics and Language Proces-
1967 sing", in: H. Borko (Hrsg.): *Automated Language Processing*, New York 1967, 33–96.

Eggs, E.: ,,Zum Universalitätsanspruch der Sprechakttheorie", in: *Zeitschrift für
1974 Literaturwissenschaft und Linguistik* [LiLi] 14(1974), 31–64.

Ehlich, K./Rehbein, J.: ,,Erwarten", in: Wunderlich (Hrsg.) 1975, 99–114.
1975

Ehlich, K.: *Verwendung der Deixis beim sprachlichen Handeln*. Linguistisch-
1978 philologische Untersuchungen zum hebräischen deiktischen System (Forum Linguisticum 24), Frankfurt am Main 1978.

Engel, U./Grosse, S. (Hrsg.): *Grammatik und Deutschunterricht*. Jahrbuch 1977
1978 des Instituts für deutsche Sprache (Sprache der Gegenwart. Schriften des Instituts für deutsche Sprache 44), Düsseldorf 1978.

Eschbach, A.: *Zeichen-Text-Bedeutung*. Bibliographie zur Theorie und Praxis der
1974 Semiotik (Kritische Information 32), München 1974.

Esser, D.: *Formgeschichtliche Studien zur hellenistischen und zur frühchristlichen
1969 Literatur* unter besonderer Berücksichtigung der vita Apollonii des Philostrat und der Evangelien. Ev. theol. Diss. Bonn 1969.

Fallon, F. T.: ,,The Gnostic Apocalypses", in: Collins (Hrsg.) 1979, 123–158.
1979

Fillmore, Ch. J.: ,,Ansätze zu einer Theorie der Deixis", in: Kiefer (Hrsg.) 1972,
1972 147–174.

Fillmore, Ch. J.: ,,Pragmatics and the Description of Discourse", in: S. J. Schmidt
1976 (Hrsg.) 1976b, 83–104.

Fischer, K. M.: „Anmerkungen zur Pseudepigraphie im Neuen Testament", in:
1976 *New Testament Studies* 23(1976), 76–81.

Frese, J.: „Sprechen als Metapher für Handeln", in: S. J. Schmidt (Hrsg.) 1974,
1974 52–62 [zuerst erschienen in: H. G. Gadamer (Hrsg.): *Das Problem der Sprache*, München 1967, 45–55; auch abgedruckt in: Kallmeyer et alii (Hrsg.) 1974, 4–14].

de Gebhardt, O./Harnack, A.: *Hermae Pastor Graece*. Addita versione latina recen-
1977 tiore e codice palatino (Patrum apostolicorum opera fasc. III), Leipzig 1877.

Genette, G.: *Figures III* (Collection Poetique), Paris 1972.
1972

Gerber, U./Güttgemanns, E. (Hrsg.): „*Linguistische" Theologie*. Biblische Texte,
1975 christliche Verkündigung und theologische Sprachtheorie (Forum Theologiae Linguisticae 3), 2. Aufl. Bonn 1975.

Giet, S.: *Hermas et les Pasteurs*. Les trois auteurs du Pastor d'Hermas, Paris 1963.
1963

Grese, W. C.: *Corpus Hermeticum XIII and Early Christian Literature* (Studia ad
1979 Corpus Hellenisticum Novi Testamenti 5), Leiden 1979.

Grobel, K.: *Formgeschichte und synoptische Quellenanalyse* (Forschungen zur
1937 Religion und Literatur des Alten und Neuen Testaments 53), Göttingen 1937.

Große, E. U.: *Text und Kommunikation*. Eine linguistische Einführung in die Funk-
1976 tionen der Texte, Stuttgart 1976.

Gülich, E.: *Makrosyntax der Gliederungssignale im gesprochenen Französisch*
1970 (Structura 2), München 1970.

Gülich, E.: „Ansätze zu einer kommunikationsorientierten Erzähltextanalyse (am
1976 Beispiel mündlicher und schriftlicher Erzähltexte)", in: Haubrichs (Hrsg.) 1976, 224–256.

Gülich, E./Heger, Kl./Raible, W.: *Linguistische Textanalyse*. Überlegungen zur
1979 Gliederung von Texten (Papiere zur Textlinguistik/Papers in Textlinguistics 8), 2. Aufl. Hamburg 1979 [1. Aufl. 1974].

Gülich, E./Raible, W.: „Textsorten-Probleme", in: Linguistische Probleme der
1975a Textanalyse 1975, 144–197.

Gülich, E./Raible, W. (Hrsg.): *Textsorten*. Differenzierungskriterien aus linguis-
1975b tischer Sicht (Athenaion-Skripten Linguistik 5), 2. Aufl. Wiesbaden 1975.

Gülich, E./Raible, W.: *Linguistische Textmodelle*. Grundlagen und Möglichkeiten
1977 (Uni-Taschenbücher 130), München 1977.

Gülich, E./Raible, W.: „Überlegungen zu einer makrostrukturellen Textanalyse:
1977a J. Thurber, The Lover and His Lass", in: van Dijk/Petöfi (Hrsg.) 1977, 132–175 [auch in Gülich/Heger/Raible 1979, 73–149].

Gülich, E./Raible, W.: „Zur Textsorten-Differenzierung (am Beispiel von Novelle
1977b und Kurzgeschichte)"; Exposé in Thesenform in: Hinck (Hrsg.) 1977, Xf.

Gülich, E./Raible, W.: „Überlegungen zu einer makrostrukturellen Textanalyse
1979 J. Thurber, The Lover and His Lass", in: Gülich/Heger/Raible 1979, 73–149.

Günther, A.: „Der Begriff der Dialogbasis", in: Heidrich (Hrsg.) 1977, 205–226.
1977

Güttgemanns, E.: *Offene Fragen zur Formgeschichte des Evangeliums*. Eine
1970 methodologische Skizze der Grundlagenproblematik der Form- und Redaktionsgeschichte (Beiträge zur evangelischen Theologie 54), München 1970.

Güttgemanns, E.: *Einführung in die Linguistik für Textwissenschaftler* 1: Kommunikations- und informationstheoretische Modelle (Forum Theologiae Linguisticae 2), Bonn 1978.
1978

Gunkel, H.: „Die Grundprobleme der israelitischen Literaturgeschichte“, in: idem, *Reden und Aufsätze,* Göttingen 1913, 29–38.
1913

Habermas, J.: „Vorbereitende Bemerkungen zu einer Theorie der kommunikativen Kompetenz“, in: Habermas, J./Luckmann, N.: *Theorie der Gesellschaft oder Sozialtechnologie.* Was leistet die Systemforschung? (Theorie-Diskussion), Frankfurt am Main 1971, 101–141.
1971

Handbuch der Linguistik: *Handbuch der Linguistik.* Allgemeine und angewandte Sprachwissenschaft zusammengestellt von H. Stammerjohann, Darmstadt 1975.
1975

Hartman, L.: „The Functions of some so-called Apocalyptic Timetables“, in: *New Testament Studies* 22(1975), 1–14.
1975

Hartman, L.: „Till frågan om evangeliernas litterära genre“, in: *Annales Academiae regiae scientiarum Upsaliensis* 21(1978), 5–22.
1978

Hartmann, P.: „Modellbildung in der Sprachwissenschaft“, in: *Studium Generale* 18(1965), 364–379.
1965

Hartmann, P.: „Zum Begriff des sprachlichen Zeichens“, in: *Zeitschrift für Phonetik, Sprachwissenschaft und Kommunikationsforschung* 21 (1968), 205–222.
1968

Hartmann, P.: „Texte als linguistisches Objekt“, in: Stempel (Hrsg.) 1971a, 9–29.
1971

Harweg, R.: *Pronomina und Textkonstitution* (Beihefte zu Poetica 2), München 1968 [vgl. auch Harweg 1979].
1968a

Harweg, R.: „Textanfänge in geschriebener und in gesprochener Sprache“, in: *Orbis* 17(1968), 343–388.
1968b

Harweg, R.: „Text Grammar and Literary Texts: Remarks on a Grammatical Science of Literature“, in: *Poetics* 9(1973), 65–91.
1973

Harweg, R.: „Substitutional Text Linguistics“, in: Dressler (Hrsg.) 1978b, 247–260.
1978

Harweg, R.: *Pronomina und Textkonstitution* (Beihefte zu Poetica 2), 2. verbesserte und ergänzte Aufl. München 1979 [die 2. Aufl. erschien erst während der Drucklegung].
1979

Haubrichs, W. (Hrsg.): *Erzählforschung 1.* Theorien, Modelle und Methoden der Narrativik (Beiheft zur Zeitschrift für die Literaturwissenschaft und Linguistik [LiLi] 4), Göttingen 1976.
1976

Haubrichs, W. (Hrsg.): *Erzählforschung 2.* Theorien, Modelle und Methoden der Narrativik (Beiheft zur Zeitschrift für die Literaturwissenschaft und Linguistik [LiLi] 5), Göttingen 1977.
1977

Heger, Kl.: *Monem, Wort, Satz und Text* (Konzepte der Sprach- und Literaturwissenschaft 8), 2. erweiterte Aufl. Tübingen 1976.
1976

Heger, Kl.: „Sigmenränge und Textanalyse“, in: van Dijk/Petöfi (Hrsg.) 1977, 260–313 [auch in Gülich/Heger/Raible 1979, 1–71].
1977

Heidrich, C. H. (Hrsg.): *Konstituenten dialogischer Kommunikation* (IKP-Forschungsberichte I: 67), Hamburg 1977.
1977

Hempfer, Kl.: *Gattungstheorie.* Information und Synthese (Uni-Taschenbücher 133), München 1973.
1973

Hempfer, Kl.: „Zur pragmatischen Fundierung der Texttypologie“, in: Hinck (Hrsg.) 1977, 1–26.
1977

Hendricks, W. O.: „Methodology of Narrative Structural Analysis“, in: idem, *Essays on Semiolinguistics and Verbal Art* (Approaches to Semiotics 37), The Hague-Paris 1973, 175–195.
1973

Henne, H.: *Sprachpragmatik.* Nachschrift einer Vorlesung (Reihe Germanistische
1975 Linguistik 3), Tübingen 1975.
Henne, H.: ,,Gesprächsanalyse-Aspekte einer pragmatischen Sprachwissenschaft“,
1977 in: Wegner (Hrsg.) 1977, 67–92.
Henne, H./Rehbock, H.: *Einführung in die Gesprächsanalyse* (Sammlung Göschen
1979 2212), Berlin-New York 1979.
Hilgenfeld, A.: *Hermae Pastor.* Veterem latinam interpretationem e codicibus
1873 edidit A. Hilgenfeld, Leipzig 1873.
Hilgenfeld, A.: *Hermae Pastor.* Graece e codicibus sinaitico et lipsiensi ...
1881 restituit ... A. Hilgenfeld, 2. Aufl. Leipzig 1881.
Hilhorst, A.: *Sémitismes et latinismes dans le Pasteur d'Hermas* (Graecitas
1976 Christianorum Primaeva 5), Nijmegen 1976.
Hinck, W. (Hrsg.): *Textsortenlehre-Gattungsgeschichte* (medium literatur 4),
1977 Heidelberg 1977.
Hirsch, E. D.: *Prinzipien der Interpretation* (Uni-Taschenbücher 104), München
1972 1972 [Engl. Original 1967].
Hundschnurscher, F.: ,,Syntax“, in: Althaus et alii (Hrsg.) 1973, 184–221.
1973.
Iber, G.: ,,Zur Formgeschichte der Evangelien“, in: *Theologische Rundschau*
1957 24(1957), 283–283–338.
Ihwe, J. (Hrsg.): *Literaturwissenschaft und Linguistik.* Eine Auswahl Texte zur
1972 Theorie der Literaturwissenschaft 1 (Fischer Athenäum Taschenbücher 2015), Frankfurt am Main 1972.
Ihwe, J. (Hrsg.): *Literaturwissenschaft und Linguistik.* Eine Auswahl Texte zur
1973 Theorie der Literaturwissenscahft 2 (Fischer Athenäum Taschenbücher 2016), Frankfurt am Main 1973.
Isenberg, H.: ,,Überlegungen zur Texttheorie“, in: Kallmeyer et alii (Hrsg.) 1974,
1974 194–212 [zuerst erschienen 1971].
Joly, R.: ,,Hermas et le Pasteur“, in: *Vigiliae Christianae* 21(1967), 201–218.
1967
Joly, R.: *Hermas le Pasteur.* Introduction, texte critique, traduction et notes
1968 (Sources chrétiennes 53), 2. Aufl. Paris 1968.
Kallmeyer, W./Meyer-Hermann, R.: ,,Textlinguistik“, in: Althaus et alii (Hrsg.)
1973 1973, 221–231.
Kallmeyer et alii [Kallmeyer, W./Klein, W./Meyer-Hermann, R./Netzer, K./
1974 Siebert, H. J. (Hrsg.)]: *Lektürekolleg zur Textlinguistik 2:* Reader (Fischer Athenäum Taschenbücher 2051), Frankfurt am Main 1974.
Kallmeyer et alii [Kallmeyer, W./Klein, W./Meyer-Hermann, R./Netzer, K./
1977 Siebert, H. J.]: *Lektürekolleg zur Textlinguistik 1:* Einführung (Fischer Athenäum Taschenbücher 2050), 2. Aufl. Kronberg 1977.
Karpp, H.: *Die Buße.* Quellen zur Entstehung des altchristlichen Bußwesens
1969 (Traditio Christiana. Texte und Kommentare zur patristischen Theologie 1), Zürich 1969.
Kempson, R. M.: *Presupposition and the Delimitation of Semantics,* London 1975.
1975
Kennedy, G.: *The Art of Persuasion in Greece,* Princeton, N.J. 1963.
1963
Kennedy, G.: *The Art of Rhetoric in the Roman World* 300 B.C.–A.D. 300, Prince-
1972 ton, N.J. 1972.
Kiefer, F. (Hrsg.): *Semantik und generative Grammatik* (Linguistische Forschungen
1972 1:1), Frankfurt am Main 1972.
Klatt, W.: *Hermann Gunkel.* Zu seiner Theologie der Religionsgeschichte und zur
1969 Entstehung der formgeschichtlichen Methode (Forschungen zur

Religion und Literatur des Alten und Neuen Testaments 100), Göttingen 1969.

Klaus, G.: „Semiotik", in: Klaus, G./Buhr, M. (Hrsg.): *Philosophisches Wörterbuch* II, 2. Aufl. Leipzig 1969, 978.
1969

Klaus, G.: *Semiotik und Erkenntnistheorie,* 4. Aufl. München-Salzburg 1973 [=2. Aufl. Berlin 1969].
1973

Klein, W.: „Wo ist hier? Präliminarien zu einer Untersuchung der lokalen Deixis", in: *Linguistische Berichte* 58(1978), 18–40.
1978

Knierim, R.: „Old Testament Form Criticism Reconsidered", in: *Interpretation* 27(1973), 435–467 [auch veröffentlicht als *Occasional Paper* des Institute for Antiquity and Christianity, Claremont, Calif. 1973].
1973

Koch, Kl.: *Was ist Formgeschichte*? Methoden der Bibelexegese. 3., verbesserte Aufl. mit einem Nachwort: Linguistik und Formgeschichte, Neukirchen 1974.
1974

Koch, Kl.: „Esras erste Vision. Weltzeiten und Weg des Höchsten", in: *Biblische Zeitschrift* 22(1978), 46–75.
1978

Kopperschmidt, J.: *Allgemeine Rhetorik.* Einführung in die Theorie der persuasiven Kommunikation (Sprache und Literatur 79), Stuttgart 1973.
1973

Koschmieder, E.: „Zur Bestimmung der Funktionen grammatischer Kategorien", in: idem, *Beiträge zur allgemeinen Syntax* (Bibliothek der allgemeinen Sprachwissenschaft), Heidelberg 1965, 9–69 [zuerst erschienen 1945].
1965

Kummer, W.: *Grundlagen der Texttheorie.* Zur handlungstheoretischen Begründung einer materialistischen Sprachwissenschaft (rororo studium 51), Reinbek bei Hamburg 1975.
1975

v. Kutschera, F.: *Sprachphilosophie* (Uni-Taschenbücher 80) 2., völlig neu bearbeitete und erweiterte Aufl. München 1975.
1975

Labov, W./Waletzky, J.: „Erzählanalyse: mündliche Versionen persönlicher Erfahrung", in: Ihwe (Hrsg.) 1973, 78–126 [Engl. Original 1967].
1973

Lake, K.: *Facsimiles of the Athos Fragments of the Shepherd of Hermas.* Photographed and transcribed by K. Lake, Oxford 1907.
1907

Lake, K.: *Codex Sinaiticus Petropolitanus.* The New Testament, the Epistles of Barnabas and the Shepherd of Hermas, preserved in the Imperial Library of St. Petersburg, now reproduced in facsimile from photographs by H. and K. Lake, Oxford 1911.
1911

Lake, K.: *The Apostolic Fathers II:* The Shepherd of Hermas ... (Loeb Classical Library), Cambridge, Mass.-London 1913.
1913

Lampe, G. W. H.: *A Patristic Greek Lexicon,* Oxford 1968.
1968

Lausberg, H.: *Handbuch der literarischen Rhetorik.* Eine Grundlegung der Literaturwissenschaft, 2. durch einen Nachtrag vermehrte Aufl. München 1973.
1973a

Lausberg, H.: *Handbuch der literarischen Rhetorik.* Registerband, 2. Aufl. München 1973.
1973b

Lausberg, H.: *Elemente der literarischen Rhetorik.* Eine Einführung für Studierende der klassischen, romanischen, englischen und deutschen Philologie, 5. Aufl. München 1976.
1976

Lelong, A.: *Le Pasteur d'Hermas.* Texte grec, traduction française, introduction et index (Les Père Apostoliques IV), Paris 1912.
1912

Leontev, A. A.: *Sprache-Sprechen-Sprechtätigkeit* (Sprache und Literatur 71), Stuttgart 1971 [Russ. Original 1969].
1971

Leuschner, B.: „Grundstrukturen des 'Paragraphs'. Ein Problem der Textgrammatik", in: *Linguistische Berichte* 21(1972), 80–95.
1972

Lewandowski, Th.: *Linguistisches Wörterbuch 1* (Uni-Taschenbücher 200), 2. Aufl.
1976a Heidelberg 1976.

Lewandowski, Th.: *Linguistisches Wörterbuch 2* (Uni-Taschenbücher 201), 2. Aufl.
1976b Heidelberg 1976.

Lewandowski, Th.: *Linguistisches Wörterbuch 3* (Uni-Taschenbücher 300), 2. Aufl.
1976c Heidelberg 1976.

Lewis, D.: ,,General Semantics", in: Davidson, D./Harman, G. (Hrsg.): *Semantics*
1972 *of Natural Language* (Synthese Library 40), Dordrecht-Boston 1972, 169–218.

Lewis, D.: *Konvention.* Eine sprachphilosophische Abhandlung (de Gruyter Stu-
1975 dienbuch: Grundlagen der Kommunikation), Berlin-New York 1975 [Engl. Original 1969].

Liddell, H. G./Scott, R. et alii: *Greek–English Lexicon,* Oxford 1966.
1966

Liddell, H. G./Scott, R. . . ./Barber, E. A.: Greek English Lexicon. *A Supplement,*
1968 Oxford 1968.

Lindemann, A.: ,,Bemerkungen zu den Adressaten und zum Anlaß des Epheser-
1976 briefes", in: *Zeitschrift für die neutestamentliche Wissenschaft* 67(1976), 235–251.

Linguistische Probleme der Textanalyse: *Linguistische Probleme der Textanalyse.*
1975 Jahrbuch des Instituts für deutsche Sprache (Sprache der Gegenwart. Schriften des Instituts für deutsche Sprache in Mannheim 35), Düsseldorf 1975.

Lyons, J.: *Einführung in die moderne Linguistik,* 3. Aufl. München 1973 [Engl.
1973 Original 1968].

Lyons, J.: *Semantics* 1, Cambridge 1977.
1977a

Lyons, J.: *Semantics* 2, Cambridge 1977.
1977b

Mantz, H. E.: ,,Types of Literature", in: *The Modern Language Review* 12(1917),
1917 469–479.

Martin, J.: *Antike Rhetorik.* Technik und Methode (Handbuch der Altertumswissen-
1974 schaft II:3), München 1974.

Marxsen, W.: *Der Evangelist Markus.* Studien zur Redaktionsgeschichte des
1956 Evangeliums (Forschungen zur Religion und Literatur des Alten und Neuen Testaments 67), Göttingen 1956 [2. Aufl. 1959].

Meier, G. F.: ,,Wirksamkeit der Sprache", in: S. J. Schmidt (Hrsg.) 1974, 63–83
1974 [zuerst erschienen 1969].

Menne, A.: *Einführung in die Logik* (Uni-Taschenbücher 34), 2. Aufl. München
1973 1973.

Morris, Ch. W.: *Zeichen, Sprache und Verhalten* (Sprache und Lernen. Inter-
1973 nationale Studien zur pädagogischen Anthropologie 28), Düsseldorf 1973 [Engl. Original 1946].

Morris, Ch. W.: *Grundlagen der Zeichentheorie; Ästhetik und Zeichentheorie*
1975 (Reihe Hanser 106), 2. Aufl. München 1975 [Engl. Originale 1938 und 1939].

Musurillo, H. A.: ,,The Need of a New Edition of Hermas", in: *Theological Studies*
1951 12(1951), 382–387.

Nestle-Aland: *Novum Testamentum Graece,* 26. neu bearbeitete Auflage Stuttgart
1979 1979.

O'Hagen, A. P.: ,,The Great Tribulation to Come in the Pastor of Hermas", in:
1961 *Studia Patristica* IV:2 (Texte und Untersuchungen 79), Berlin 1961, 305–311.

Oller, J. W.: „Transformational Theory and Pragmatics", in: *Modern Language*
1970 *Journal* 54(1970), 504–507.

Oller, J. W.: „Über die Beziehung zwischen Syntax, Semantik und Pragmatik",
1974 in: S. J. Schmidt (Hrsg.) 1974, 132–147 [Engl. Original 1972].

Olsson, B.: *Structure and Meaning in the Fourth Gospel.* A Text-Linguistic Analy-
1974 sis of John 2: 1–11 and 4: 1–42 (Coniectanea Biblica. New Testament Series 6), Lund 1974.

O'Neil, E. N.: „De cupiditate divitiarum (Moralia 523C–528B)", in: Betz (Hrsg.)
1978 1978, 298–361.

Oomen, U.: „Systemtheorie der Texte", in: Kallmeyer et alii (Hrsg.) 1974, 47–70
1974 [Engl. Original 1971].

Paul, L.: *Geschichte der Grammatik im Grundriß.* Sprachdidaktik als angewandte
1978 Erkenntnistheorie und Wissenschaftskritik (Pragmalinguistik 14), Weinheim-Basel 1978.

Peterson, E.: *Frühkirche, Judentum und Gnosis.* Studien und Untersuchungen,
1959 Rom-Freiburg-Wien 1959.

Peterson, E.: „Beiträge zur Interpretation der Visionen im Pastor Hermae", in:
1959a Peterson 1959, 254–270.

Peterson, E.: „Kritische Analyse der fünften Vision des Hermas", in: Peterson
1959b 1959, 271–284.

Peterson, E.: „Die Begegnung mit dem Ungeheuer", in: Peterson 1959, 285–309.
1959c

Petöfi, J. S./Franck, D. (Hrsg.): *Präsuppositionen in Philosophie und Linguistik/*
1973 *Presuppositions in Philosophy and Linguistics* (Linguistische Forschungen 7), Frankfurt am Main 1973.

Piaget, J.: *Einführung in die genetische Erkenntnistheorie* (suhrkamp taschenbuch
1973 wissenschaft 6), Frankfurt am Main 1973 [Engl. Original 1970].

Piaget, J.: *Der Strukturalismus,* Olten-Freiburg 1973 [Franz. Original 1968].
1973a

Platon: *Platon. Werke in acht Bänden.* Griechisch und deutsch III: Phaidon-Das
Kratylos Gastmahl-Kratylos. Bearbeitet von D. Kurz, Darmstadt 1974.

Plett, H. F.: „Von den Möglichkeiten und Grenzen einer linguistischen Literatur-
1974 wissenschaft", in: *Zeitschrift für Literaturwissenschaft und Linguistik* [LiLi] 14(1974), 15–29.

Plett, H. F.: *Einführung in die rhetorische Textanalyse,* 2. Aufl. Hamburg 1975.
1975a

Plett, H. F.: *Textwissenschaft und Textanalyse.* Semiotik, Linguistik, Rhetorik
1975b (Uni-Taschenbücher 328), Heidelberg 1975 [2. Aufl. 1979].

Plett, H. F. (Hrsg.): *Rhetorik.* Kritische Positionen zum Stand der Forschung
1977a (Kritische Information 50), München 1977.

Plett, H. F.: „Perspektiven der gegenwärtigen Rhetorikforschung", in: Plett (Hrsg.)
1977b 1977a, 9–22.

Plett, H. F.: „Die Rhetorik der Figuren. Zur Systematik, Pragmatik und Ästhetik
1977c der 'Elocutio'", in: Plett (Hrsg.) 1977a, 125–165.

Porzig, W.: *Die Namen für Satzinhalte im Griechischen und im Indogermanischen*
1942 (Untersuchungen zur indogermanischen Sprach- und Kulturwissenschaft 10), Berlin 1942.

Preisendanz, K.: *Papyri Graecae Magicae.* Die Griechischen Zauberpapyri I, 2.,
1973 verbesserte Aufl. mit Ergänzungen von K. Preisendanz. Durchgesehen und hrsg. von A. Henrichs, Stuttgart 1973.

Preisendanz, K.: *Papyri Graecae Magicae.* Die Griechischen Zauberpapyri II, 2.,
1974 verbesserte Aufl. mit Ergänzungen von K. Preisendanz und E. Heitsch. Durchgesehen und hrsg. von A. Henrichs, Stuttgart 1974.

Puech, A.: „Observations sur le Pasteur d'Hermas", in: *Studi dedicati alla memoria*
1937 *de P. Ubaldi* (Milano, Univ. cattolica del sacro cuore, Publ., Ser. 5: 16), Milano 1937, 83–85.

Raible, W.: „Linguistik und Literaturkritik", in: *Linguistik und Didaktik* 2(1971),
1971 300–313.

Raible, W.: *Satz und Text.* Untersuchungen zu vier romanischen Sprachen (Beihefte
1972 zur Zeitschrift für romanische Philologie 132), Tübingen 1972.

Raible, W.: „Textlinguistische Überlegungen zu neutestamentlichen Texten", in:
1975 Gerber/Güttgemanns (Hrsg.) 1975, 9–26 [Diskussion des Vortrags, ibid., 27–37].

Raible, W.: „Langer Rede dunkler Sinn. Zur Verständlichkeit von Texten aus der
1978 Sicht der Sprachwissenschaft", in: Engel/Grosse (Hrsg.) 1978, 316–337.

de Saussure, F.: *Grundfragen der allgemeinen Sprachwissenschaft,* 2. Aufl. Berlin
1967 1967 [1. franz. Aufl. 1916].

v. Savigny, E.: *Die Philosophie der normalen Sprache.* Eine kritische Einführung
1974 in die „ordinary language philosophy" (suhrkamp taschenbuch wissenschaft 29), Frankfurt am Main 1974.

Schenk, W.: „Textlinguistische Aspekte der Strukturanalyse, dargestellt am Bei-
1976/1977 spiel von 1 Kor XV.1–11", in: *New Testament Studies* 23(1976/77), 469–477.

Schlieben-Lange, B.: *Linguistische Pragmatik* (Urban-Taschenbücher 198), Stutt-
1975 gart etc. 1975.

Schmidt, K. L.: „Die Stellung der Evangelien in der allgemeinen Literaturge-
1923 schichte", in: ΕΥΧΑΡΙΣΤΗΡΙΟΝ, *FS H. Gunkel* II (Forschungen zur Religion und Literatur des Alten und Neuen Testaments 19: 2), Göttingen 1923, 50–134.

Schmidt, K. L.: „Formgeshichte", in: *Die Religion in Geschichte und Gegenwart*
1928 II, 2. Aufl. Tübingen 1928, 638–640.

Schmidt, K. L.: *Der Rahmen der Geschichte Jesu.* Literarkritische Untersuchungen
1964 zur ältesten Jesusüberlieferung, Darmstadt 1964 [=Berlin 1919].

Schmidt, S. J.: *Bedeutung und Begriff.* Zur Fundierung einer sprachphilosophischen
1969 Semantik. (Wissenschaftstheorie. Wissenschaft und Philosophie 3), Braunschweig 1969.

Schmidt, S. J.: „Texttheorie/Pragmalinguistik", in: Althaus et alii (Hrsg.) 1973,
1973 233–244.

Schmidt, S. J. (Hrsg.): *Pragmatik 1.* Interdisziplinäre Beiträge zur Erforschung
1974 der sprachlichen Kommunikation (Kritische Information 11), München 1974.

Schmidt, S. J.: *Texttheorie.* Probleme einer Linguistik der sprachlichen Kom-
1976a munikation (Uni-Taschenbücher 202), 2., verbesserte und ergänzte Aufl. München 1976.

Schmidt, S. J. (Hrsg.): *Pragmatik/Pragmatics 2.* Zur Grundlegung einer expliziten
1976b Pragmatik (Kritische Information 25), München 1976.

Schmidt, S. J.: „Some Problems of Communicative Text Theories", in: Dressler
1978 (Hrsg.) 1978b, 47–60.

Schnelle, H.: *Sprachphilosophie und Linguistik.* Prinzipien der Sprachanalyse a
1973 priori und a posteriori (rororo studium 30), Reinbek bei Hamburg 1973.

Schweizer, Ed.: „Zur Frage der Echtheit des Kolosser- und des Epheserbriefes",
1963 in: idem, *Neotestamentica.* Deutsche und Englische Aufsätze 1951–1963, Zürich 1963, 429.

Searle, J. R.: *Sprechakte*. Ein sprachphilosophischer Essay, Frankfurt am Main
1971 1971 [Engl. Original 1969].

Searle, J. R. (Hrsg.): *The Philosophy of Language* (Oxford Readings in Philosophy),
1971a Oxford 1971.

Searle, J. R.: „Was ist ein Sprechakt", in: S. J. Schmidt (Hrsg.) 1974, 84–102
1974 [Engl. Original in Searle (Hrsg.) 1971a, 39–53].

Sellers, W.: „Presupposing", in: Petöfi/Franck (Hrsg.) 1973, 173–191 [zuerst er-
1973 schienen 1954].

Snyder, G. F.: *The Apostolic Fathers*. A New Translation and Commentary. Vol.
1968 6: The Shepherd of Hermas, London etc. 1968.

Stachowiak, H.: „Gedanken zu einer allgemeinen Theorie der Modelle", in: *Stu-*
1965 *dium Generale* 18 (1965), 432–463.

Stalnaker, R. C.: „Pragmatik", in: S. J. Schmidt (Hrsg.) 1974, 148–165 [Engl.
1974 Original 1970].

Stegmüller, W.: „Das Universalienproblem einst und jetzt", in: idem, *Glauben,*
1974 *Wissen und Erkennen – Das Universalienproblem einst und jetzt* (Libelli 94), Darmstadt 1974, 48–118.

Stegmüller, W.: *Hauptströmungen der Gegenwartsphilosophie*. Eine kritische Ein-
1975 führung II (Kröners Taschenausgabe 309), Stuttgart 1975.

Stegmüller, W.: *Hauptströmungen der Gegenwartsphilosophie*. Eine kritische Ein-
1976 führung I (Kröners Taschenausgabe 308), 6. Aufl. Stuttgart 1976.

Stegmüller, W. (Hrsg.): *Das Universalien-Problem* (Wege der Forschung 83), Darm-
1978 stadt 1978.

Steinitz, R.: „Nominale Pro-Formen", in: Kallmeyer et alii (Hrsg.) 1974, 247–265.
1974

Steinthal, H.: *Geschichte der Sprachwissenschaft bei den Griechen und Römern*
1890 mit besonderer Rücksicht auf die Logik I, 2. Aufl. Berlin 1890 [Nachdruck: Hildesheim 1961].

Steinthal, H.: *Geschichte der Sprachwissenschaft bei den Griechen und Römern*
1891 mit besonderer Rücksicht auf die Logik II, 2. Aufl. Berlin 1891 [Nachdruck: Hildesheim 1961].

Stempel, W. D.: „Möglichkeiten einer Darstellung der Diachronie in narrativen
1971 Texten", in: Stempel (Hrsg.) 1971a, 53–78.

Stempel, W. D. (Hrsg.): *Beiträge zur Textlinguistik* (Internationale Bibliothek für
1971a allgemeine Linguistik 1), München 1971.

Stempel, W. D.: „Gibt es Textsorten?", in: Gülich/Raible (Hrsg.) 1975b, 175–179.
1975

Stendahl, Kr.: *The School of St. Matthew and its Use of the Old Testament* (Acta
1954 Seminarii neotestamentici Upsaliensis 20), Lund 1954 [2. Aufl. mit einem neuen Vorwort, Lund 1968].

Strawson, P. F.: „Intention and Convention in Speech Acts", in: Searle (Hrsg.)
1971 1971a, 23–38 [zuerst erschienen 1964].

Strecker, G.: „Besprechung von W. Marxsen, Der Evangelist Markus, Göttingen
1961 1956", in: *Zeitschrift für Kirchengeschichte* 72(1961), 141–147.

Strecker, G.: „Entrückung", in: *Reallexikon für Antike und Christentum* 5, Stutt-
1962 gart 1962, 462–476.

Ström, Å. V.: *Der Hirt des Hermas: Allegorie oder Wirklichkeit*? (Arbeiten und
1936 Mitteilungen aus dem neutestamentlichen Seminar zu Uppsala 3), Uppsala 1936.

Theißen, G.: *Urchristliche Wundergeschichten*. Ein Beitrag zur formgeschicht-
1974 lichen Erforschung der synoptischen Evangelien (Studien zum Neuen Testament 8), Gütersloh 1974.

Theißen, G.: „Die soziologische Auswertung religiöser Überlieferungen", in:
1975 *Kairos* 17(1975), 284–299.

Thyen, H.: „Aus der Literatur zum Johannesevangelium", in: *Theologische Rundschau* 39(1974), 1–69.
1974

Ungeheuer, G.: *Sprache und Kommunikation* (IPK-Forschungsberichte 13), 2., erweiterte Aufl. Hamburg 1972.
1972

Vielhauer, Ph.: „Apokalyptik des Urchristentums 1. Einleitung", in: Hennecke, E./ Schneemelcher, W.: *Neutestamentliche Apokryphen II:* Apostolisches, Apokalypsen und Verwandtes, Tübingen 1964, 408–454.
1964

Vielhauer, Ph.: *Geschichte der urchristlichen Literatur.* Einleitung in das Neue Testament, die Apokryphen und die Apostolischen Väter (de Gruyter Lehrbuch), Berlin-New York 1975.
1975

Volz, P.: *Die Eschatologie der jüdischen Gemeinde im neutestamentlichen Zeitalter,* Tübingen 1934 [Nachdruck: Hildesheim 1966].
1934

Weber, M.: *Soziologische Grundbegriffe* (Uni-Taschenbücher 541), 3. Aufl. Tübingen 1976.
1976

Wegner, D. (Hrsg.): *Gesprächsanalysen* (IKP-Forschungsberichte I:65), Hamburg 1977.
1977

Weinrich, H.: *Literatur für Leser.* Essays und Aufsätze zur Literaturwissenschaft, Stuttgart 1971.
1971

Weinrich, H.: „Textsyntax des französischen Artikels", in: Kallmeyer et alii (Hrsg.) 1974, 284–293 [Diskussionsreferat 284–293] [Engl. Original 1971].
1974

Wellek, R./Warren, A.: *Theorie der Literatur* (Fischer Athenäum Taschenbücher 2005), 2. Aufl. Frankfurt am Main 1972 [2. rev. engl. Ausgabe 1958].
1972

Welte, W.: *Moderne Linguistik: Terminologie/Bibliographie.* Ein Handbuch und Nachschlagewerk auf der Basis der generativ-transformationellen Sprachtheorie (Hueber Hochschulreihe 17: 1–2), München 1974.
1974

Werlich, E.: *Typologie der Texte.* Entwurf eines textlinguistischen Modells zur Grundlegung einer Textgrammatik (Uni-Taschenbücher 450), Heidelberg 1975.
1975

Wetterström, T.: *Intention and Communication.* An Essay in the Phenomenology of Language (Doxa Studies in the Philosophy of Language 2), Lund 1977.
1977

White, J. C.: *The Interaction of Language and World in the Shepherd of Hermas.* Ph.D. Diss. Tempel University, o.O. [University Microfilms, Ann Arbor-London 1977].
1973

Whittaker, M.: *Die Apostolischen Väter I. Der Hirt des Hermas* (Die Griechischen Christlichen Schriftsteller 48: 2), 2., überarbeitete Auflage Berlin 1967.
1967

Wienold, G.: *Semiotik der Literatur,* Frankfurt am Main 1972.
1972

Wilson, D.: *Presuppositions and non-truth conditional Semantics,* New York-London 1975.
1975

Windisch, H.: *Taufe und Sünde im ältesten Christentum bis auf Origenes.* Ein Beitrag zur altchristlichen Dogmengeschichte, Tübingen 1908.
1908

Wittgenstein, L.: *Philosophische Untersuchungen* (suhrkamp taschenbuch 14), 3. Aufl. Frankfurt am Main 1975.
1975

Wörner, M.: *Performative und sprachliches Handeln.* Ein Beitrag zu J. L. Austins Theorie der Sprechakte (IKP-Forschungsberichte I: 64), Hamburg 1978.
1978

Wunderlich, D.: ,,Pragmatik, Sprechsituation, Deixis", in: *Zeitschrift für Literatur-*
1971 *wissenschaft und Linguistik* [LiLi] 1–2(1970–71), 153–190.

Wunderlich, D.: *Grundlagen der Linguistik* (rororo studium 17), Reinbek bei Ham-
1974 burg 1974.

Wunderlich, D. (Hrsg.): *Linguistische Pragmatik* (Schwerpunkte. Linguistik und
1975 Kommunikationswissenschaft 12), 2. Aufl. Wiesbaden 1975.

Wunderlich, D.: ,,Zur Konventionalität von Sprechhandlungen", in: Wunderlich
1975a (Hrsg.) 1975, 11–58.

Wunderlich, D.: *Studien zur Sprechakttheorie* (suhrkamp taschenbuch wissenschaft
1976 172), Frankfurt am Main 1976.

Yarbro Collins, A.: ,,The Early Christian Apocalypses", in: Collins (Hrsg.) 1979,
1979 61–121.